CW00740885

IL DIARIO SEGRETO DI JACK LO SQUARTATORE

UNO STUDIO ROSSO SANGUE LIBRO 1

BRIAN L. PORTER

Traduzione di

MONJA ARENIELLO

Pubblicato nel 2021 da Next Chapter

Cover art di Cover Mint

Quarta di copertina di David M. Schrader, usata sotto licenza da Shutterstock.com

Edizione Rilegata A Caratteri Grandi

Dedicato alla memoria di Enid e Leslie Porter, a Juliet e ... a Sasha!

RINGRAZIAMENTI (AGGIORNAMENTO 2020)

2020

Il diario segreto di Jack lo Squartatore (trilogia *Uno studio rosso sangue*) è stato originariamente pubblicato nel 2008 dalla Double Dragon Publishing, recentemente fallita. Sono quindi estremamente grato a Miika Hanilla di Next Chapter Publishing, l'editore di oltre venti dei miei lavori più recenti, che ha accettato di pubblicare nuove versioni aggiornate dei miei tre libri della trilogia dello Squartatore, *Uno studio rosso sangue, L'eredità dello Squartatore* e *Requiem per lo Squartatore* oltre al mio romanzo *Pestilenza*. Senza l'aiuto e la fiducia di Miika nel mio lavoro, i quattro libri sarebbero stati consegnati agli annali della storia e non sarebbero stati più disponibili per i lettori.

Devo anche ringraziare la mia ricercatrice / correttrice di bozze, Debbie Poole che mi ha faticosamente aiutato a controllare e aggiornare il manoscritto originale.

E ora, i riconoscimenti originali, che rimangono rilevanti oggi come lo erano al momento della pubblicazione originale.

2008

Nel corso della stesura di 'Uno studio rosso sangue' sono rimasto sbalordito da quante persone sono state coinvolte lungo il percorso. È con loro in mente che colgo questa breve opportunità per ringraziarle, perché senza il loro aiuto e la loro cooperazione, la storia non sarebbe mai stata completata.

Gran parte del materiale di partenza utilizzato come note di riferimento per il personaggio di Robert, presente nelle pagine seguenti, è derivato dai miei riferimenti al sito più completo sul caso di Jack lo Squartatore che ho trovato. Ringrazio quindi Stephen P. Ryder per il suo generoso permesso di utilizzare il nome www.*Casebook*.org nel testo del romanzo e come fonte di riferimento. Allo stesso modo, un ringraziamento va a Edward McMillan del Police Information Center dell'ormai estinta Lothian and Borders Police (ora Police of Scotland), per il suo prezioso aiuto nel tracciare la storia delle forze di polizia della città di Edimburgo. La sua conoscenza dell'argomento è stata inestimabile per collezionare una parte importante della storia.

Non sarei mai arrivato alla pagina finale del libro senza l'inestimabile pazienza e il duro lavoro del mio team di correttori di bozze volontari, che si sono incaricati di leggere, criticare e suggerire modifiche alle parole o alla trama, dove lo ritenevano necessario. Quindi, ancora una volta, un grande grazie a Graeme S. Houston, redattore di Capture Weekly Literary Journal, e ai compianti Malcolm Davies e Ken Copley, entrambi purtroppo non più con noi, e a Sheila Noakes, il cui aiuto è stato inestimabile. L'ultimo lettore della bozza del libro è stata la mia cara moglie Juliet che ha trascorso molte ore da sola, mentre io ero seduto al lavoro sul romanzo, leggendo e correggendo i miei errori e mi ha tenuto alto il morale in molte occasioni in cui pensavo non avrei mai completato il lavoro.

Ci sono stati altri che hanno incoraggiato o dato piccoli 'spunti' di aiuto e consigli lungo la strada e anche a tutti loro estendo la mia gratitudine. Spero che il libro renda loro giustizia.

INTRODUCTION

La Londra degli anni Ottanta del XIX secolo era molto diversa dalla città di oggi. La povertà e la ricchezza coesistevano fianco a fianco, il confine tra i due spesso era segnato solo dalla svolta di un angolo, dalle strade suburbane ben illuminate della borghesia e dei ricchi ai quartieri squallidi, criminali e infestati dai topi, dove povertà, abbandono, disperazione e privazione andavano mano nella mano con l'ubriachezza, l'immoralità e la criminalità più disgustosa. Nei brulicanti bassifondi della città di notte si pensava che il grido più comunemente udito nell'oscurità fosse quello di "Omicidio!" Le persone che vivevano in un tale squallore e nella paura dell'intimidazione criminale erano così abituate che si dice che, col tempo, nessuno si accorgesse più di tali grida.

Fu in questo vortice di vizi e degrado umano,

l'East End di Londra, che apparve una forza malevola, un assassino spietato, che di notte si aggirava per le strade meschine, alla ricerca della sua preda e diede il primo assaggio alla grande metropoli che era Londra, di quel fenomeno ormai sempre più diffuso: il serial killer! Le strade di Whitechapel sarebbero diventate il terreno di caccia di quell'assassino misterioso e ancora non identificato noto alla storia come *'Jack lo Squartatore!'*

UN ESTRATTO DAL DIARIO

Sangue, bello, denso, ricco, rosso, sangue venoso.

Il suo colore riempie i miei occhi, il suo profumo assale le mie narici,

Il suo sapore pende dolcemente sulle mie labbra.

La scorsa notte ancora una volta le voci mi hanno chiamato

E io mi sono avventurato, per loro richiesta, per la loro scellerata ricerca d'impresa.

Attraverso strade meschine, luci a gas e avvolte dalla nebbia, vagai nella notte, selezionando, colpendo, con lama lampeggiante,

E oh, come scorreva il sangue, riversandosi sulla strada, inzuppando le fessure acciottolate, zampillando, come una fontana di rosso puro.

I visceri che colavano dal budello rosso strappato, i miei vestiti assumevano l'odore della carne appena macellata. Le squallide ombre scure della strada mi chiamavano e sotto le grondaie scure e sporgenti, come uno spettro sono scomparso ancora una volta nella notte allegra,

La sete di sangue delle voci è stata nuovamente soddisfatta, per un po' ...

Chiameranno di nuovo, e ancora una volta mi aggirerò per le strade nella notte,

Il sangue scorrerà di nuovo come un fiume.

Attenti a tutti coloro che si opporranno alla chiamata,

Non sarò fermato o preso, no, non io.

Dormi bella città, finché puoi, mentre le voci dentro sono immobili,

Sto riposando, ma il mio momento verrà di nuovo. Risorgerò in una gloriosa festa di sangue,

Gusterò di nuovo la paura mentre la lama taglia bruscamente nella carne,

quando le voci solleveranno il clamore e verrà di nuovo il mio momento.

Quindi ripeto, buoni cittadini, dormite, perché ci sarà una prossima volta ...

Al mio carissimo nipote, Jack,

Questo testamento, il diario e tutti i documenti che lo accompagnano saranno tuoi alla mia morte, così come sono diventati miei alla morte di mio padre. Zia Sarah e io non siamo stati abbastanza fortunati da avere figli nostri, quindi è con il cuore pesante che scrivo questa nota per accompagnare queste pagine. Se avessi un'alternativa, ti risparmierei il richiamo del segreto più profondo della nostra famiglia, o forse dovrei dire, segreti! Avendo letto quello che stai per leggere, non ho avuto il coraggio di distruggerlo, né di svelare i segreti contenuti in queste pagine. Ti prego, come lo stesso mio padre mi supplicò, di leggere il diario e gli appunti che lo accompagnano e di lasciarti guidare dalla tua coscienza e dalla tua intelligenza, nel decidere quale linea di condotta intraprendere quando l'avrai fatto. Qualunque cosa tu decida di fare, caro nipote, ti prego, non giudicare duramente chi ti ha preceduto, perché la maledizione del diario che stai per leggere è reale come queste parole che ora ti scrivo.

Resta al sicuro, Jack, ma stai attento.

Tuo zio amorevole,

Robert

UNO
UNA RIVELAZIONE

Il mio bisnonno era un medico, con un debole per la psichiatria, come lo erano mio nonno e mio padre ed era sempre stata una cosa scontata che io avrei seguito la tradizione di famiglia, poiché, fin dall'infanzia, non volevo altro che seguire i passi dei miei antenati, per alleviare le sofferenze degli afflitti, per aiutare ad alleviare il dolore mentale provato da quei poveri disgraziati, così spesso castigati e così fraintesi dalla nostra società. Il mio nome? Beh, per ora chiamatemi Robert.

Mio padre, che ammetto di idolatrare da quando ho memoria, è morto poco più di quattro mesi fa; la sua vita si è spenta nei pochi secondi che ci sono voluti a un guidatore ubriaco per attraversare la corsia centrale riservata a doppia carreggiata e scontrarsi frontalmente con la BMW di mio padre. Quando l'ambulanza è arrivata sul luogo dell'incidente, fu troppo tardi, non ci furono sopravvissuti!

Mio padre è stato sepolto nel nostro cimitero locale, accanto a mia madre, morta dieci anni prima, e lo studio privato di psichiatria, che avevo condiviso con lui per così tanto tempo, divenne il mio unico dominio. In segno di rispetto, ho deciso di lasciare il nome di mio padre sulla targa di ottone che adorna il pilastro accanto alla porta d'ingresso. Non ho trovato un buon motivo per rimuoverlo. Una settimana dopo il funerale, fui sorpreso di ricevere una telefonata dall'avvocato di papà, che diceva che era in possesso di una raccolta di documenti, che mio padre mi aveva lasciato in eredità. Questo era strano, perché pensavo che le sue volontà fossero già stabilite, tutto condiviso in egual modo tra me e mio fratello Mark. Io avevo ricevuto le quote dello studio di papà, Mark una somma in contanti sostanziale ed equivalente. Mentre guidavo verso l'ufficio dell'avvocato, mi chiesi cosa potesse esserci di così importante, che mio padre me lo avesse lasciato in modo così misterioso.

Mentre mi allontanavo dall'ufficio dell'avvocato, fissai il fascio di fogli strettamente rilegato, avvolto in carta marrone e legato con uno spago consistente, che ora era posato sul sedile del passeggero dell'auto. Tutto ciò che David, l'avvocato aveva potuto dirmi, era che mio padre si era presentato da lui con quelle carte molti anni prima, insieme alle istruzioni che dovevano essere passate a me soltanto, una settimana dopo il suo funerale. Mi disse che mio padre aveva messo una lettera in una busta sigillata, che sarebbe stata sopra il pacco quando l'avrei aperto. Non sapeva niente di più. Sapendo che c'era poco che potessi fare fino al mio arrivo a casa, cercai di togliermi dalla mente il pacco, ma i miei occhi continuavano a vagare verso il misterioso fagotto, come attirati inesorabilmente da un potere invisibile. Ero in pieno fermento, quando mi avvicinai al vialetto di ghiaia della mia casa pulita nella zona suburbana della città; sentivo come se mio padre avesse qualcosa d'importante da riferirmi, dall'aldilà, qualcosa che ovviamente non era stato in grado di condividere con me in vita.

Mia moglie, Sarah, era andata via per una settimana, con sua sorella Jennifer, che aveva dato alla luce un figlio quattro giorni dopo il funerale di papà. Jennifer era sposata da tre anni con mio cugino Tom, un ingegnere informatico brillante, anche se dalla mentalità un po' irregolare, che aveva incontrato ad una cena a casa nostra. Sarah era stata riluttante a lasciarmi così presto dopo la morte di papà e il funerale, ma avevo insistito perché andasse a stare con Jennifer, in un momento così importante ed emozionante. Le avevo assicurato che sarei stato bene e, mentre chiudevo a chiave la macchina e mi dirigevo verso la porta di casa nostra, mi sentivo davvero contento di essere solo. In qualche modo, sentivo che le carte che ora portavo sotto il braccio erano riservate solo ai miei occhi ed ero grato di avere tutto il tempo per esplorarne il contenuto in privato. Avevo ancora il resto della settimana libero, avendo pagato un sostituto per il mio studio psichiatrico per l'intero periodo ufficiale di lutto, quindi nei giorni successivi avrei potuto fare come volevo.

Non sapevo che, chiudendo la pesante porta d'ingresso dietro di me, stavo per entrare in un mondo molto lontano dalla mia accogliente esistenza suburbana, un mondo che avevo appena percepito nelle mie lezioni di storia a scuola. Stavo per essere sorpreso: tutte le mie concezioni di verità e rispettabilità sarebbero state scosse fino in fondo, anche se ancora non lo sapevo.

Indossai subito abiti casual, mi versai uno scotch doppio e mi ritirai nel mio studio, desideroso di iniziare la mia indagine sulla strana eredità di mio padre. Dopo essermi seduto comodamente davanti alla scrivania, bevvi un sorso del liquido caldo e dorato presente nel bicchiere, quindi, prendendo un paio di forbici dalla scrivania, tagliai lo spago attorno al fascio di fogli. In effetti, come aveva indicato l'avvocato, in cima a una pila di fogli rilegata, c'era una busta marrone sigillata, indirizzata a me, con l'inconfondibile calligrafia di mio padre. La tenni in mano per un minuto circa, poi, mentre guardavo in basso e vedevo che la mia mano tremava per l'impazienza, allungai la mano sinistra verso il solido tagliacarte d'argento a forma di spada che Sarah mi aveva comprato per il mio ultimo compleanno. Con un movimento rapido tagliai la parte superiore della busta, raggiunsi l'interno e presi la lettera. Era scritta a mano da mio padre e datata quasi vent'anni prima e questo fu per me una rivelazione, anche se, quando iniziai a leggere, ero ancora all'oscuro del vero significato delle carte rilegate che l'accompagnavano. La lettera recitava come segue:

Al mio carissimo figlio, Robert,

Come mio figlio maggiore, e anche mio amico più fidato, ti lascio il diario allegato, con le sue note di accompagnamento. Questo diario è stato passato di generazione in generazione nella nostra famiglia, sempre al figlio maggiore, e ora, siccome probabilmente ora sono morto, è passato a te.

Stai molto attento, figlio mio, al contenuto di questo diario. All'interno delle sue pagine troverai la soluzione (almeno, una sorta di soluzione) a uno dei grandi misteri negli annali del crimine britannico, ma da quella soluzione deriverà anche una terribile responsabilità. Potresti essere tentato, figlio mio, di rendere pubblico ciò che stai per scoprire; potresti sentire che il pubblico merita di conoscere la soluzione di quel mistero, ma - e ti avverto molto attentamente Robert - se diventa di dominio pubblico, rischierai di distruggere non solo tutto ciò per cui la nostra famiglia ha difeso cento anni di ricerca medica e progresso nel campo della medicina psichiatrica, ma potresti anche distruggere la stessa credibilità della nostra professione più amata.

Omicidi orribili Robert! È di quel crimine più odioso che leggerai qui di seguito, come ho letto io dopo la morte di tuo nonno, e anche lui prima di me. Ma ci sono cose peggiori dell'omicidio in questo mondo? Abbiamo il diritto, come medici, di emettere le sentenze che i tribunali dovrebbero giustamente emettere? Figlio mio, spero che tu sia pronto per quello che stai per conoscere, anche se dubito che io lo fossi quando ho letto il diario. Leggilo bene, figlio mio, come le note che lo accompagnano e giudica tu stesso. Se, come me, ti sentirai adeguatamente ben disposto, farai come ha sempre fatto la nostra famiglia e manterrai il suo contenuto come un segreto da custodire gelosamente, fino a quando non sarà il momento giusto per trasmetterlo alla tua prole. La consapevolezza è che temo la croce che la famiglia deve portare, finché un giorno, forse, uno di noi si sentirà così oppresso dalla propria coscienza o da qualche forma di bisogno di assoluzione, da rivelare ciò che le pagine contengono.

Sii forte figlio mio, o, se senti di non poter voltare la prima pagina, non andare oltre, richiudi il diario nella sua confezione e seppelliscilo da qualche parte in una tomba profonda, lascialo riposare per sempre nell'oscurità, dove forse appartiene giustamente, ma, se ne leggerai il contenuto, preparati a portare quel contenuto con te per sempre, nel tuo cuore, nella tua anima, ma peggio di tutto, nella tua mente, un fardello colpevole che non potrà mai essere cancellato.

Sei il mio figlio maggiore e ti ho sempre amato teneramente. Perdonami se ti addosso questo fardello,

Tuo con amore
Papà

Quando finii di leggere la lettera, improvvisamente mi resi conto che avevo trattenuto il respiro, tale era la tensione che sentivo dentro; feci poi un respiro profondo e sospirai. Il tremito nelle mie mani era aumentato e presi la bottiglia di liquido ambrato, su un lato della scrivania, e me ne versai un'altro. All'improvviso, mi sentii come se tutto ciò che era contenuto in quelle carte, chiuse davanti a me, stesse per cambiare irrevocabilmente la mia vita, forse non immediatamente, ma sapevo, prima ancora di guardare i documenti, che tutto ciò che era contenuto in quelle pagine aveva ovviamente un importante significato. Se no, perché la mia famiglia si era data tanto da fare per proteggere il segreto contenuto in esse? Inghiottii lo scotch, troppo velocemente; il liquido mi bruciò la gola e tossii involontariamente.

A quel punto, naturalmente, non avevo idea di cosa contenessero i fogli, sebbene le parole di mio padre mi avessero dato il vago sospetto che sapessi, dove tutto quello mi avrebbe condotto. Incapace di aspettare oltre, ruppi i nastri intorno al diario ed eccolo lì, il segreto di famiglia, che stava per essermi svelato! Il primo foglio di carta, adagiato su tutto il resto, era decisamente vecchio e scritto con la tipica grafia su rame del XIX secolo. Non c'era data o indirizzo in cima al foglio: sembrava più che altro una serie di appunti, non c'era alcuna firma, niente per identificare lo scrittore.

Lessi quanto segue:

Come comincio a raccontare tutto quello che è successo? Qualcuno crederebbe a questa storia incredibile? È la verità? È davvero quell'uomo? Il diario potrebbe essere il lavoro di un uomo intelligente, un tentativo di ingannare chi lo legge, ma no, lo conoscevo troppo bene, gli avevo parlato troppo spesso. Diceva la verità! Quanto a me, che ruolo ho avuto in tutto questo? Sono colpevole di complicità o ho fatto un favore al mondo con le mie azioni? Che non disturberà più la gente di Londra è ormai certo. Che fosse squilibrato lo potrei confermare solo a me stesso, ma che dire della prova? E delle evidenze? A parte i deliri di un pazzo, tutto quello che ho è il diario, e ce l'ho da troppo tempo, lo sapevo da troppo tempo, e non riuscirei a sopportare di cadere in disgrazia, ammettendo che avrei potuto fermare tutto se avessi parlato prima. Ora non posso più parlare perché farlo, distruggerebbe me, il mio lavoro e la mia famiglia. Chi avrebbe capito che sono rimasto in silenzio perché lo credevo pazzo, troppo pazzo per credergli, eppure la sua follia era proprio la cosa che lo spingeva a farlo e avrei dovuto crederci? E qualora gli avessi creduto? Ormai era troppo tardi, non potevo fare di più, Dio mi aiuti, avrei dovuto fermarlo, proprio all'inizio quando me lo stava dicendo, quando rideva e mi diceva che nessuno lo avrebbe mai preso! Perché? Perché non gli ho creduto allora?

Dopo la morte orribile di quella povera ragazza, Mary Kelly, dovevo fare qualcosa, e l'ho fatto, ma, sapendo quello che sapevo, quello che sapevo già, avrei dovuto agire prima. Possa Dio perdonarmi: avrei potuto fermare Jack lo Squartatore!

Trattenni di nuovo il respiro e, mentre espiravo, i miei occhi si spostarono sulla nota finale in fondo alla pagina, apparentemente scritta un po' più avanti rispetto al resto della nota; la mano dello scrittore era meno audace, come se stesse tremando mentre scriveva quelle ultime parole.

Jack lo Squartatore non c'è più, se n'è andato, per sempre, eppure, sento di non essere migliore del mostro stesso. Ho giurato di salvare la vita, di preservare, non di distruggere, non sono altro che un'anima miserabile e squallida, come le strade che lui ha perseguitato in vita e sono sicuro che lui mi ossessionerà anche dopo la morte. Lascio questa eredità a coloro che mi seguiranno; non giudicatemi troppo duramente, perché la giustizia può essere cieca e ho agito per il meglio, come ho pensato fosse giusto in quel momento. Ho tradito il mio giuramento, il suo sangue è il mio e di quelle povere disgraziate; devo sopportare ciò che ho fatto nella mia coscienza e nel mio cuore dolorante per il resto dei miei giorni!

Jack lo Squartatore!!! Lo sapevo: la pagina che avevo appena letto doveva essere stata scritta dal mio bisnonno. Sapevo dalla nostra storia familiare che il mio bisnonno aveva trascorso un po' di tempo come consulente medico psichiatrico al Colney Hatch Lunatic Asylum, durante gli anni Ottanta del XIX secolo, e ora sembrava che lui fosse al corrente del segreto, che il resto del mondo aveva cercato da oltre un secolo, o almeno credeva di saperlo. Eppure, cosa intendeva con i riferimenti alla sua complicità, quali *azioni* aveva intrapreso?

Un altro sorso di scotch, altro fuoco in gola, ed ero pronto per il passo successivo. Dovevo leggere il diario, dovevo sapere quello che sapeva il mio bisnonno. Se aveva risolto il mistero degli omicidi dello Squartatore, perché non aveva rivelato la verità? Che cosa potrebbe averlo indotto a tacere sulla serie di omicidi più famigerata che abbia mai colpito il cuore della grande metropoli, che era la Londra del XIX secolo? Che ruolo aveva avuto nella tragedia, come aveva potuto lui, un rispettato medico e membro della società, essere stato complice delle cattive azioni perpetrate da Jack lo Squartatore? Dopotutto era il mio bisnonno! A quel punto, mi rifiutai di credere che potesse essere in qualche modo collegato agli omicidi di quelle povere donne sfortunate; eppure, nelle sue stesse parole, aveva affermato che avrebbe potuto fermare lo Squartatore. Di nuovo mi chiesi cosa avrebbe potuto sapere, cosa avrebbe potuto fare? Guardando il diario impilato sulla scrivania di fronte a me, sapevo che c'era solo un modo per scoprirlo!

DUE

IL DIARIO INIZIA

Rinunciando alla tentazione di rabboccare il mio bicchiere di whisky ormai mezzo vuoto (avevo deciso che una mente lucida sarebbe stata necessaria nella lettura del diario), mi fermai solo il tempo necessario per assicurarmi che entrambe le porte anteriori e posteriori della casa fossero bloccate in modo sicuro. Anche se non mi aspettavo visitatori nel tardo pomeriggio, volevo assicurarmi che nessuno potesse entrare senza preavviso e tra queste c'era la signora Armitage della porta accanto. Aveva promesso di 'tenermi d'occhio' per conto di Sarah mentre era via e aveva sviluppato l'abitudine di bussare ed entrare con un piatto di focaccine o torte fatte in casa o qualche altra 'prelibatezza' che pensava fosse di mio gradimento. Leggermente sovrappeso, vedova con più soldi di quelli che poteva spendere, sembrava voler alleviare la sua noia personale 'tirandomi su di morale', come diceva lei. Non oggi, grazie, signora Armitage!

Sebbene fossi molto tentato, resistetti all'impulso di staccare il telefono o di spegnere il cellulare. Sarah avrebbe potuto chiamarmi e, se non avesse avuto risposta, ero sicuro che avrebbe chiamato la signora Armitage e l'avrebbe mandata di corsa a controllare il povero piccolo solitario me! No, lasciai i telefoni accesi, era molto più sicuro.

Mi sistemai di nuovo sulla sedia e mi voltai verso il diario. Lo definii così perché era in questo modo che lo avevano chiamato mio padre e il mio bisnonno, ma, in verità, non era tanto un diario quotidiano, quanto una raccolta di carte, punzonata con un rozzo punteruolo di almeno cento anni prima e poi legati insieme con nastri ben tirati, o, forse, nastri molto rigidi. Dopo il passare degli anni era difficile essere sicuri di cosa fossero in origine e, dopotutto, sono un medico, non un esperto di rilegature di libri antichi.

Non c'era una vera e propria copertina e nessun titolo o nome identificativo sulla prima pagina, ma c'erano altri fogli di carta che sporgevano in varie parti del diario (le note aggiuntive del mio bisnonno, supponevo). 'Jack lo Squartatore', pensai tra me! Sicuramente non c'era nessuno, nel mondo civilizzato, che non avesse sentito parlare del famoso assassino di Whitechapel; ed eccomi qui, pronto ad immergermi, forse troppo da vicino, in quel buio mondo di ombre e brutalità abitato da quel famigerato serial killer. Eppure, mentre mi accingevo a leggere quella prima pagina, vecchia e rugosa, ero convinto che mio padre e quelli prima di lui si fossero innamorati delle invettive letterarie di un pazzo.

Il diario iniziava così:

6 agosto 1888

Ho consumato una buona cena: vino rosso (sangue), il vitello più tenero, raro (più sangue), e le voci che mi sibilavano nella testa, le luci tremolanti, urlanti e risuonanti nella mia testa. Sangue! Lascerò che le strade diventino rosse per il sangue delle prostitute; vendicherò i pietosi relitti dal sangue contaminato di quella malattia immonda. Verserò il sangue, le strade saranno mie, il sangue sarà mio, mi conosceranno, temetemi, sarò la giustizia, sarò la morte! Quale ripugnante pestilenza diffondono e io le farò morire così atrocemente che gli uomini porteranno su un palmo di mano il mio nome! Sento le voci, mi cantano, ah, melodie così dolci, e sempre rosse, cantano di rosso, di puttane e delle loro viscere maleodoranti, che farò sparire per sempre.

Il formaggio era un po' troppo maturo, anche se il sigaro che il mio amico mi ha lasciato durante la sua ultima visita andava benissimo con il porto del dopocena. Ero molto rilassato, mentre mi sedevo, godendomi il debole tepore della sera.

Sento le voci e devo rispondere, ma l'unica

risposta che vogliono sentire è il suono della morte, l'inzuppamento del sangue sulla pietra. Sì, hanno bisogno di me, sono lo strumento rosso della paura, rosso come il sangue, che corre come un fiume, lo vedo, posso quasi assaporarlo, devo andare, la notte sarà presto su di me, e il fumo del sigaro aleggia come una nebbia nella stanza. Accidenti, il porto è buono, lo faccio girare nel bicchiere ed è come il sangue, come quello che scorrerà quando comincerò il mio lavoro, un porto così gustoso, una buona notte per uccidere.

7 agosto 1888

È stata una bella notte serena per il lavoro da svolgere. Non avevo strumenti buoni con cui lavorare, coltelli da cucina e da intaglio, spettacolo molto scarso. La puttana stava aspettando, impaziente, aveva bisogno di me. Così ingenua da invitarmi in casa, l'ho fatta sul pianerottolo del primo piano, ho iniziato e non potevo fermarsi. Era così sorpresa, oh sì, il suo viso, quello sguardo, puro terrore quando il coltello le ha colpito la carne dolcemente cedevole. Per prima cosa, un colpo dritto al cuore, lei ha barcollato, è caduta e poi noi ci siamo messi al lavoro. Dico noi, perché le voci erano lì con me, guidando, guardando, tagliando con me. Ho smesso di contare il numero di volte in cui ho tagliato la puttana, lei non ha nemmeno urlato, solo un basso gorgoglio mentre cadeva nel buio. Mi sono preso la briga di purificare il seno della puttana, il suo intestino, le sue parti vitali. Non diffonderà più la pestilenza: il fiume era rosso, come avevano promesso. Devo fare attenzione la prossima volta; c'era troppo sangue su di me. Sono stato un uomo fortunato, per aver pensato di togliermi il cappotto prima di iniziare; stamattina ho dovuto bruciare una giacca nuova e dei pantaloni rifiniti. Anche se nessuno mi ha visto quando me ne sono andato, è stato un lavoro disordinato; la prossima volta avrò buoni strumenti e vestiti migliori per il lavoro.

È stato comunque un buon inizio, di questo ne sono sicuro e ce ne saranno di più, così tante di più!

Mi fermai per riprendere fiato. Sicuramente quelli erano i deliri di un pazzo! C'era una tale chiarezza di pensiero in alcune parti del testo, una banalità quasi normale quando si era riferito al rilassamento con un sigaro, al calore della sera e ai riferimenti casuali a procurarsi 'strumenti migliori la prossima volta'. Poi la quasi incredibile ferocia espressa nella descrizione della morte di quella povera donna. Anche se breve, era stata terrificante, agghiacciante, il lavoro sicuramente di un uomo privo di ragione o coscienza. Anche se questi crimini erano avvenuti più di un secolo prima, le prime pagine del diario mi riempirono di paura e terrore reali, come se fossi stato lì a Londra nel 1888.

Sebbene non sia una frase che ci piace usare in questi tempi illuminati, dovevo immergermi nel tempo in cui si erano verificati quei crimini e pensai che ci fosse qualcosa che non quadrava. Jack lo Squartatore, da quel poco che sapevo, era stato intelligente, un maestro dell'occultamento e della spavalderia, quelle parole non potevano essere quelle dello Squartatore, sicuramente no! Quelle erano le parole di un individuo seriamente disturbato che, sebbene lo stesso Squartatore fosse stato similmente squilibrato, sembrava appartenere più al regno della fantasia che alla realtà. Lo scrittore avrebbe potuto scrivere quel diario dopo l'evento e, come molte anime illuse avevano fatto nel corso degli anni, aveva immaginato di essere il famigerato assassino. In altre parole, poteva essere stato scritto da un individuo gravemente malato e delirante che cercava di attirare l'attenzione?

La mia conoscenza degli omicidi di Jack lo Squartatore era, nella migliore delle ipotesi, scarsa; quindi, prima di continuare, accesi il mio computer e effettuai l'accesso a Internet. Lì, trovai una miriade di siti che offrivano informazioni e speculazioni sugli omicidi dello Squartatore e stampai rapidamente un paio di note informative, nella speranza che sarebbero state in grado di fornirmi alcuni spunti utili, mentre avanzavo in ciò che pensavo essere il diario di un pazzo, che ora giaceva sulla scrivania davanti a me.

Trovai quanto mi serviva. Nelle prime ore del mattino del 7 agosto 1888, il corpo di Martha Tabram era stato scoperto su un pianerottolo del primo piano di un edificio popolare al 37 di George Yard. In totale, erano state inferte 39 ferite da taglio sul suo corpo, la maggior parte dei danni era stata riscontrata sul seno, sulla pancia e sulle parti intime. Sembra che, con il progredire degli omicidi dello Squartatore, l'uccisione di Martha Tabram fosse stata dichiarata come commessa dallo stesso uomo che aveva ucciso le altre vittime successive. Se il mio pazzo (come pensavo a lui in quel momento) fosse stato davvero Jack lo Squartatore, allora era chiaro che Martha Tabram era stata forse la sua prima, incerta avventura in quel mondo sanguinoso. In quel momento, tuttavia, la polizia e il pubblico non avevano compreso la carneficina che stava aspettando dietro le quinte, che si stava preparando a scatenarsi per le strade di Whitechapel. Naturalmente, nel 1888 la scienza forense era inesistente, l'uso delle impronte digitali per l'identificazione era ancora lontana molti anni nel futuro e la polizia era, nel caso della povera Martha Tabram, praticamente all'oscuro. Al momento della sua morte, Martha aveva 39 anni, era la moglie separata di Enrico Tabram e aveva trascorso gli ultimi nove anni di vita con un certo William Turner, che la vide per l'ultima volta viva il 4 di agosto, quando le diede la somma di 7 pence e mezzo. La notte della sua morte, vari testimoni avevano affermato che era stata vista in compagnia di uno o più soldati e la teoria originale della polizia era che potesse essere stata uccisa da un soldato 'cliente'.

Sfortunatamente, l'omicidio di una 'puttana dello scellino' aveva sollevato pochi titoli sulla stampa o nella coscienza pubblica all'epoca. Tutto ciò sarebbe presto cambiato!

A quel punto decisi che avevo bisogno di una strategia, un mezzo per lavorare sul diario, assicurandomi al contempo di mantenere una presa sulla realtà del caso. Quanto sarebbe stato facile saltare direttamente alla fine, leggere gli appunti finali del mio bisnonno, vedere se lo Squartatore era stato identificato, o dalle sue stesse parole - se vere - l'avesse fatto il bisnonno. Non l'avevo mai conosciuto, era morto prima che io nascessi, ma avevo imparato abbastanza su di lui per sapere che, ai suoi tempi, era stato un medico molto rispettato ed ero sicuro che le sue conclusioni sarebbero state una vera rivelazione. No, non avrei potuto farlo. Dovevo leggere ogni pagina in ordine, dovevo assimilare le informazioni in ordine cronologico per capire di cosa si trattava. Non era solo lo Squartatore, no, il mio bisnonno nascondeva anche qualche altro segreto e, prima di leggere di cosa si trattasse, avevo bisogno di capire cosa fosse successo per arrivare alla sua soluzione finale, qualunque cosa fosse stata.

Presumevo che il diario mi avrebbe portato in un viaggio, attraverso i terribili eventi che avevano avuto luogo nel 1888, quindi decisi che la migliore linea d'azione sarebbe stata leggere il diario, facendo riferimento a eventuali appunti presi dal mio bisnonno e poi fare riferimento ai testi che avevo stampato da Internet, controllando i fatti man mano che proseguivo. In effetti, mi ero preso il tempo per trovare altri siti web e stampai risme d'informazioni sugli omicidi ed impiegai un bel po' di tempo, dopo averli raccolti tutti in una cronologia funzionale, mi sistemai di nuovo sulla sedia, bevvi un altro sorso di whisky e lentamente allungai la mano per riprendere il diario.

TRE
UN GRIDO DI AIUTO?

12 Agosto 1888

Dopo colazione ho avuto un violento mal di testa. È venuto dal nulla. Così all'improvviso che quasi mi ha fatto cadere. Sono stato costretto a sdraiarmi, a rimanere prono per qualche tempo. Sono loro, le voci, stanno gridando nella mia testa, anche quando non riesco a sentirle, devono essere loro! Erano rimaste in silenzio da quando avevo ucciso la puttana, eppure sono sempre lì, a dormire. Devono svegliarsi nella mia testa e parlare e non sempre li sento. Non mi piace il mal di testa.

La diagnosi e il trattamento delle malattie mentali di quegli anni erano, come la scienza della criminologia, estremamente basilari rispetto agli standard odierni. Il mio bisnonno sarebbe rimasto sbalordito nel vedere i massicci progressi che la scienza medica ha raggiunto negli ultimi cento anni. Oggigiorno capiamo molto di più, trattiamo con cura e compassione; eppure, ai tempi della vicenda dello Squartatore, avevamo costruito enormi manicomi gotici, dove incarcerammo e torturammo quelle povere anime afflitte, in nome della medicina. Eravamo professionalmente nell'età della pietra.

Le poche parole che avevo appena letto mi avevano convinto che lo scrittore soffrisse davvero di una qualche forma di malattia mentale. L'ascolto di voci è ovviamente il segno classico dello psicopatico o forse il segno di una qualche forma di mania. Quest'uomo, tuttavia, sembrava sentire che le voci gli parlavano anche quando non poteva sentirle. Era davvero un uomo malato, ma, con la conoscenza e le risorse limitate disponibili nel XIX secolo, era improbabile che avrebbe mai ricevuto cure efficaci o curative. Il commento *'Non mi piace il mal di testa'* mostrava un desiderio quasi infantile che qualcuno gli portasse via il dolore. Potevo quasi sentire il suo dolore, la sua angoscia, anche se non ero ancora convinto che queste fossero veramente le parole dell'uomo conosciuto come Jack lo Squartatore!

Forse ti starai chiedendo perché dubitavo della veridicità del diario. Era ovvio che, per qualsiasi motivo, il mio bisnonno, mio nonno e mio padre credessero tutti nella verità dei documenti ora in mio possesso, eppure sentivo che, con i vantaggi della tecnologia moderna a mia disposizione e con l'ulteriore conoscenza che ora esisteva in relazione agli omicidi dello Squartatore, mi sarebbe stato possibile arrivare a una conclusione diversa rispetto ai miei antenati. Solo leggendo il diario, gli appunti e confrontandoli con i fatti, cui avevo avuto accesso dalla rete, potevo sperare di giungere a una conclusione oggettiva sulla questione. Anche la psichiatria è progredita a tal punto che sentivo di poter gettare una luce diversa su qualsiasi cosa il mio bisnonno avesse ipotizzato con quel diario. Ovviamente, dovevo ancora scoprire quale fosse stata la sua parte nell'intera faccenda e questo mi dava motivo di preoccupazione. Non sarebbe stato giusto, tuttavia, saltare tutto e precipitarsi alla fine del diario o degli appunti. Dovevo andare piano, dovevo fare un passo alla volta.

13 Agosto 1888

Non potevo uscire di casa oggi, così tanto dolore e confusione nella mia testa. Io devo uscire qualche volta, c'è così tanto che devo fare. Il mio lavoro deve continuare, ma gli strumenti: devo avere gli strumenti. Ora conosco la strada per trovare un rifugio sicuro. Non mi ero mai reso conto di quanto sangue mi avrebbe versato addosso la puttana. Non c'è modo di nascondere il sangue e non posso rischiare di essere preso, non quando c'è così tanto da fare! Le voci mi hanno detto come nascondere il sangue. Nasconditi e anche il sangue sarà nascosto. Sii invisibile. Questa è la risposta. LE FOGNATURE. Usa le fogne, prendi una mappa, una piantina: corrono sotto ogni strada, ogni casa, e nessuno mi vedrà; non mi troveranno mai, non mi batteranno mai. Sono invisibile ed invincibile.

14 Agosto 1888

Mi sentivo molto meglio, avevo del lavoro da fare. Non le puttane, loro dovranno aspettare, l'ufficio, noioso ma necessario. Tutto normale, in modo che nessuno sospetti. Il mio vicino ha chiamato oggi, ha portato una copia di 'The Star'. Sembra che qualcuno abbia ucciso una puttana di nome Tabram. Non sapevo che le puttane avessero un nome, che shock! Ho lasciato il lavoro in anticipo, ho preso tutto ciò di cui ho bisogno a Whitechapel. Coltelli da chirurgo, così taglienti, in modo brillante, e le mappe, tutte le mappe di cui ho bisogno per completare l'operazione. Attente puttane, sto arrivando.

Questa nota fu davvero agghiacciante. Stavo finalmente iniziando a credere che questo potesse davvero essere il diario dello Squartatore. C'era un cervello maniacale ma molto intelligente dietro quelle parole - di questo ne ero abbastanza sicuro - un minuto coerente e metodico, il minuto dopo, quasi ridicolmente psicotico nel corso dei suoi pensieri. Era sorpreso dal fatto che le puttane avessero un nome o che qualcuno avesse ucciso Martha Tabram? Si era, in quel momento, distaccato dal vero atto di omicidio a sangue freddo, diventando, per un breve periodo, solo un altro cittadino indignato per la ripugnanza del crimine malvagio? A parte qualsiasi altra cosa, dovevo ammettere a me stesso che, come caso di studio, questo stava diventando totalmente avvincente. Potevo sentire la tensione crescere in ogni parola che stavo leggendo in quello strano diario sgualcito. L'età stessa di quei fogli dava al diario un aspetto decrepito, simile a una tomba, e a ciò si aggiunse il gelo che stava cominciando a circondarmi, mentre ero seduto sulla mia comoda sedia, alla mia scrivania familiare, dove, improvvisamente, niente sembrava più come prima. Mi sentivo come se fossi stato trascinato lentamente e inesorabilmente indietro nel tempo, in modo così tangibile che potevo quasi immaginare i luoghi e i suoni della Londra vittoriana, appena fuori dalla mia confortevole casa di periferia. Sembra ridicolo? Forse sì, ma è vero. È proprio come mi stavo sentendo. Più leggevo, più venivo trasportato in un'altra epoca, potevo quasi assaporare la paura di quei tempi incerti in quella grande, ma in parte squallida, città; stavo cominciando a capire perché la mia famiglia aveva tenuto quel segreto nascosto. Il diario, sebbene abbastanza indistinto in molti modi, e sebbene non fornisse molto in termini di particolari della storia, fino a quel momento, era come una macchina del tempo. Una volta iniziato, non potevi liberarti dalla sua presa. Dovevo continuare.

17 Agosto 1888

Ho frequentato alcuni locali a Spitalfields e Whitechapel. Ho bevuto birra al Britannia, alla Principessa Alice e all'Alma in Spelman Street. Mi sono ubriacato abbastanza. Così tante puttane mi volevano. A me! Ho usato la bevanda per evitare la loro sporca pestilenza. Ho interpretato lo scommettitore benestante ma ubriaco. Non potevo farlo, ah! Questo è quello che hanno pensato! Non potrei farlo? Lo farò a tutte loro, sporche, puttane marce, prostitute; le manderò tutte all'inferno! ALL'INFERNO, CONDANNO LA LORO PELLE SPORCA!

Di giorno in giorno, si arrabbiava sempre di più ed era chiaro che stava tramando, ricontrollando la zona, stava mettendo insieme il suo piano e si sarebbe messo al lavoro, quando sarebbe stato pronto. Quella era una premeditazione su larga scala, si stava preparando a scatenare il fuoco e lo zolfo del suo stesso marchio d'inferno, sulle povere donne sfortunate di quella zona tristemente deprivata e trascurata della grande metropoli. Ciò che si stava verificando era che mi sentii come se stessi per ricevere un posto in prima fila al corteo. Le parole erano così grafiche, così reali, così terrificanti.

20 *Agosto 1888*

Sono tornate, le voci, chiamando più forte che mai. Mi riempiono la testa, mi vogliono, hanno bisogno di me; sono così felice che siano venute, ma mi hanno ferito quando hanno gridato tutte insieme. Perché non parlano uno alla volta? A volte sono così rumorose che non riesco a sentirle correttamente. Ma c'è un grande pezzo di agnello nel mio piatto stasera. Sapevo che era buono prima di assaggiarlo, non troppo al sangue. Non siamo pronti per uscire di nuovo, non ancora. Quando lo diranno, sarò pronto, pronto per il sangue, il fiume, il fiume rosso che scorrerà per le strade con la stessa sicurezza che il Tamigi divide la città in due. Le puttane pagheranno e pagheranno per intero, non avrò più la loro malvagia pestilenza, il loro malvagio calore da puttana che sporca l'aria, riempiendo letti innocenti con la loro sporcizia, le avrò tutte: puttane, nient'altro che puttane.

Se ne sono andate di nuovo, almeno per un po', ma vorrei che la mia testa non facesse così male. Perché mi lasciano così? Non voglio che mi faccia male la testa, non in questo modo. Vorrei che si fermasse.

Quindi, un minuto era l'angelo vendicatore,

quello successivo, un ragazzino spaventato: è così che vedevo quell'anima torturata. Potevo quasi immaginarlo sdraiato da solo nel suo letto di notte, piangendo silenziosamente nel suo cuscino, desiderando che il dolore lo abbandonasse e, quando non lo faceva, gridando ad alta voce aiuto. Mi chiesi: quest'uomo, quest'assassino, Jack lo Squartatore, aveva pianto disperatamente per sua madre?

Mi dedicai ai testi che avevo stampato sui fatti del caso. Volevo controllare la cronologia del caso. Lo scrittore del diario non aveva riempito tutti i giorni, come ci si aspetterebbe in un diario e mi chiesi quante altre pagine avrei dovuto leggere prima di raggiungere la voce del 31 agosto. Sapevo che ce ne sarebbe stata una in quel giorno, specialmente per quella notte. Era la notte in cui iniziò il vero terrore di Jack lo Squartatore!

QUATTRO
TENSIONE

La mia bocca era secca, molto secca e sentivo il bisogno di rinfrescarmi. Sebbene fossi fortemente tentato di riempire nuovamente il bicchiere sulla mia scrivania, dovevo mantenere la mente lucida e così, con riluttanza, mi alzai dalla sedia e mi diressi in cucina. Era necessario un caffè e, mentre aspettavo che il bollitore bollisse, continuai a scorrere le pagine sciolte degli appunti che avevo stampato dal computer, cercando di raccogliere tutto ciò che potevo da esse, prima di tornare al più intenso lavoro di studio del diario. Mi strofinai la parte posteriore del collo; era rigido, la tensione mi stringeva forte nella sua presa. Solo poco tempo prima, ero stato un tipo abbastanza normale, in lutto per la perdita del mio povero caro papà (suppongo di essermi sentito un po' dispiaciuto per me stesso) e, nonostante le mie rassicurazioni, mi mancava Sarah. Ora, eccomi qui, solo in casa, che all'improvviso sembrava un luogo molto più grande e solitario, apparentemente circondato da fantasmi sconosciuti del passato, che si erano svegliati e mi avevano colto totalmente di sorpresa. Come aveva potuto mio padre mantenere questo segreto per così tanto tempo?

Mio nonno era morto molti anni prima, quando ero solo un ragazzino, quindi questo significava che papà l'aveva tenuto per sé praticamente per tutta la vita. Perché non me l'aveva detto? Non aveva mai accennato minimamente all'esistenza del diario. Qualunque cosa avesse ancora da rivelare, era ovvio che fosse di così profonda importanza e, allo stesso tempo, vi era un oscuro coinvolgimento della famiglia nei terribili eventi cui si riferiva, che aveva mantenuto il segreto per tutti questi anni, come ovviamente aveva fatto suo padre prima di lui.

Dieci minuti dopo, armato di un bollitore di caffè fumante appena filtrato e di una tazza, tornai nello studio. La luce del giorno si stava indebolendo e, quando mi sistemai di nuovo sulla sedia, allungai la mano sulla scrivania e accesi la lampada. L'improvvisa illuminazione gettò un bagliore inquietante sul manoscritto ingiallito e leggermente sbiadito del diario e rabbrividii involontariamente. Perché mi sentivo così stupido? Cosa mi stava spaventando di tutta quella faccenda? In qualche modo, mi sentivo come se il giorno stesso si stesse chiudendo intorno a me.

Sentii un senso di oppressione nell'aria, una malvagità, come se lo spirito del male, che aveva messo a nudo le parole sulla carta davanti a me, potesse in qualche modo trascendere gli anni, attraversando il vasto oceano del tempo per raggiungermi, e toccare me - il lettore - con la forza del suo potere. "Andiamo, Robert", dissi ad alta voce tra me, "Non essere così dannatamente stupido. Datti una calmata! Sono solo parole sulla carta, niente di più".

Bevvi un bel sorso dalla mia tazza di caffè e la riempii di nuovo dal bollitore: nero, senza zucchero, proprio come piaceva a me, anche se Sarah non capiva come potessi berlo così. Questo mi calmò un po' i nervi e tornai al diario.

"Dannazione!" Esclamai, mentre il telefono sulla scrivania cominciò a squillare. Ammetto di essere quasi saltato giù dalla sedia e per un momento, non potei fare altro che fissare l'irritante pezzo di plastica sulla mia scrivania. Il tono tintinnante della suoneria era perfetto per farmi scoppiare i timpani; non mi ero mai reso conto di quanto fosse rumorosa quella dannata cosa. Dovevo rispondere? Mi resi conto che se non l'avessi fatto, chiunque stesse chiamando avrebbe probabilmente continuato a provare fino a quando non avessi risposto. In quel momento avrei voluto avere con me il telefono cordless della sala, così avrei potuto per vedere chi stava chiamando tramite il sistema d'identificazione del chiamante. Avevo insistito per avere un vecchio telefono con filo sulla mia scrivania, perché pensavo che si adattasse meglio all'atmosfera della stanza!

"Pronto?" Quasi gridai.

"Robert, tesoro, cosa c'è che non va? Sembri arrabbiato".

Era Sarah.

"Oh, ciao tesoro, no, scusa, non sono arrabbiato con te. E' solo che sto leggendo alcune carte particolarmente importanti e, ad essere onesti, ero a miglia di distanza quando hai chiamato. Il telefono che squillava mi ha colto di sorpresa, tutto qui".

"Oh Robert, mi dispiace tanto disturbarti tesoro. Ho solo chiamato per vedere se stai bene. Spero che ti manco un po'".

"Certo che mi manchi, splendida signora", risposi. "Come stanno Jennifer e il bambino, e Tom, ovviamente?"

"Stanno tutti bene, Robert. Jennifer e Tom hanno scelto un nome per il bambino. Vuoi provare a indovinare?"

"Oh andiamo, Sarah, amore mio, ci devono essere solo circa diecimila possibilità quando si tratta di nomi di ragazzi. Dimmelo semplicemente, tesoro".

"Sei un guastafeste Robert, lo sei davvero. Bene, allora va bene. Devo ammettere che sono rimasta un po' sorpresa dalla loro scelta, ma è il loro bambino. Lo chiameranno Jack!"

Fui scioccato. Devo essere diventato mortalmente silenzioso e non risposi a Sarah per alcuni secondi.

"Robert, ci sei caro? Hai sentito cosa ho detto?"

"Sì, certo Sarah, scusa, stavo solo rimuginando nella mia mente, sai, come suona, quel genere di cose. Jack Reid. Sì, certo, suona bene amore mio. Sono contento che stiate bene. Mi dispiace se sembro un po' distante. Non preoccuparti per me; sto bene, solo un po' preoccupato per queste carte, tutto qui".

"Sì, lo so, mi dispiace, ti ho disturbato, mentre tu sei occupato. Ascolta, riattacco e ti faccio uno squillo più tardi, quando non sei così occupato. La signora Armitage ti chiama di tanto in tanto per controllarti?"

"Sì tesoro, lo fa, vecchia stupida ficcanaso".

"Adesso non essere crudele, Robert. Sai che ha solo buone intenzioni".

"Sì, lo so, ma sono sicuro che lei pensi che io sia un bambino che è stato lasciato a casa da solo e ha bisogno di cure costanti".

"Non preoccuparti tesoro, non passerà molto tempo prima che io torni a casa. Prenditi cura di te stesso. Come ho detto, mi dispiace averti disturbato mentre stavi lavorando. Ti richiamerò più tardi".

"Va bene amore mio, salutami Jennifer e Tom, e il piccolo Jack ovviamente".

"Bene, allora. Ciao tesoro mio, abbi cura di te, ti amo".

"Ti amo anch'io, ciao Sarah".

La stanza sembrava mortalmente silenziosa dopo aver riattaccato il telefono. Jack! Cosa diavolo aveva ispirato Jennifer e suo marito, mio cugino, a decidere di chiamare il loro neonato Jack? Era troppo per una coincidenza e perché Sarah aveva scelto proprio quel momento per telefonarmi e informarmi? Era quasi troppo inquietante. Avevo bisogno di altro caffè, faceva freddo, dovevo tornare in cucina e farne un altro prima di proseguire.

Mentre ricaricavo il bollitore, riflettei sulla mia conversazione con Sarah. Non ero stato del tutto sincero con mia moglie, anche se non per il desiderio intenzionale di mentirle. Era solo che non pensavo di doverle menzionare il diario, almeno non in quel momento. Comunque non sapevo nemmeno la verità o come sarebbe andata a finire, quindi avevo pensato che fosse meglio tenere tutto per me per ora. Per quanto riguarda Jennifer, poteva non essere il momento migliore per rivelare che stavo leggendo il presunto diario di Jack lo Squartatore e che la mia famiglia poteva essere stata coinvolta nel caso, proprio quando aveva appena deciso di chiamare il suo primo figlio Jack!

Fuori era quasi buio quando tornai nello studio. La lampada da scrivania proiettava ancora il suo bagliore inquietante sulla scrivania, ma avevo bisogno di più luce, quindi accesi le luci a parete. Il loro bagliore ondeggiante sembrava togliere un po' dell'oscurità e del freddo dall'aria e mi sentii un po' più rilassato, quando mi sedetti di nuovo. La telefonata di mia moglie, per quanto scomoda all'epoca potesse sembrare, aveva infatti contribuito a sciogliere un po' della tensione che si stava accumulando dentro di me e per questo le ero affettuosamente grato.

Guardai il diario e le parole sul foglio sembrarono virtualmente alzarsi dalla pagina per incontrare i miei occhi, mentre riportavo la mia attenzione su quei giorni bui e lontani dell'anno 1888.

CINQUE
CONTO ALLA ROVESCIA PER IL CAOS

23 *Agosto 1888*

Mi sono sentito abbastanza bene negli ultimi giorni. Persino le voci sono rimaste zitte, si sono riposate credo, così come me. Solo un paio di lavori, niente di faticoso e nessuno sospetta nulla. Adesso sono pronto, potrei iniziare il lavoro domani se chiamano, ma tacciono. Non importa, le lame sono affilate, la mia mente è lucida e tutto è a posto, pronto per iniziare. Quindi chiamatemi, chiamatemi, parlatemi, amici miei, le mie voci, guidatemi sul sentiero della distruzione e io sradicherò le puttane, la sporcizia, le prostitute delle strade sporche, le metterò tutte a dormire, per sempre.

È così tranquillo stasera, ho provato a leggere per un po', ma i miei occhi sono diventati pesanti, così stanchi, ho bisogno di dormire, l'unica cosa che mi manca, una bella notte di sonno. Perché il mal di testa arriva così forte di notte? Vorrei che il mal di testa se ne andasse. Forse lo farà quando avrò finito tutte le puttane!

Adesso era calmo, o almeno così pensavo; più calmo rispetto ad alcune delle precedenti note del diario. Sembrava essere quasi in pace con se stesso, come se fosse alla deriva nell'occhio di un uragano, da solo in mezzo alla quiete, ma con la minaccia di una tempesta violenta in attesa dietro l'angolo. Alla luce delle mie esperienze con certi pazienti disturbati, nel corso degli anni, potevo percepire che quell'uomo era un individuo molto teso, quasi spinto al punto di rottura dal clamore incessante delle 'voci' nella sua testa; eppure, di nuovo quella supplica per far cessare il dolore, per far sparire il mal di testa. Nei recessi più oscuri della sua mente c'era rimasto un piccolo, tenue legame con la realtà, una scintilla di umanità rimasta dentro di lui, ma, come poi dimostrato dagli eventi a seguire, una scintilla l'aveva fatta presto estinguere.

24 *Agosto* 1888

Risultati dell'inchiesta sulla puttana Tabram. Come previsto, 'Omicidio commesso da persona o persone sconosciute'. Una lunga relazione fatta da un certo ispettore Reid, che non sa proprio niente. Stupidi, sciocchi pasticcioni. Non lo sapranno mai, non mi troveranno mai, non ci troveranno mai! Ero invisibile in fondo alla stanza, invisibile e inosservato da nessuno. Sarò ancora più invisibile quando tornerò al lavoro, per compiere il mio lavoro. Oh, che divertimento mi aspetta, meglio di tutti i trofei in vetrina. Sarò il primo della classifica, il migliore in campo, detentore della fascia blu. Conosceranno mio lavoro se non il mio nome e laverò le strade con il sangue delle prostitute. L'oscurità sarà mia amica, la notte la mia compagna intima, le fogne il mio rifugio sicuro da occhi indiscreti. Lascerò che siano tutte dannate, lascerò che piangano per la loro anima sanguinolenta, mentre io farò a pezzi le puttane.

Facendo riferimento alle mie note di riferimento stampate, scoprii che un certo ispettore Reid aveva effettivamente presentato un rapporto proprio in quella data a Scotland Yard, descrivendo in dettaglio i risultati dell'inchiesta Tabram, anche se, come il nostro uomo era arrivato a raccogliere tali conoscenze così rapidamente, non riuscii a capirlo. Ovviamente, fino a quando lo Squartatore non colpì di nuovo, la polizia non aveva idea di chi o con cosa avevano a che fare. Martha Tabram era stata consegnata alla storia, in quel momento, come uno dei tanti omicidi irrisolti e irrisolvibili, fin troppo frequenti nella grande città, in quei giorni torbidi e lontani. Le cose sarebbero presto cambiate; la tragedia era in agguato nell'oscurità, grazie alla nebbia che avvolgeva le strade di Whitechapel.

I miei pensieri si volsero per un attimo ai giorni in cui il nostro uomo non aveva annotato il diario. Che cosa stava facendo? Dove era stato? Era ancora sufficientemente sano e lucido da mantenere un buon lavoro, o almeno un lavoro, e che nessuno dei suoi conoscenti avesse notato nulla d'insolito nel suo comportamento recente? Aveva il controllo di se stesso in pubblico da poter apparire del tutto normale sotto ogni aspetto? Lo scrittore di quel diario era stato davvero un fenomeno; sospettavo che potesse essere stato così turbato che l'uomo, che aveva scritto il diario, sarebbe stato irriconoscibile (anche a se stesso) dall'uomo che svolgeva le sue faccende quotidiane nel modo più normale e ordinato. Questo spiegherebbe le lacune nel diario. Lo scrittore non vedeva anomalie nelle date mancanti. Quei giorni appartenevano a qualcun altro, qualcuno apparentemente sano. Per lui, semplicemente non erano esistiti! Dovevo ammettere che, come caso di studio, la maggior parte degli psichiatri avrebbe fatto carte false per avere la possibilità di lavorare con un paziente del genere, per studiare da vicino il graduale declino dalla sanità mentale all'abisso psicopatico che stava per avvilupparsi nell'anima torturata della sventurata vittima. Sì, è vero che ho usato la parola 'vittima', perché essere afflitto da una tale malattia - e una malattia sicuramente lo era - deve essere una delle esperienze più spaventose e disorientanti che la mente umana debba sopportare. Lo scrittore del diario, se davvero fosse stato Jack lo Squartatore, era lui stesso un individuo gravemente torturato, una vittima tanto quanto quelle povere donne disgraziate, che avrebbero ottenuto una fama duratura e tragica come sue vittime. In aggiunta a ciò, la diagnosi di una tale psicosi sarebbe stata quasi impossibile in quei primi giorni della scienza psichiatrica e qualsiasi trattamento, se fosse stato tentato, sarebbe stato arbitrariamente punitivo e doloroso: la somministrazione di scosse elettriche e l'uso di tubi dell'acqua sarebbero stati i metodi di approccio più probabili e del tutto insoddisfacenti. Dobbiamo ricordare che non c'erano farmaci specifici disponibili per quei medici che avevano fatto del loro meglio per aiutare i malati di mente nel XIX secolo. Non c'erano antidepressivi, tranquillanti e infermiere specializzate addestrate per aiutare gli afflitti. I manicomi dell'Inghilterra vittoriana erano poco più che luoghi di carcerazione infelice per coloro che vi erano internati, buchi infernali per gli standard moderni, dove i malati e gli infermi di mente potevano essere rinchiusi fuori dalla vista e dalla mente della coscienza pubblica, dove potevano non fare del male e essere 'protetti' dall'autolesionismo; in altre parole, detenuti in catene e tenuti in isolamento. Tale era il trattamento civile dei nostri malati di mente nell'era vittoriana.

Non ero preparato a criticare il mio bisnonno, naturalmente: all'epoca poteva lavorare solo entro i confini della sua professione e sono sicuro che aveva sempre pensato di fare del suo meglio per i suoi pazienti come tutti i dottori dell'epoca. Nessuno era deliberatamente crudele o insensibile. Erano semplicemente ignoranti di cose di cui noi, in questi tempi illuminati, siamo fin troppo consapevoli. Ero relativamente sicuro che il diario fosse il lavoro di qualcuno che soffriva di una qualche forma di schizofrenia paranoica, anche se questo avrebbe significato poco per i medici dell'epoca del mio bisnonno. Dovrei aggiungere che, a quel punto, naturalmente, una tale teoria si basava esclusivamente su ciò che avevo letto fino a quel momento e poteva, nella migliore delle ipotesi, essere vista come un qualcosa di più che una semplice supposizione ipotetica. Immaginavo che non potesse mai essere più di questo, poiché ovviamente non avrei mai avuto l'opportunità di parlare con lo scrittore, per arrivare a una diagnosi precisa.

A questo punto devo dare una piccola spiegazione sulla schizofrenia. In certi momenti della storia, si pensava che i malati di questa terribile malattia fossero posseduti da demoni e molti sfortunati furono rinchiusi in terribili istituzioni, tormentati, spesso esiliati, insultati e, a volte, braccati e uccisi come animali selvatici. Anche oggi, nonostante gli enormi progressi nella nostra comprensione della malattia e molti trattamenti efficaci disponibili, la concezione pubblica di essa è ancora offuscata dalla paura e dal sospetto.

Il malato in generale apparirà esteriormente 'normale' alla maggior parte delle persone che incontra nella vita quotidiana. Tuttavia, se la malattia ha una forte presa, l'individuo può iniziare a mostrare un comportamento insolito causato dai suoi processi mentali radicalmente alterati. Possono soffrire di allucinazioni e diventare deliranti. Molti ascoltano voci immaginarie, normalmente come precursori di qualche forma di autolesionismo, o in alcuni casi portano a false credenze molto intense (delusioni). La violenza non è sempre un sottoprodotto della schizofrenia e, quando è evidente, di solito è auto-diretta all'individuo per tentare di porre fine alla propria vita. Solo in casi eccezionali (uno dei quali ho sentito mentre esaminavo il diario), la violenza sarà diretta verso l'esterno verso estranei o gruppi d'individui, come in questo caso. Nella nostra società moderna illuminata, il malato, una volta diagnosticato, ha a sua disposizione diverse opzioni tra psicoterapia, terapia di gruppo e terapia farmacologica per controllare e alleviare la sua sofferenza. Una combinazione di farmaci antipsicotici, antidepressivi e ansiolitici può fare molto per alleviare molti dei sintomi quotidiani della malattia. Il discorso disorganizzato, visualizzato nel testo del diario, mi aveva anche fornito un indizio: questo, insieme ai processi di pensiero altrettanto disorganizzati rivelati nella scrittura, era un sintomo classico della malattia.

Tuttavia, nessuna di queste terapie mediche correttive era disponibile alle nostre controparti vittoriane e le possibilità di una diagnosi efficace e, cosa più importante, di qualsiasi forma di trattamento di controllo o curativo erano praticamente inesistenti. Se, in effetti, lo scrittore del diario soffriva di questa terribile malattia, allora le sue possibilità di ottenere aiuto o persino di riuscire a controllare la sua malattia erano quasi inesistenti. L'unica prognosi per quel povero individuo, se avesse cercato aiuto, o peggio ancora, se fosse stato lui a commettere quelle azioni, sarebbe stata una terribile incarcerazione e un trattamento disumano in uno dei suddetti manicomi gotici dell'epoca. Comprensione e compassione non erano le parole d'ordine dell'era vittoriana, quando si aveva a che fare con i malati di mente, ma penso di aver già sottolineato questo punto!

25 *Agosto* 1888

Ho visitato di nuovo l'Alma stasera. Puttane ovunque! Che vile casa di cattiva reputazione è quella. Odorava di birra stantia, tabacchi economici e puttane! Musica incrinata da un pianoforte incrinato. Tale falsa allegria, e voci, voci ovunque. Cantavano, gridavano, facevano festa come se non ci fosse un domani, e non ci sarà presto per alcune di quelle puttane. Nessun domani, ci penserò io! Così rumoroso là dentro, riuscivo a malapena a sentire le mie voci quando mi parlavano. Mi hanno fatto congedare, non è ancora il momento, non è il momento di iniziare il lavoro, ma, non dovrò aspettare a lungo, le ho viste, le guardavo, io so dove sono, dove trovare la peste,dove andare a liberare il mondo dal loro odore, dalla loro malattia.

Il mio mal di testa è diventato così forte che me ne sono andato. Perché non se ne va?

Quindi, la successiva furia sanguinosa si stava avvicinando e il mal di testa stava peggiorando. Trovai strano che il mio bisnonno, fino a quel momento, non avesse aggiunto alcun appunto nel diario; la prima pagina di appunti era inserita alcune pagine più avanti nel diario. Poi capii che, in quel momento, ovviamente non aveva ancora incontrato lo scrittore! I suoi appunti, sicuramente, sarebbero apparsi solo dopo qualche forma d'incontro o comunicazione tra di loro, se fosse avvenuta. In altre parole, non conosceva lo scrittore prima che fossero iniziati gli omicidi o, se lo avesse fatto, non aveva compreso la sua malattia e a questo non ci potevo credere. Il mio bisnonno dopotutto era un medico e, sebbene non fosse dotato della conoscenza e della scienza di oggi, sono sicuro che avrebbe riconosciuto lo stato delirante dello scrittore, se fosse stato un conoscente personale dell'uomo. I suoi appunti, inseriti nelle pagine successive del diario, erano quindi importanti per quanto riguardava le conseguenze degli omicidi: avrei aspettato il mio momento. Erano organizzati in quel modo per uno scopo e decisi di attenermi al piano originale e di leggere cronologicamente ogni pagina.

Uno sguardo ai testi stampati che avevo recuperato mi mostrò che lo scrittore era ormai a soli sei giorni dal successivo omicidio, quello di Mary Ann Nichols. L'ultima voce che avevo letto mostrava che lo scrittore stava davvero diventando sempre più arrabbiato ogni giorno che passava, i suoi mal di testa non stavano migliorando e le voci gli parlavano a intervalli che sembravano sempre più decrescenti. Mentre la sua rabbia continuava a crescere, sapevo che il dolore nella sua testa e le delusioni nel suo cervello sarebbero aumentate in modo esponenziale fino a quando qualcosa non avesse ceduto. Le successive annotazioni sarebbero state cruciali per aiutare a determinare il suo stato d'animo, nel momento immediatamente prima della notte dell'orrendo massacro della povera sfortunata Mary Ann.

SEI
UN'ULTIMA PARVENZA DI CALMA

Stavo diventando piuttosto rigido e stanco. Ero stato seduto sulla sedia del mio ufficio per così tanto tempo, a parte le pause per il caffè, ed ero così assorbito dal diario, che non mi ero reso conto di essermi trattenuto quasi in uno stato di semi-incoscienza. Sono sicuro che sai cosa intendo, quando sei così teso che ogni muscolo del tuo corpo sembra irrigidirsi e sembri incapace di muoverti. Mi alzai per muovermi per qualche minuto; avevo bisogno di rilassarmi un po'.

Mi alzai dalla sedia, allungandomi per alleviare la rigidità del collo e della schiena, mi sentivo così teso, ogni tendine mi faceva male. Mi sono accorto di essere abbastanza affamato, non mangiavo da ore. La signora Armitage sarebbe rimasta inorridita! Fuori era ormai piuttosto buio e, sebbene la giornata fosse stata abbastanza bella e calda per quel periodo dell'anno, si alzò una brezza piuttosto forte. I rami dell'albero fuori dallo studio cominciarono a ondeggiare nella brezza, proiettando le ombre di dita inquietanti sul vetro scuro della finestra. Rabbrividii di nuovo, stupidamente, ma mi sentivo come se non fossi solo nella stanza.

Scuotendo dalla mia mente pensieri così infantili, tornai in cucina. Tolsi dal congelatore un pasto per microonde per due persone e impostai il forno per cucinarlo. Con il forno che ronzava in sottofondo, mi sedetti al tavolo della cucina con un bicchiere d'acqua e sfogliai gli appunti che avevo portato con me dallo studio. Quasi tutto il materiale sugli omicidi di Jack lo Squartatore era avvolto nel mistero e da una netta mancanza d'informazioni o fatti credibili. Nel corso degli anni, erano stati suggeriti così tanti sospettati che sembrava che quasi l'intera popolazione di Londra avrebbe potuto costruire una causa contro di loro, se si fosse lavorato abbastanza duramente per preparare un caso circostanziale! C'erano dottori, avvocati, macellai, dipendenti e persino membri della famiglia reale, ma nessuno di loro aveva mai dimostrato di avere un collegamento diretto con gli omicidi. Le indagini sulle vittime erano state, nella migliore delle ipotesi, superficiali; le informazioni erano state tenute nascoste a volte, senza apparenti ragioni valide, e la polizia sembrava essersi avvicinata all'intera serie di omicidi senza alcuna vera motivazione. Mentre quelli 'sul campo' - gli ufficiali più direttamente coinvolti nei singoli omicidi - avessero fatto del loro meglio, sembravano essere stati ostacolati dagli atteggiamenti e dalla mancanza di lungimiranza mostrati dai loro comandanti. Le prove che avrebbero potuto essere utili furono soppresse o l'ufficiale in carica aveva effettivamente ordinato che le parole fossero rimosse, in modo da non offendere alcuna sezione della comunità, come nel caso di una sezione di graffiti lasciata su un muro, presumibilmente dalle mani dello Squartatore!

Ero sconvolto e sbalordito da alcune delle cose che stavo leggendo. Nonostante la mancanza di assistenza forense o tecnica, sembrava che al momento fossero disponibili indizi, ma la polizia non era stata in grado o non aveva voluto indagare a fondo. Forse la bassa posizione sociale delle vittime aveva avuto un ruolo in questo, perché sicuramente se le vittime fossero state donne nobili della società, la protesta pubblica e il bisogno di giustizia avrebbero galvanizzato la polizia in una raffica di attività e il caso sarebbe stato seguito in modo molto più vigoroso e l'assassino avrebbe avuto maggiori probabilità di essere arrestato.

Il microonde tintinnò: la cena era pronta! Mentre mi sedevo a tavola a mangiare le lasagne esageratamente grandi (dose per due ti ricordo), cercai di ripensare a quello che avevo letto fino a quel momento.

Il mio bisnonno, un medico vittoriano che si occupava di malattie mentali, ovviamente era entrato in contatto con lo scrittore del diario. Lo scrittore, ovviamente maschio, si era presentato in qualche modo per convincere il mio bisnonno di essere Jack lo Squartatore. Il bisnonno aveva pensato che avrebbe potuto fare qualcosa per fermare gli omicidi. Aveva riconosciuto le intenzioni dello scrittore, prima o in qualche momento durante quella follia omicida? Certamente credeva nella storia dell'uomo, abbastanza da intraprendere una qualche forma di azione precipitosa, ancora sconosciuta, alla fine di quella storia. Che cosa fosse quell'azione, mi era ancora sconosciuta. Qualunque cosa fosse accaduta, l'aveva ritenuta importante (e scandalosa) abbastanza da trasmetterla a suo figlio e a coloro che fossero venuti dopo di lui, come una macabra eredità, con la richiesta di continuare a mantenere il segreto all'interno della famiglia.

Sebbene sapessi che avrei potuto trovare alcune risposte rapide arrivando alla fine del diario e leggere gli appunti finali del mio bisnonno, mi sentivo obbligato a continuare come avevo iniziato, a leggere una pagina alla volta, nell'ordine in cui erano state scritte. Era come se il diario avesse una vita propria, come se fosse intento a non rivelare i suoi segreti più oscuri, finché non fosse stato pronto a farlo.

'Ci sono cascato di nuovo come uno sciocco', pensai. Come può una raccolta di documenti, vecchia di più di cento anni, avere un tale potere? Non aveva alcun potere su di me; lo sapevo, ero un uomo razionale, quindi perché non andavo direttamente alla fine? Non lo so. Sapevo solo che dovevo andare avanti con la mia strana ricerca della verità e sentivo che il diario mi avrebbe portato alle risposte, se fossi stato paziente. Avevo bisogno di capire di più e l'unico modo era leggere ogni singola pagina, studiare ogni parola.

Finito il mio pasto, misi il mio piatto solitario, coltello e forchetta nella lavastoviglie, con i piatti e le posate dei miei ultimi quattro pasti. Domani avrei dovuto farla partire! Mentre uscivo dalla cucina, in fondo al corridoio e tornavo nello studio, udii il rumore del vento all'esterno. Aveva aumentato d'intensità e rumore mentre stavo mangiando e si stava trasformando in una tempesta. Ero contento di essere in casa. Quando aprii la porta dello studio, avrei giurato di aver visto un'ombra fugace sfrecciare attraverso la stanza, da sinistra a destra, e scomparire dietro la libreria alla mia destra. Ancora una volta mi rimproverai per la mia stupidità infantile. Doveva essere l'ombra causata dalla porta che si apriva nella stanza e che attraversava la luce, niente di più. Tuttavia, non diedi una rapida occhiata dietro la libreria, come uno scolaro nervoso, prima di sedermi di nuovo sulla sedia. Non c'era niente, ovviamente.

Avevo deciso che un altro whisky non avrebbe indebolito i miei processi mentali, quindi me ne versai uno. Tornando al diario, avevo visto che due giorni erano stati omessi dallo scrittore, la sua pagina successiva era di tre giorni dopo quella precedente.

28 Agosto 1888

Mi sento bene, sto solo aspettando. Presto arriverà il momento di iniziare e il mondo sentirà la mia voce, vedrà il mio lavoro e le puttane tremeranno. Devo guadagnare un po' di soldi, devo mantenere intatti il corpo e l'anima. Serata al club. Un gentiluomo è un gentiluomo dopotutto. Ho condiviso un pasto e una bottiglia di buon porto con Cavendish. È un dottore, ah ah!

Finalmente! Cavendish! Il mio bisnonno. Quindi l'aveva incontrato prima degli omicidi, beh, prima che la maggior parte di essi avvenisse. Ricorda che la maggior parte delle persone aveva negato che l'omicidio di Martha Tabram fosse stata opera dello Squartatore. Il diario, tuttavia, mette quella morte accanto alle altre, quindi per quanto riguarda la mia storia, Tabram è stata la prima. Citava 'il club', ovviamente un club interamente maschile, molti dei quali esistevano a quei tempi. Doveva essere un membro del club del mio bisnonno, o almeno essere stato ospite; sapevo che erano luoghi molto snob, abbastanza esclusivi, dove i non soci sarebbero stati sicuramente sgraditi e doveva anche essere un gentiluomo, o almeno pretendere di esserlo. C'era ancora un altro indizio. Citava 'guadagnare soldi', per fare cosa? Che tipo di lavoro faceva, questo strano e letale 'gentiluomo'? Era lui stesso un medico, o un avvocato, forse un mediatore? In un paragrafo così breve, il diario mi aveva portato molto più a fondo negli strani avvenimenti di tanto tempo prima. Cominciavo a sentirmi ancora più attratto dalla trama che circondava il mio bisnonno e il misterioso scrittore delle pagine invecchiate, spiegazzate e ingiallite.

Il diario continuava ...

E' stato molto comprensivo quando gli ho parlato dei miei mal di testa. Solo il mal di testa ovviamente, niente di più. Non avrebbe capito le voci, non ancora. Non gliene avrei parlato comunque. Mi ha suggerito una piccola dose giornaliera di laudano. Ha pensato che potesse aiutarmi con il mal di testa e calmare i miei nervi. Pensa che ne abbia passate troppe! Povero Cavendish, poveri sciocchi, tutti loro, semplicemente non possono vedere, semplicemente non sanno, solo le voci lo sanno, sono con me tutto il tempo, anche quando sono tranquille, sono ancora lì, a dormire, a riposare. Ho preso il laudano dalla drogheria all'angolo, abbastanza, nel caso non funzionasse subito. Devo ammetterlo, i mal di testa non erano così male la scorsa notte. Buon vecchio Cavendish. Ha capito giusto. Mi fa ancora un po' male, però, la fronte mi pulsa. Stanotte sono così stanco. Nessun piccolo viaggio da fare. Dormire, dormire, dormire.

Laudano! Il mio bisnonno aveva suggerito di

prendere il laudano. Popolare come un toccasana in epoca vittoriana, il laudano era un derivato dell'oppio che poteva e, spesso lo faceva, renderti dipendente da esso. Certamente avrebbe avuto l'effetto di calmare lo scrittore in una certa misura, ma le sue proprietà allucinogene sarebbero probabilmente servite ad infiammare ulteriormente le sue delusioni e forse ad amplificare la gravità delle voci nella sua testa. Mi sembrava che il mio bisnonno avesse involontariamente contribuito a versare benzina sul fuoco già ardente che stava per esplodere dall'interno della mente torturata dello scrittore del diario. Il diario passava al giorno successivo.

29 *Agosto* 1888

Il laudano funziona. Più ne prendo, meglio mi sento. Sento le voci molto più chiare ora, meno confusione, meno chiacchiere. Mal di testa ancora lì, ma sopportabile. Un'altra visita alle taverne, i pozzi neri dell'iniquità, la birra schifosa in boccali sporchi. Troppe puttane da contare. Non dimenticherò il passato che giace con me e che ha causato la mia sofferenza, la puttana sporca e malata! Spero che sia morta in agonia, non l'ho vista, deve essere già andata, ma le altre lo faranno, le miserabili puttane, sono tutte uguali, ripugnante pestilenza del mondo.

Ero rimasto quasi senza fiato nel leggere la pagina

davanti a me. Adesso sembrava come se fossi sulle montagne russe. Si stava avvicinando il momento in cui la sua malattia lo avrebbe spinto oltre il limite, quando le voci avrebbero parlato e lui avrebbe perso la sua tenue presa finale sulla realtà e si sarebbe tuffato nella fossa della dannazione da cui non sarebbe mai fuggito. Il suo riferimento al suo amore con una puttana che lo aveva portato alla 'sua sofferenza' mi portò a credere, senza ombra di dubbio, che quest'uomo fosse infetto dalla sifilide e che fosse molto probabilmente nel terzo stadio della malattia, quando il corpo stesso poteva mostrare lesioni note come gomme, che lentamente corrodono la pelle, le ossa e i tessuti molli. La parte più terribile di quella fase della malattia è il progressivo danno cerebrale che si verifica, un tempo noto come paralisi generale dei pazzi. Sebbene antibiotici e test efficaci abbiano quasi sradicato la malattia dai paesi sviluppati del mondo moderno, ai tempi del mio bisnonno la sifilide era dilagante e il nostro sfortunato scrittore sarebbe stato descritto dai medici dell'epoca come 'sessualmente squilibrato'. Quindi, ora sentivo che lo scrittore del diario fosse infetto dalla sifilide, soffrisse di schizofrenia paranoica, sia come conseguenza della sua sifilide che in tandem con essa, e ora sapevo, nel profondo del mio cuore, che quello fosse davvero il diario dell'uomo noto alla storia come Jack lo Squartatore!

30 Agosto 1888

Tutti i preparativi sono in atto. Mappe, vestiti, strumenti, soprattutto strumenti. Non mi sono mai sentito così bene, così calmo, nessun dolore, i mal di testa se ne sono andati, le voci che mi cantano sommessamente, confortandomi, dicendomi dove andare, cosa fare, come essere invisibile. Sarò sempre invisibile. Le strade buie saranno la mia casa; il mio cuore batterà a tempo al ritmo della notte. È una notte calda, così tranquilla fuori, così calma, e anch'io sono calmo, e a riposo. Sì, devo riposare stanotte. Domani inizia il mio lavoro!

Devo ammettere che, leggendo quell'annotazione nel diario, sentii il mio cuore sussultare. Sebbene lo scrittore potesse essere stato calmo, io ero tutt'altro; stavo tremando fisicamente e visibilmente mentre posavo quella pagina sulla scrivania. Sebbene stessi leggendo di eventi accaduti più di un secolo prima, confesso che avevo paura, paura di ciò che avrei letto nelle pagine seguenti. La povera Martha Tabram era stata una prova. Ora la miscellanea di paura e morte che si chiamava Jack lo Squartatore stava per scatenarsi!

SETTE

INIZIA IL VERO LAVORO

Con l'intento di calmare un po' i miei nervi e a prepararmi per quello che stavo per leggere, posai delicatamente il diario sulla scrivania e presi gli appunti che avevo stampato in precedenza. Volevo conoscere meglio i fatti del caso prima di tornare alle parole dello Squartatore.

La cronaca riporta che la notte del 30 agosto 1888, Mary Ann Nichols (nota a tutti come Polly) era stata vista camminare da sola in Whitechapel Road dalle 23:30 alle 00.30 e, secondo la testimone, aveva lasciato una casa pubblica in Brick Lane ed era stata vista viva l'ultima volta dalla sua amica e compagna di vita Ellen Holland alle 2.30 del mattino, all'angolo tra Whitechapel Road e Osborn Street. Era ubriaca e si rifiutò risolutamente di tornare con Holland nella loro stanza condivisa in Thrawl Street.

Il suo corpo senza vita fu ritrovato a Buck's Row, una strada buia e solitaria conosciuta oggi come Durward Street, con la gonna tirata su, verso le 3.40 del mattino da due passanti, Charles Cross e Robert Paul. Tre poliziotti arrivarono sul posto e uno di loro, l'agente di polizia Neil, notò che le avevano tagliato la gola. Era stata dichiarata morta sul posto dal dottor Rees Llewellyn, il medico legale di turno, e il suo corpo era stato trasferito nella camera mortuaria presso l'Old Montague Street Workhouse Infirmary. Fu durante un successivo esame del cadavere nell'obitorio che furono scoperte le orribili mutilazioni addominali, divenute presto il marchio di fabbrica dello Squartatore.

Durante l'inchiesta frettolosamente aperta sulla sua morte (quel giorno stesso), era stato rivelato che la povera donna aveva subito due tagli alla gola, così profondi da raggiungere le vertebre, il suo addome era stato squarciato e il lato sinistro presentava uno squarcio che partiva dalla base delle costole fin quasi al bacino. C'erano numerosi tagli all'addome destro e due coltellate orribili direttamente nei suoi genitali. Sebbene inizialmente si pensasse che fosse stata uccisa altrove e il corpo scaricato a Buck's Row, a causa della piccola quantità di sangue trovata per strada, si era poi dedotto che i suoi vestiti avevano assorbito gran parte del sangue e che Buck's Row era stata la scena del suo omicidio. Un importante partecipante all'inchiesta fu l'ispettore investigativo Frederick Abberline, che era stato chiamato per coordinare le indagini. In quel momento, tuttavia, la polizia non aveva nulla su cui basarsi, né testimoni, né sospettati, né prove.

Se lo Squartatore avesse finito di uccidere con la morte di Polly Nichols, era probabile che il crimine sarebbe rimasto irrisolto e dimenticato e l'omicidio non sarebbe stato altro che una nota a piè di pagina nell'oscura storia criminale dell'East End di Londra e il nome di Jack Lo Squartatore non sarebbe mai venuto al mondo.

Tornai al diario. Stranamente, non c'era nessuna annotazione per la notte del 30 agosto, quando ovviamente doveva aver lasciato la sua casa per aggirarsi per le strade buie in cerca della sua vittima. Era troppo eccitato per scrivere? Era stato così preoccupato dal suo compito da aver dimenticato l'esistenza stessa del suo diario? Alla luce delle mie teorie sullo stato d'animo dello scrittore, pensai che quest'ultima fosse la conclusione più probabile. Era così preso, così totalmente assorbito dalla sua causa, dal suo 'lavoro', che il diario sarebbe stato per lui insignificante, valeva a malapena un pensiero, come del resto credevo fosse il caso. Il giorno dopo, tuttavia, era tornato al suo resoconto letterario e il suo appunto, sebbene breve, mi raggelò come se avesse scritto una dissertazione di cinque pagine sull'uccisione di quella povera donna sfortunata.

1 settembre 1888

Mi sento bene. Ho continuato il lavoro la scorsa notte. Dopo la prima puttana è stato facile, come sventrare un pesce! Slash, slash, slash, così facile, così veloce. La puttana non mi ha visto arrivare, era sdraiata ubriaca sulla porta sudicia del tugurio. Questa è una cosa reale, ora non riesco a smettere, perché le puttane sono mature per essere spennate e mieterò un raccolto sanguinoso. Il suo sangue era caldo e appiccicoso sulle mie dita, ma la puttana ora è fredda, fredda come la tomba. Bel lavoro.

Sono persino tornato indietro per guardare, ma avevano già spostato la puttana. Nessuno mi ha visto, ero invisibile. Risolto il problema del sangue. Il grembiule si laverà e le fogne mi terranno al sicuro. Porta a porta, hahaha.

Quindi, eccolo qui, probabilmente per la prima volta. Una (sorta di) confessione per gli omicidi di Martha Tabram e Polly Nichols da parte di un individuo. Se quel diario era davvero una cosa reale (e stava diventando più evidente per me ad ogni pagina che leggevo), allora tutte le congetture sul fatto che Martha Tabram fosse stata una vittima dello Squartatore erano finite (almeno per me).

Povera Polly Nichols! Lasciata a sanguinare per strada nel profondo della notte, probabilmente senza nemmeno sapere cosa le stesse accadendo. Quella, immaginai, fu una sorta di benedizione. Non era stata trascinata, urlando verso la sua orribile morte. Se si voleva credere allo scrittore, si sarebbe imbattuto nella sua vittima che giaceva praticamente inerme sulla soglia, probabilmente troppo inebriata dall'alcol per rendersi conto che le stavano tagliando la gola, finché non fu troppo tardi. Sebbene le mutilazioni successive fossero state orribili nella loro estensione e ferocia, almeno furono inflitte *post mortem*: non avrebbe sentito la lama affettarle la carne, aprirla, spogliarla e contaminare le sue parti più intime e private. La profondità dei tagli alla gola della donna avevano assicurato una morte istantanea. Mi sedetti rabbrividendo di nuovo e, anche se l'atto era avvenuto tanto tempo prima, recitai una preghiera silenziosa per l'anima di Mary Ann (Polly) Nichols.

Il fatto che potesse essere stato così scarno nella descrizione dell'omicidio, dimostrava che gli atti di depravazione che aveva commesso erano stati spaventosi. Rabbrividii interiormente, mentre il vento ululava di nuovo alla finestra e di nuovo sentii quella strana sensazione di non essere solo, anche se sapevo di esserlo. Stavo diventando nervoso e non c'era da stupirsi.

2 *Settembre 1888*

Le voci mi hanno chiamato oggi. Stanno festeggiando, euforiche, dicendomi di riposare adesso. Il lavoro non se ne andrà, ma aspetterà finché non verrà di nuovo il momento in cui mi alzerò per rispondere alla chiamata. Il mal di testa è tornato, peggio di prima, ma il laudano mi ha aiutato.

3 settembre 1888

Ho visto 'T' oggi. Anche Cavendish mi ha fatto una telefonata di cortesia. Ascoltavo ma ho parlato poco. L'ho ringraziato per il suo consiglio. Mi ha chiesto come stavo. Bene, ho risposto. Bene. Bene. Bene. Stava andando al manicomio. Così tante anime infelici lì dentro, vorrebbero godersi il sole, la libertà di camminare, parlare, essere di nuovo umani. So che questo non è il loro destino, io stesso me ne prenderei cura se potessi, aiutandoli a trovare la liberazione di cui hanno bisogno. Ma non posso, devo restare entro i miei confini e prendere conforto nel lavoro, aspetterò le voci, le lascerò riposare, anche loro sono stanche, abbastanza presto sentirò il sangue delle puttane di nuovo sulla mia pelle, guarderò la prossima miserabile sgualdrina sanguinare mentre la affetto ben bene. Non durerà a lungo, amore mio, non passerà molto, lo prometto.

C'era ancora una volta il mio bisnonno e parlava di qualcuno chiamato solo 'T'. Perché lo scrittore non lo aveva nominato, come aveva fatto con il mio antenato? Assegnare un nome a questo 'T' avrebbe rivelato troppo, reso troppo facile l'identificazione dello scrittore se il suo diario fosse caduto nelle mani sbagliate? Era ovvio per me che il mio bisnonno non aveva la minima idea del legame tra lo scrittore e gli omicidi del momento perché ero sicuro che avrebbe aggiunto qualcosa ai suoi appunti. Non c'era niente, e sì, l'uomo 'T', se fosse stato un uomo, doveva essere di casa perché lo scrittore potesse identificarlo. C'era anche il vago riferimento al suo desiderio di fare qualcosa per aiutare a curare i detenuti del manicomio. Era solo il divagare di una mente folle, o quest'uomo, come molti sospettavano dello Squartatore, aveva dei collegamenti medici? Poteva davvero essere stato lui stesso un medico? Questo spiegherebbe sicuramente la sua presenza nello stesso club del bisnonno. Erano colleghi professionisti, mi chiedevo, o solo conoscenti di passaggio? Sapevo che probabilmente avrei potuto risolvere il mistero all'istante voltando qualche pagina, guardando le note finali, forse vedendo un nome scritto dai miei antenati, ma no, non potevo. Mi sentivo obbligato a leggere tutto questo fino alla fine, a leggere ogni singola pagina come si apriva davanti a me, a seguire la traccia del diario, a qualunque conclusione fosse arrivata. Solo comprendendo appieno cosa era successo in quei lontani giorni avrei scoperto l'oscuro segreto della mia famiglia e forse, allo stesso tempo, avrei scoperto l'identità di Jack lo Squartatore.

4 settembre 1888

Devo andare via per un paio di giorni. Le puttane possono aspettare, ma io tornerò, per quanto è vero, tornerò in tempo per tagliare la prossima puttana ...

Quindi, stava andando via. A lavorare? A far visita ad un amico o forse una famiglia? Cercai negli appunti stampati, alla ricerca di qualsiasi riferimento a qualsiasi dei tanti sospettati che erano stati assenti da Londra tra il 4 settembre e la data del successivo omicidio, che avvenne l'8 dello stesso mese. C'erano poche informazioni: le uniche informazioni riguardanti qualcuno dei presunti sospettati si riferivano al principe Albert Victor, duca di Clarence e Avondale, il nipote della regina Vittoria. Il principe era stato registrato come ospite del Visconte Downe a Danby Lodge nello Yorkshire fra il 29 agosto e il 7 settembre e da lì alla caserma di cavalleria a York fino al 10. A meno che non avesse potuto essere in due posti contemporaneamente, per quanto mi riguardava, il principe non era sospettabile. La consideravo, in ogni caso, una teoria assurda, anche se forse altri avrebbero potuto agire per suo conto? Sentivo che era più probabile che lo scrittore stesse rispettando un appuntamento prestabilito, forse, come avevo già pensato, per far visita ad un parente, o, se era lui stesso un medico, ad occuparsi di alcuni affari urgenti fuori città, forse stava curando lui stesso i pazienti in un ospedale, o Dio non voglia il pensiero, in un manicomio!

Per quanto mi sforzassi, non riuscivo a scrollarmi di dosso il pensiero di essere inestricabilmente attratto da una trama così vasta, così profonda, che avrei potuto non essere più lo stesso. Le nozioni che stavo per apprendere nelle ore successive mi avrebbe lasciato illeso o ero stato maledetto a portare con me nella tomba un segreto vile e amaro? Era quello che avevano fatto il mio povero padre e suo padre prima di lui? La carta ingiallita, increspata e invecchiata che tenevo in mano sembrava quasi calda al tatto, come se il calore del sangue di quelle povere vittime sfortunate dello Squartatore stesse filtrando attraverso le stesse pagine del diario, raggiungendo la vastità del tempo per toccarmi qui nel caldo e sicuro confine del mio studio. Qualcosa della scrittura sulla pagina le fece assumere nella mia mente un aspetto quasi tridimensionale, la pagina si muoveva verso l'alto nella mia mano mentre guardavo sempre più da vicino le parole, alla ricerca di qualche indizio nascosto, qualche segno di qualunque cosa fosse; questo mi stava provocando una reazione così illogica al vecchio manoscritto logoro. Non vedevo niente d'insolito, proprio niente, eppure c'era qualcosa nel diario, qualcosa di oscuro e malevolo, anche se non avevo idea di cosa fosse. Cos'era? Era lo Squartatore, le sue parole erano già abbastanza agghiaccianti, ma poteva essere che qualcosa di malefico si nascondesse nel tessuto della pergamena, poteva in qualche modo aver impresso il suo marchio di malvagità in quelle pagine?

Sciocchezze! Come mi sentivo sciocco anche solo a formulare un simile pensiero. Anche così, misi subito il diario sulla scrivania, vergognandomi della mia paura e della mia stupidità irrazionali. Dopotutto *era* solo una raccolta di vecchie carte, no?

OTTO
UNA SERATA TRANQUILLA

Il gelo delle parole del diario aveva fatto presa sui miei pensieri e sulle mie emozioni. Mi aspettavo che lo Squartatore (se quello era davvero lo Squartatore) descrivesse il suo lavoro in modo molto più dettagliato di quanto avesse fatto finora. Sembrava che l'atto di uccidere Polly Nichols, la barbarie del suo violento assalto al suo corpo, non fosse stato altro che un'extra giornaliero, un atto casuale, commesso senza più emozione di quanto avrebbe mostrato se stesse schiacciando una mosca o mangiando un pasto. Il 'sangue caldo e appiccicoso' sulle sue dita non era altro che un'osservazione passeggera, una breve dichiarazione di fatto. Non era stato in alcun modo respinto dall'atto omicida, come la maggior parte degli assassini, dopo aver realizzato la grandezza di ciò che avevano fatto. Quest'uomo era incapace di rimorsi, anzi, provava piacere dagli atti che stava perpetrando e li considerava nient'altro che un evento quotidiano. Confesso che, in quel momento, avevo davvero paura, anche se di cosa non potevo esserne sicuro. Normalmente, non ero incline a paure irrazionali o illogiche, ma qualcosa in quel diario era profondamente snervante per la mia anima. Per ragioni che non riuscivo ancora a spiegare (dopotutto era solo un vecchio diario), mi sentivo come se stessi fissando le fauci dell'inferno stesso, con solo una piccola parte di quella terribile destinazione che mi era stata rivelata. Sapere che vi era molto di più nel prosieguo, descrizioni di eventi ancora più orribili, che quel salasso era stato solo l'inizio, mi inviò spasmi di brividi lungo la schiena. Nonostante l'attrazione inebriante e avvincente del diario, dovevo staccarmi da esso, avevo bisogno di riposarmi, per guadagnare qualche minuto di tregua dall'orribile melodramma vittoriano che veniva raccontato davanti ai miei occhi. Ci voleva molto coraggio, so che non lo capirai, ma è vero, e raccolsi il coraggio necessario per mettere le pagine del diario sulla scrivania, alzarmi dalla sedia e uscire dallo studio, andare in cucina dove preparai ancora dell'altro caffè e poi sprofondai nella poltrona di Sara accanto al caminetto con la testa tra le mani. Senza che me ne rendessi conto, il caffè diventò freddo, i miei occhi si appesantirono e in pochi minuti caddi in un sonno agitato e superficiale.

Sognai, un sogno orribile, di sangue e lame d'argento lucenti, che tagliavano e squarciavano la mia carne. Il sangue era ovunque, scorreva dalle mie braccia, dalle mie gambe e, quando guardai in basso, una ferita nell'addome era aperta da un lato all'altro attraverso il mio corpo, le mie viscere erano fuoriuscite e il pavimento della cucina era macchiato di rosso, un fiume di sangue sgorgava dalle mie ferite. Provai ad urlare, non ci riuscii e vidi l'ombra dell'uomo, mentre alzava ancora una volta la sua lama, pronto a sferrare il colpo finale, per porre fine al mio tormento, e poi ...

Mi svegliai tremando, sudato; la cucina era silenziosa, il pavimento era pulito, asciutto, non una goccia di sangue in vista. Quasi inconsciamente mi toccai il corpo, controllando le ferite, non ce n'erano ovviamente, e maledissi la mia stessa stupidità, la mia debolezza nell'essere stato ingannato da un sogno. Mi stavo decisamente spaventando. Questo era certo. Provato a schiarirmi le idee, a pensare razionalmente. Dopotutto, nella mia professione ero un uomo logico e razionale. Passavo la mia vita lavorativa cercando di aiutare i malati mentali di tutti i generi e gradi, anche il raro caso di qualche individuo povero che mostrava sintomi simili a quelli dello scrittore del diario. Perché, in nome del cielo, adesso dovevo sentirmi così colpito dalle rivelazioni, contenute in un testo del XIX secolo, era oltre la mia comprensione.

Conclusi che la stanchezza doveva essere un fattore importante che stava contribuendo al mio malessere attuale. Non avevo riposato molto dalla morte di papà e quella giornata era stata piuttosto pesante, a cominciare dalla visita all'ufficio dell'avvocato, seguita dal mio interessamento quasi ossessivo per il diario. Unito a questo c'erano le parole inquietanti che conteneva e la velata minaccia di un coinvolgimento familiare a lungo nascosto in uno dei grandi misteri nella storia del crimine. Alla fine, mi addormentai sulla poltrona, cosa che normalmente non avrei mai fatto e, naturalmente, bevvi qualche bicchiere di whisky nel frattempo.

Decisi di mettere da parte il diario per quella sera, di dormire un po' e di ricominciare la mattina dopo, quando sarei stato riposato, avrei avuto le idee chiare, eppure sapevo che non potevo. Non potevo proprio farlo! Avevo bisogno di saperne di più e la sete di quella conoscenza non poteva aspettare fino al mattino successivo.

Sentendomi come se fossi guidato da una forza invisibile, una forza che non mi lasciava andare, mi alzai dalla comodità della poltrona accanto al caminetto e mi lasciai trascinare di nuovo nello studio, sempre più in profondità, nell'oscuro e insanguinato mondo di Jack lo Squartatore!

Quando mi sistemai ancora una volta sulla sedia, decisi per un momento di rinunciare alla lettura del diario. Volevo più informazioni reali, più retroscena del caso. Entrai di nuovo in Internet e trovai e stampai un'altra raccolta di documenti sul caso. Sebbene il caso abbia più di cento anni, esiste una vasta rete di siti web dedicati ai crimini dello Squartatore e non mancano le informazioni da raccogliere se si vuole. Ho detto che stavo cercando fatti, anche se ovviamente, molti dei cosiddetti fatti collegati agli omicidi dello Squartatore erano essi stessi aperti a congetture. Mentre leggevo molte delle informazioni davanti a me, mi sembrò che ciò che un giorno veniva accettato dalla polizia e dal pubblico come verità, in molte occasioni veniva condannato al regno della fantasia il giorno successivo! Guadare il miscuglio di verità, mezze verità e vere e proprie falsità era come cercare di guadare un mare di fango con indosso una tuta da sub.

Non mi ero mai reso conto che c'erano stati così tanti sospettati, o almeno presunti sospettati, molti dei quali non erano nemmeno stati presi in considerazione al momento degli omicidi. Sembra che, anche oggi, nuovi nomi si aggiungano alla lista con inanellabile regolarità. Invece di avvicinarsi alla conclusione del caso, col passare del tempo mi sembrava che una soluzione diventasse meno probabile. C'erano stati omicidi e continuarono ad esserci omicidi, dopo i cinque omicidi canonici attribuiti allo Squartatore. Martha Tabram, ovviamente, non era stata una di queste, anche se il diario ora la collocava saldamente nella lista degli omicidi dello Squartatore. Avevo letto il presunto racconto dello Squartatore sull'omicidio di Tabram, seguito dalla sua breve descrizione agghiacciante della morte di Polly Nichols. Ancora a venire, se il diario li avesse elencati tutti, c'erano stati gli omicidi di Annie Chapman, Elizabeth Stride, Catherine Eddowes e Mary Jane Kelly, il cui omicidio risaliva al 9 novembre. Ulteriori omicidi nei tre mesi successivi furono, in un modo o nell'altro, attribuiti allo Squartatore, ma furono presto dichiarati come opera di altri. Era stato persino suggerito che una o più delle vittime di cui sopra potevano non essere state vittime reali dello Squartatore, ma non avevo il tempo di provare a dare seguito a tale ipotesi. Se il diario fosse stato fedele alla realtà, qualsiasi domanda sul numero delle sue vittime sarebbe stata risolta leggendo le sue pagine, seguendo le parole dello scrittore (lo Squartatore?), fino alla sua conclusione.

Guardai di nuovo l'elenco dei presunti sospettati. Da quel poco materiale che avevo raccolto fino a quel momento, anche io trovavo alcuni di loro troppo fantasiosi per quelle parole. Avevo già scartato il principe reale dai miei pensieri e mi concentrai su quelli che pensavo fossero stati i principali sospettati *al momento degli omicidi*.

C'era 'Grembiule di cuoio', un nome attribuito allo Squartatore prima del suo successivo nome, ritenuto da molti a quel tempo un calzolaio polacco di nome John Pizer. Un residente di Mulberry Street, Pizer, come alcuni degli altri sospettati, era ebreo (strano quante volte gli ebrei fossero stati i capri espiatori di crimini efferati). Pizer era stato considerato dalla polizia come persona coinvolta.

Un altro polacco, anche lui ebreo, questa volta barbiere, era stato indicato come sospettato. Aaron Kosminski venne riconosciuto come sospettato in quel momento e immediatamente incarcerato al Colney Hatch Asylum, dove il mio bisnonno di tanto in tanto curava i pazienti (una connessione?).

Il fidanzato e un tempo amante convivente di Mary Jane Kelly era Joseph Barnett. Barnett era stato interrogato a lungo dalla polizia e in seguito rilasciato. Si pensò che Barnett potesse aver commesso gli omicidi come mezzo per cercare di convincere Mary Kelly a rinunciare al mondo della prostituzione, sperando che gli omicidi l'avrebbero allontanata dalla strada. Quando questo fallì, la uccise in un attacco brutale e prolungato, solo per ritirarsi dalle sue azioni omicide in seguito. Ammisi a me stesso che sarebbe stata una ragionevole possibilità.

Michael Ostrog, un uomo dai molti pseudonimi e d'incerta nazionalità, forse russa, forse polacca, e - sorpresa sorpresa - descritto come ebreo, aveva avuto una lunga fedina penale al momento degli omicidi e una storia di malattia mentale. All'epoca nominato dalla polizia come 'un uomo pericoloso', fu uno dei tre principali sospettati di Sir Melville Macnaghten, assistente capo della polizia di Scotland Yard, dal 1889 al 1890, divenuto poi capo della polizia.

Insieme a Ostrog e Kosminski, il terzo principale sospettato di Macnaghten sembrava essere stato un avvocato rispettabile, ma leggermente instabile, di nome Montague John Druitt. Uno sportivo di prima classe e un ex maestro della scuola di Mr Valentine Blackheath, Druitt sembrava essere stato regolarmente - anche se non in modo redditizio - impiegato come avvocato, pur avendo, ad un certo punto, iniziato ad insegnare o per integrare i suoi magri guadagni legali o per altre ragioni sconosciute. Quel lato della sua vita sembrava avvolto nel mistero, così come quella di tutti quelli sospettati di essere il famigerato assassino.

Ce n'erano stati altri, molti altri, troppi per giustificarne l'inclusione. Dopotutto non era quello lo scopo delle mie ricerche. Mentre leggevo e rileggevo quegli appunti, pensavo che forse, in poche ore, avrei avuto la risposta che era sfuggita alla polizia della Londra vittoriana e a tutti gli studiosi e storici che da allora avevano provato a dare un nome allo Squartatore. Credevo ancora che fosse tanto semplice. Vai all'ultima pagina e sarà lì, mi sono detto. Guarda tu stesso! Sicuramente il bisnonno avrebbe rivelato la verità, se l'avesse saputo davvero e se il diario fosse stato autentico. Non lo feci ovviamente, non potevo, ho già spiegato perché no? Qualunque cosa mi stesse aspettando, alla fine del mio strano viaggio nel passato che veniva generato dal diario, avrebbe dovuto aspettare finché non avessi letto ogni parola lungo la strada, sentito il dolore delle vittime, mentre lo scrittore descriveva la sua orrenda e odiosa discesa, in quella che ora vedevo come inevitabile follia, per scoprire finalmente, speravo, il destino di Jack lo Squartatore.

Adesso era buio pesto fuori e il vento era diventato una tempesta ululante, molto più forte di prima. Le dita dell'ombra scura dell'albero continuavano a danzare il loro balletto contorto sui vetri delle finestre e di tanto in tanto uno di essi sfiorava il vetro, suonando come se qualcuno stesse picchiettando delicatamente sulla finestra, implorando di poter entrare, di sfuggire al vento, all'oscurità, alla tempesta furiosa che si stava addensando minuto dopo minuto.

Sapendo che non potevo più rimandare, mi protesi ancora una volta per prendere il diario e, facendo un grande sforzo per mantenere salde le mie mani e i miei nervi, voltai l'ultima pagina che avevo letto e guardai le parole della pagina successiva che fluttuarono fino a incontrare i miei occhi, mentre mi lasciavo alle spalle la tempesta furiosa fuori dalla finestra e mi ritrovavo ancora una volta coinvolto in una tempesta molto diversa!

NOVE

METAMORFOSI?

La mia prima reazione nel passare alla pagina successiva del diario fu di shock. Mi ci volle meno di un secondo per rendermi conto che la grafia era cambiata. Mentre le pagine precedenti erano state scritte con mano ferma, quasi mostrando la rabbia nelle parole con l'evidente pressione applicata al pennino della penna e gli ampi tratti visualizzati in alcune lettere, ora improvvisamente la scrittura appariva più piccola, in posizione verticale e molto ordinata sulla pagina. Di chi era quella mano diversa che aveva scritto? Guardai attentamente la pagina e tentai un confronto con quella che avevo appena finito di leggere.

Un attento esame rivelava che molte delle lettere, sebbene più piccole e apparentemente più ordinate nella costruzione, mostravano le stesse caratteristiche.

La costruzione della lettera 'f', ad esempio, e anche il fiore applicato alla 'y' erano abbastanza distinguibili nella loro comunanza. C'erano altre corrispondenze presenti, tutte che mi confermavano che lo scrittore delle due pagine era la stessa persona. Certo, ci sarebbe voluto un esperto di grafia per confermare una simile conclusione, ma non avevo alcun dubbio.

Cos'era cambiato? Perché la calligrafia dello Squartatore (lo so - presunto Squartatore) aveva subito questa strana metamorfosi? Immaginai di poter scoprire la risposta alla mia domanda nelle parole che stavo per leggere.

5 settembre 1888

Il silenzio del mondo grava pesantemente sulle mie spalle stanche. È così tranquillo qui, così silenzioso. Non sono più sicuro di dove mi trovo, né di chi sono, questo posto è buio e freddo, la vita è luminosa e calda, ma io no. La solitudine che mi toglie il conforto della giornata giace come un drappo sul mio cuore. Sono sepolto nella tristezza. C'è disperazione in ogni respiro che prendo, voglio essere vivo, odio questo posto, ho bisogno di respirare aria fresca, di assaporare solo una volta il respiro della bontà. Queste cose non sono io!

Era diverso, questo era certo, almeno per ora. La rabbia mostrata in ogni pagina precedente era assente da quell'estratto malinconico. Queste erano le parole di un individuo infelice, molto depresso, che sembrava temere soprattutto la solitudine. Si vedeva tagliato fuori dal mondo, come se ci vivesse, ma non ne facesse veramente parte. Al momento di scrivere quelle parole, dubito che sapesse o realizzasse quello che aveva fatto nelle ultime settimane. C'era una calma lucida, anche se i suoi pensieri erano ancora distorti dalle ansie e dalla repressione. Oltre a quelle altre psicosi di cui sospettavo soffrisse, questo individuo poteva anche essere stato afflitto da quello che oggi verrebbe definito un disturbo multiplo della personalità. Il cambiamento nella grafia, l'alterazione nella costruzione della sua frase e l'improvviso passaggio dalla rabbia alla depressione avrebbero potuto essere sintomatici, anche se ovviamente non potevo esserne sicuro.

Perché nessuno aveva notato i problemi di quest'uomo, mi chiesi? Sicuramente deve aver avuto qualche contatto quotidiano con amici, familiari o colleghi. Da quello che avevo letto fino a quel momento, era un individuo profondamente disturbato che doveva aver avuto qualche difficoltà a mascherare tutti i suoi sintomi davanti a quelli intorno a lui. Perché nessuno aveva sospettato il suo oscuro segreto, o qualcuno aveva cercato senza successo di ottenere aiuto per quell'uomo, magari tentato di provvedere ad un trattamento per lui? Forse però, se si analizzano un po' più a fondo le sue parole, era davvero un uomo solo e quindi con ogni probabilità un solitario, che viveva, lavorava e uccideva da solo. Avevo letto che c'erano state teorie sugli omicidi come una sorta di cospirazione, che erano coinvolti due o più assassini, ma, se il diario fosse stato autentico, allora c'era solo un uomo, ma quell'uomo potrebbe aver avuto molte facce diverse. Da quel momento, avevo appena incontrato il numero due!

Mi fermai per fare riferimento agli appunti stampati. Avevo sentito in passato - ora mi era stato confermato - che nel corso delle indagini sullo Squartatore, erano state inviate numerose lettere alla polizia e ad altre agenzie interessate al caso, che si supponeva provenissero dallo Squartatore. Molte, se non tutte, a un certo punto erano state liquidate come bufale, a causa delle differenze di scrittura tra loro. Si era concluso che nessuno avrebbe potuto essere responsabile di così tanti stili diversi di scrittura e che quindi non potevano essere tutte opera dell'assassino. Poteva essere, mi chiesi, che uno o più di tali lettere *avrebbero potuto* essere del killer, scritte da un numero indistinto di personalità? Poiché non ero nemmeno arrivato al momento in cui era apparsa la prima di quelle lettere, decisi di riservarmi quel giudizio per dopo.

6° settembre 1888

Dov'è la pace? Mi sfugge. La morte sarebbe una tale liberazione da questo tormento di perenne agonia. Ho un tale mal di testa, mi pulsa il cranio. C'è del laudano in casa. Ne ho preso un po'.

Meglio, molto meglio. Non ho visto nessuno oggi, ho guardato il mondo che passava dalla finestra, una ragazza carina che vendeva fiori all'angolo, una ragazza pulita, giovane, innocente come i fiori nel suo cestino. Carrozze e carri e tumuli e vita. Tutta la vita, ma non per me. Una cacofonia nella mia testa, un caleidoscopio nella mia mente, perché sono così stanco, perché? Ho aperto quella bottiglia e mi sono versato il laudano in gola.

Quindi il laudano lo stava prendendo! Non potevo sapere quanto ne avesse preso dal suo primo acquisto del farmaco, ma per me era chiaro che stava superando di gran lunga la dose prescritta. Gli annebbiava i pensieri, intorpidiva i suoi sensi e, sebbene aiutasse indubbiamente ad alleviare il dolore del suo mal di testa, aiutava anche ad alimentare la sua depressione e il suo senso d'isolamento, con alterazione della mente ed effetti allucinogeni. Non potei fare a meno di notare il suo riferimento alla venditrice di fiori 'pulita e innocente' per strada. Che contrasto con i suoi precedenti riferimenti alle altre donne della sua vita, 'le puttane'. Questo mi fece aprire gli occhi; ecco l'uomo che potrebbe essere stato uno degli assassini più famosi nella storia del crimine britannico, rivelare non una malvagia sete di sangue, ma un desiderio di pace, quasi invitante, della morte. Quello non era il quadro di Jack lo Squartatore come tramandato dalla storia, o dal cosiddetto pubblico informato, o dagli storici venerati che, nel corso degli anni, avevano espresso così tante opinioni diverse sugli omicidi.

In quanto tempo si poteva diventare dipendenti dal laudano? Non ne ero sicuro. Come farmaco era stato usato a malapena per anni, ma ero ben consapevole che più uno ne prendeva in breve tempo, più veloce sarebbe stato il processo di dipendenza e non avevo dubbi che lui ne fosse diventato dipendente. Va anche tenuto presente che all'epoca degli omicidi dello Squartatore, non esisteva il Servizio Sanitario Nazionale nel Regno Unito, né il Programma Psichiatrico Comunitario come esiste oggi. Molte persone nella Londra vittoriana avrebbero vissuto tutta la loro vita senza avere accesso a cure mediche qualificate, com'era allora. Le persone si spostavano da un indirizzo all'altro con una frequenza molto maggiore di quella che ci si aspetterebbe oggi. Avevo trovato la risposta a una delle mie domande. Se lo scrittore avesse scelto così, avrebbe potuto davvero vivere la sua vita in un totale isolamento, con pochi o nessun contatto con i suoi concittadini. Se avesse lavorato da solo, o con pochi contatti regolari con i colleghi e la famiglia, sarebbe stato del tutto possibile che i suoi sintomi non venissero notati da chi gli stava intorno, in particolare se fosse stato in grado (come mi aspettavo che potesse) di mostrare una velata facciata di rispettabilità e normalità durante le sue giornate lavorative. L'uomo avrebbe sviluppato la capacità di diventare un attore consumato nella vita di tutti i giorni, mostrando un volto pubblico molto lontano dal personaggio che prendeva il sopravvento quando calava l'oscurità, e quando le sue 'voci' si risvegliavano nella sua mente, conducendolo giù per sentieri intrisi di sangue, di omicidi e mutilazioni.

Poi di nuovo, un'altra domanda emerse nella mia mente. Poteva ancora essere che l'autore del diario fosse un impostore, una povera anima disturbata ansiosa di raggiungere una sorta di fama e notorietà costruendo un resoconto elaborato e convincente di eventi che si erano già verificati. Era ancora tra le mie ipotesi che il diario fosse stato scritto dopo gli avvenimenti, ma poi, mi resi conto che il mio bisnonno aveva ancora un ruolo da interpretare in questa storia, che avrei letto la sua versione degli eventi al momento giusto, quando avrei raggiunto la fine del viaggio nella mente dell'anima tormentata, che veniva riversata in dettaglio nelle parole davanti ai miei occhi. Sentivo che le risposte, per quanto dolorose, sarebbero state imminenti se fossi stato paziente e avessi letto il diario fino alla sua conclusione. Forse, a un certo punto, sarebbe apparso un indizio che avrebbe posto saldamente il diario nel regno dell'attualità; lo scrittore avrebbe rivelato alcune informazioni, non importa quanto piccole, che avrebbero dimostrato il suo coinvolgimento prima, durante e dopo il fatto. C'erano state così tante bufale in passato.

Passai alla pagina successiva e la rabbia tornò! La grafia era ancora una volta quella del personaggio originale di quel terrificante melodramma. Ancora una volta fui proiettato nel lato più oscuro di quell'uomo che stavo iniziando a credere fosse veramente Jack lo Squartatore, anche se non proprio lo Squartatore della leggenda. Era un essere umano, forse seriamente imperfetto, ma pur sempre un personaggio umano, pieno di rabbia e furia, pieno di psicosi incontrollabili e seriamente bisognoso dell'aiuto, che evidentemente non aveva mai ricevuto nel mondo in cui viveva. C'era un'altra differenza significativa. Mentre le pagine precedenti erano state scritte con quello che doveva essere un inchiostro nero abbastanza standard, la pagina davanti a me era scritta in rosso, il colore del sangue che offuscò la sua vita e il suo pensiero!

7 settembre 1888

Pensano di essere al sicuro, pensano tutte di essere al sicuro, ma, oh no, glielo mostrerò. Ridono e si atteggiano nella loro effimera e lurida decadenza. Sì, sono decadenti; decadenti e immorali, dannate puttane! Offrono il loro corpo putrido per uno scellino alla volta, chinandosi e sollevando le gonne in vicoli bui, maiali in un abbeveratoio. Diffondono se stesse e le loro malattie al prezzo di uno scellino a notte, sporche, rancide, dannate puttane! Il ritmo delle strade, una piaga che infuria, la contaminazione di tutte le donne. Le voci stanno chiamando, sempre più forti, sono con me ogni minuto e sappiamo cosa dobbiamo fare. Mi fa male la testa, ma il laudano è mio amico e porta via il dolore. Ho bisogno di più, avrò di più, devo affinare le mie lame, affilare i miei pensieri, lasciare che le voci parlino chiaramente, insieme le lasceremo ascoltare, tutte. Sangue, sangue e ancora sangue, solo il sangue libererà le strade dalla pestilenza.

Vi taglierò e vi strapperò
e morirete dove giacete.
Ho affilato le mie lame
quindi morirete prima di piangere.

Attente puttane, so dove siete, e sto arrivando, oh sì, sto arrivando.

Questa nota, datata 7 settembre, era particolarmente agghiacciante, non meno per l'uso del perverso e terrificante versetto. Era come un richiamo acuto, un grido di battaglia, che annunciava, almeno a se stesso e al suo diario, che lo Squartatore stava per percorrere le strade ancora una volta.

Uno sguardo ai miei appunto confermò che, nella notte tra il 7 e l'8 settembre 1888, lo Squartatore colpì ancora. Non potevo sfuggire alla sensazione di essere davvero lì, così coinvolto dalle parole del diario. Ero consapevole di una strana sensazione, come se io stesso fossi stato toccato dal terrore che si aggirava per le strade di Whitechapel. Avrei voluto gridare, avvertire qualcuno, porre fine a tutto quello, ma, ovviamente, tali pensieri erano stupidi e illogici; ero lontano da quella scena accaduta oltre un secolo prima, eppure potevo quasi assaporare il freddo di quella notte, sentire l'umidità della rugiada mattutina che si formava sui ciottoli di Hanbury Street. Mentre posavo le pagine del diario sulla scrivania di fronte a me, tremai di un involontario brivido, perché sapevo, con la cupa e immutabile certezza della storia, che il tempo stava rapidamente scadendo per Annie Chapman!

DIECI
GREMBIULE DI CUOIO

Il diavolo che era Jack lo Squartatore portò di nuovo terrore nelle strade di Londra con l'omicidio di Annie Chapman: la brutalità e la ferocia del suo omicidio furono di gran lunga superiori a quelle precedenti. Il suo corpo fu scoperto da un uomo anziano, John Davis, poco prima delle 6 del mattino dell'8 settembre nel cortile del numero 29 di Hanbury Street. Il suo vestito era stato tirato sopra le ginocchia e il suo intestino era chiaramente visibile, drappeggiato sulla spalla sinistra. Chiamò James Green e James Kent, due pittori delle vicinanze, e li mandò a chiamare la polizia.

Il medico legale, il dott. George Bagster Phillips, arrivato alle 6.30 del mattino, dopo una prima ispezione, aveva trovato conferma delle mutilazioni più gravi, nella serie di omicidi, compiuti fino a quel momento, che ora cominciavano ad apparire come opera di un individuo impazzito.

La gola di Chapman era stata tagliata - ancora una volta la ferita era così profonda da recidere quasi la testa dal corpo - l'addome era stato squarciato di netto e, cosa più orribile, mancavano alcuni organi interni normalmente presenti nell'addome. L'assassino li aveva rimossi e li aveva portati con sé! La sua faccia era gonfia e la sua lingua leggermente sporgente. L'assassino poteva averla soffocata prima di infliggere la ferita mortale al collo della povera vittima?

Una testimone aveva visto Chapman all'ingresso del 29 di Hanbury Street alle 5.30 circa. Se fosse stata veritiera, significava che lo Squartatore aveva incontrato, ucciso e massacrato Annie Chapman in meno di trenta minuti e questo indicava o un attacco di grande frenesia o un atto di consumata abilità. Vicino al discendente che serviva il retro dell'edificio, la polizia aveva scoperto il primo indizio, un grembiule di cuoio ben piegato ma impregnato d'acqua. Finalmente avevano qualcosa su cui lavorare! Nessuno aveva visto l'assassino, era scomparso come uno spettro nella notte.

Quelli erano i fatti cruciali del caso, per quanto riuscii ad accertare dai miei appunti stampati. Il diario avrebbe confermato qualcuno di quei fatti? C'era solo un modo per scoprirlo. Passai alla pagina successiva.

8 settembre 1888

Un'altra puttana all'inferno. Il sangue è ancora sotto le mie unghie. Lavare, lavare, lavare, si pulirà presto. Vile, sporco, sangue di puttana! Ma lei sanguinava molto, piccola puttana grassa e tozza. Questa ha cercato di urlare, non una puttana assonnata come l'ultima. Prima ho dovuto zittire la cagna, le ho tolto il fiato, haha. Si è tagliata bene, ma un po' troppo grassa, altrimenti la testa sarebbe venuta via, sarebbe stato uno spettacolo! Oh sì, allora il sangue sarebbe davvero colato. Ho preso alcune delle interiora della cagna e le ho date da mangiare ai cani di St. Reet vicino a casa, che festa, ahah. Ho dimenticato qualcosa, il grembiule, non preoccuparti, non più, e non sapranno mai che è mio, è nuovo però, un vero peccato, uno spreco, ma dovevo andare, c'erano persone nelle vicinanze, dovevo entrare nella fogna, il mio scudo invisibile. Non avevo realizzato che il sangue si sarebbe attaccato alla pelle in quel modo. Possono setacciare le strade per sempre, non mi troveranno mai, non mi prenderanno mai. Vorrei non aver dovuto farne a meno, era costato soldi buoni. Soldi buoni meglio delle puttane. Non passerà molto tempo fino alla prossima, le voci sono contente, vogliono di più. Più mal di testa, più laudano.

Quindi, stava celebrando la morte di un'altra povera donna mentre allo stesso tempo si lamentava per la perdita di un grembiule che gli era costato 'soldi buoni'. L'insensibile riferimento a 'soldi buoni meglio delle puttane' ridusse la vita della povera Annie Chapman a meno del valore di un grembiule di cuoio da quattro soldi. Quanto al grembiule stesso, questo fu l'inizio della fissazione della polizia e dell'opinione pubblica su 'Grembiule di cuoio', il nome ora dato dalla stampa popolare e dalla gente all'assassino. Il nome Jack lo Squartatore non sarebbe stato dato all'assassino fino a qualche settimana dopo. Com'è triste che la polizia dell'epoca non avesse scienziati forensi a loro disposizione. Il grembiule, lasciato in Hanbury Street, avrebbe sicuramente fornito impronte digitali, prove del DNA e forse più indizi per consentire un'identificazione da eseguire, se non immediatamente, in un qualche momento successivo. La mancanza di tecnologia scientifica al tempo degli omicidi dello Squartatore era di per sé una delle più grandi risorse del killer. Per quanto riguardava il diario, beh, mentre leggevo quella nota, avevo sentito che lo scrittore si stava dissociando sempre di più dalla realtà. Vedeva l'atto di uccidere poco più che un rituale richiesto dalle sue 'voci' per soddisfare il loro bisogno di sangue. Si era goduto il 'taglio' e trovava divertente il fatto che la testa della povera donna era stata quasi staccata dal suo corpo con la sua lama. Fedele ai suoi piani, aveva usato le fogne come via di fuga, portando con sé alcune degli organi interni della vittima, prima di darle da mangiare ai cani famelici che vagavano per le strade di Londra di notte. Che orribile e terribile confessione! Mi sembrava così logico che avesse usato quegli umidi passaggi sotterranei per eludere la polizia e qualsiasi potenziale testimone; non riuscivo a pensare perché la polizia stessa non avesse immediatamente pensato alle fogne come possibile via di fuga dell'assassino.

C'era ancora il riferimento al suo mal di testa. Poi ancora più laudano. Era senza dubbio dipendente dalla medicina. Probabilmente lo aiutava ad anestetizzarlo ancora di più contro gli orrori delle azioni che stava perpetrando.

Rimisi il diario sulla scrivania e mi alzai dalla sedia. Mi stavo di nuovo irrigidendo e avevo bisogno di allungare e rilassare gli arti. Per la prima volta in quello che mi sembrò un tempo infinito, guardai l'orologio. Erano solo le otto. Avevo immaginato fosse stato molto più tardi. Era buio pesto fuori dalla finestra, il vento si era trasformato in una tempesta malvagia e la pioggia aveva cominciato a sferzare i vetri. Se mai una notte fosse stata adatta per le rivelazioni di uno degli assassini più malvagi che era riuscito ad eludere la giustizia britannica, era proprio questa. La luna era stata oscurata dalle nuvole e c'era poca o nessuna luce naturale visibile attraverso la finestra. Mi sentivo tagliato fuori dalla realtà, dal mondo della società 'normale', proprio come lo scrittore del diario doveva essersi sentito durante quell'autunno terribile e terrificante di così tanto tempo prima. Ero da solo, senza nessuno con cui parlare, solo con i miei pensieri e le mie paure a farmi compagnia. A dire il vero, leggere il diario stava avendo su di me un effetto profondo, molto più grande di quanto avrei mai pensato possibile. Non ero mai stata una persona fantasiosa, non dedita a pensieri soprannaturali e certamente non facilmente terrorizzabile da cose che non capivo, ma ero più che turbato mentre camminavo nel mio studio, cercando di aumentare la circolazione nelle articolazioni rigide e doloranti. Ogni suono nella stanza, dal ticchettio dell'orologio alla pioggia contro i vetri delle finestre veniva amplificato nella mia testa, la tensione delle parole scritte e la solitudine della mia situazione servirono solo ad aumentare la sensazione generale di distacco che cominciavo a sentire. C'era una somiglianza nelle nostre situazioni che non mi avrebbe lasciato facilmente, che semplicemente non potevo ignorare.

Quante notti, mi chiesi, fosse stato seduto nella sua stanza da solo, come me in questo momento, circondato dai suoni della notte, con solo i suoi pensieri contorti a fargli compagnia? Poteva aver accolto con favore le voci nella sua testa, erano il suo conforto, le sue compagne e si sentiva meno solo quando erano lì con lui. Grazie a Dio, io avevo Sarah, la nostra separazione era solo temporanea, non ero mai stato da solo nella mia vita e temevo di pensare a quanto solitaria una vita potesse essere, se si rimaneva così isolati dalla società, da amici e familiari, iniziando forse a ritirarsi in un mondo fantastico, in cui voci immaginate nella testa potevano diventare reali e uniche confidenti di un individuo, le uniche 'amiche' di una persona. Come figlio unico si può inventare un 'amico immaginario' per alleviare la solitudine e l'isolamento, così lo scrittore del diario, pur non inventando certo le voci, era arrivato a vederle come entità reali, come le sue più strette e fidate alleate, in un mondo che certamente non poteva capire, in quel momento, il suo tormento mentale.

Verso la fine di quell'ultima nota, aveva dichiarato che non sarebbe passato molto tempo prima che avesse colpito di nuovo. Uno sguardo ai miei appunti mi disse che, in realtà, sarebbero passate tre settimane, prima dell'omicidio successivo dello Squartatore. Quindi supponendo che stesse dicendo la verità, come la vedeva in quel momento - che stava per colpire di nuovo e in fretta - doveva essere successo qualcosa per ritardare la sua successiva incursione nelle strade buie di Whitechapel. Solo il diario poteva dirmelo, eppure mi stavo stancando, i miei occhi erano così pesanti. C'erano ancora troppe pagine del diario da leggere. Non sarei mai rimasto sveglio abbastanza a lungo da assorbirle tutti, non accuratamente. Avevo bisogno di dormire, forse dopo qualche ora a letto, avrei potuto ricominciare, riposato e meno colpito dalle cose che stavo leggendo, in modo da avvicinarmi agli orrori degli omicidi dello Squartatore con più logica e distacco di quanto mi sentissi al momento.

Promisi a me stesso che avrei letto solo un'altra pagina, solo una, poi mi sarei ritirato in stanza da letto e avrei preso qualche ora di sonno, tanto necessario. Quando voltai pagina e guardai la data, notai che aveva saltato un giorno.

10 Settembre 1888

Quasi dormito tutto il giorno. Ho lavorato troppo duramente. Ma le strade sono piene di gente. Ho camminato tra la folla a Whitechapel, poveri sciocchi zoppi. Pensano di poter catturare 'Grembiule di cuoio' semplicemente camminando per le strade e gridando giustizia! Non importa, haha, anch'io ho pianto per la giustizia. Ho insultato un povero sciocco poliziotto per non aver catturato il terribile demonio, "Perché agente, non riesce a catturare questa persona malvagia maleodorante in mezzo a noi? La polizia non ha nessuna idea?"

"Muovetevi, signore, muovetevi, adesso. Lasciateci fare il nostro lavoro e pensate al vostro, prenderemo l'assassino, non temete".

Avrei potuto ridergli forte in faccia. Ma lui mi aveva detto di andare avanti con il mio lavoro e di non aver mai paura. E mi occuperò del mio lavoro, perché sta gridando a gran voce che deve essere finito. Tante puttane, tanta pestilenza per le strade.

Mi chiedo cosa stiano pensando adesso, tremando nelle loro scarpe sporche, aspettando il coltello, aspettando me, aspettando, aspettando. La prossima volta, non lascerò scorrere il sangue della puttana, ma gusterò il suo calore sulle mie labbra, solo un assaggio, non più un boccone, lo prometto.

La nuda sfrontatezza di quell'uomo! Camminare tra la folla di cittadini preoccupati, unendosi alle loro richieste di giustizia e una qualche azione da parte della polizia, era sfacciato come pochi. Non solo, ma potevo solo immaginare il povero poliziotto tormentato da quell'uomo, cercando un modo per spostarlo mentre cercava di fare il suo lavoro senza turbare un 'cittadino ansioso e preoccupato'. Il fatto che lo scrittore si fosse spinto fino al punto di citare la breve conversazione con lo sfortunato poliziotto mostrava il suo completo disprezzo per quell'ufficiale, il suo totale disprezzo per le forze dell'ordine e la sua assoluta convinzione di essere intoccabile. Si sentiva così evidentemente immune dalla cattura. Sospettavo che avrebbe persino creduto in modo assoluto che le parole dell'ufficiale di 'occuparsi del suo lavoro' gli avessero dato la licenza gratuita per portare avanti la sua follia omicida con l'approvazione dell'ufficiale stesso, se non dell'intera polizia di Londra. Aveva ottenuto l'approvazione che cercava.

Mi preoccupava soprattutto la sua minaccia di assaggiare il sangue della sua prossima vittima. Sfumature del Conte Dracula, pensai in quel momento. Sebbene fossi sicuro che non si sarebbe spinto fino al punto di bere il sangue, sentivo che stava iniziando a personalizzare un po' di più gli omicidi con quella velata minaccia. Una volta che il sangue della sua vittima fosse entrato in contatto con la sua bocca, una volta che avesse sentito e assaporato il calore della sua vittima, si sarebbe sentito in totale possesso del corpo, lei sarebbe stata sua come piaceva a lui e, come la storia ci ha poi rivelato, il peggio doveva ancora venire.

Ora ero sicuro di una cosa. Lo scrittore del diario era un uomo intelligente, istruito, come mi stavano dimostrando le sue parole, le sue frasi e l'uso della lingua inglese. Supponendo che fosse davvero lo Squartatore, nella mia mente riuscii a respingere come sospettati l'ebreo polacco Kosminsky, il calzolaio Pizer e il polacco Severin Klosowski, un altro sospettato di cui avevo letto ma non menzionato in precedenza. A mio avviso, le parole del diario erano quelle di un uomo istruito che scriveva nella sua lingua, poiché mostrava tanta familiarità con la fraseologia del suo inglese. Uno straniero, non importa quanto ben istruito, non avrebbe sicuramente giocato così abilmente con la costruzione delle frasi come lo scrittore di questo incredibile diario. No, questo era un killer autoctono, di questo ne ero sicuro.

Ecco, adesso erano quasi le dieci e trenta, non sapevo bene dove fosse finito il tempo. Ero così assorbito, così trascinato da quella strana e macabra giornata che il tempo aveva quasi perso il suo significato per me. Mentre posavo il diario sulla scrivania, sollevato di aver preso congedo dal mondo oscuro e omicida di Jack lo Squartatore per almeno qualche ora, mi ricordai di aver staccato i telefoni qualche tempo prima. Sarah poteva aver chiamato, cercando di richiamarmi come aveva promesso. Li ricollegai, controllai i messaggi, ed eccola lì, solo un veloce "Ciao tesoro, presumo che tu sia occupato, ti chiamo domani, buonanotte ti amo", prima di salire le scale, spogliarmi velocemente e trovare la strada sotto il calore del piumone e rapidamente caddi in un sonno profondo, sebbene disturbato e carico di sogni, tormentato dai sogni del mondo oscuro e sanguinante del terrore che era il regno dello Squartatore.

UNDICI
DALL'INFERNO?

Per tutta la mia vita sono sempre stato affascinato dal cervello umano, dalla sua pura capacità di realizzazione. Anche se di dimensione relativamente piccola, è senza dubbio una delle meraviglie della creazione. Come un grande computer, il cervello ha molte funzioni. Genera i segnali subconsci richiesti dal corpo per mantenere la temperatura, la respirazione e il flusso sanguigno, ci dice quando abbiamo fame o sete, fungendo così da indicatore della riserva di carburante. Ha una struttura integrata per assorbire e memorizzare una miriade di elementi di informazioni, catalogandoli in ordine di priorità, alcuni richiesti come elementi di richiamo istantaneo, altri da archiviare per un uso futuro, da qualche parte all'interno dei suoi vasti - e in gran parte sconosciuti -

banchi di memoria. Non dorme mai, non riposa mai, viene prodotto un flusso costante di impulsi di dati per mantenere e regolare la vita del suo ospite, il corpo umano. Il cervello è un vasto magazzino di informazioni, pronto per essere consultato come e quando lo richiediamo, e, ospitato da qualche parte nel profondo di quel magazzino, c'è l'entità complessa e quasi insondabile che chiamiamo mente.

Non vista, senza forma fisica, composta interamente da impulsi elettrici poco compresi, marcatori chimici e innumerevoli processi mentali, la mente è una grande entità sconosciuta; paragonabile ad un iceberg, con meno del dieci percento della sua forma sopra la superficie, la maggior parte nascosta, misteriosa. Così è la mente, così complessa nella sua interezza che ne capiamo così poco. Incapace di essere vista, toccata, o talvolta razionalizzata, è l'unica cosa che ci individualizza, ci rende diversi gli uni dagli altri. La mente nella sua somiglianza con un iceberg è composta di tre sezioni: il conscio, che è la parte fluttuante appena sopra la superficie, che possiamo vedere, a volte liscia, a volte con frammenti di pugnali che testimoniano le forze di taglio che così l'hanno modellato; poi c'è il preconscio, come il torpore, l'acqua increspata della superficie dove gli argomenti sono sulla punta del ricordo cosciente; infine, c'è l'inconscio vasto e inimmaginabile che si estende nelle profondità abissali, insondabili e oscure, dove archiviamo tutti i dati che non possiamo richiamare consapevolmente o reprimiamo i ricordi che ci fanno tanto male. È il distacco di frammenti di ricordi repressi che affiorano in superficie e diventano nevrosi - manifestandosi in qualche modo stravagante, visto o non visto, a scapito dell'individuo, e in rare occasioni - abbastanza sfortunati da trovarsi in compagnia di un tale individuo.

Gli psichiatri e gli psicologi, che utilizzano approcci fondamentalmente diversi per raggiungere la mente per identificare e trattare le cause e gli effetti della malattia mentale, hanno lavorato mano nella mano per molti anni al fine di alleviare i sintomi delle nevrosi di un paziente. Nessuna delle informazioni e delle risorse disponibili oggi era disponibile nel 1880, quando un cervello difettoso o mal funzionante aveva poche o nessuna possibilità di essere curato dalla professione medica.

Purtroppo, quando queste nevrosi affiorano in superficie è possibile che, come in un computer, ci siano momenti in cui la mente stessa si comporta come se fosse infettata da un virus. La sua programmazione mostra segni di alterazione o interruzione, le normali funzioni sono disturbate e interrotte e il risultato può manifestarsi in ciò che chiamiamo malattia mentale, malattia della mente. Psichiatri e psicologi hanno trascorso decenni cercando di capire il funzionamento di questa componente complessa della natura umana - la psiche - la cosa che ci rende ciò che siamo, eppure anche oggi abbiamo appena scalfito la sua superficie. Uno squilibrio delle sostanze chimiche nel cervello, un 'cortocircuito' negli impulsi elettrici del cervello, possono portare a varie aberrazioni e interruzioni nei processi mentali che ci mantengono in equilibrio. In casi estremi, può verificarsi un crollo e il malato può precipitare in depressioni sempre più profonde di malattia e psicosi, ciò che una volta era definito 'follia'. Questa è la fragilità della 'mente'.

Mentre dormivo, la mia mente subconscia mi trascinò via nel vasto mondo, non utilizzato, dei sogni. Meno compreso della mente, il potere di sognare è, secondo l'opinione di alcuni specialisti, una valvola di sicurezza, un mezzo per rilasciare le tensioni e le ansie coscienti della mente, mentre il corpo giace nel suo stato di recupero auto-rigenerante: il sonno. Quella notte, tuttavia, fu tutt'altro che un rilascio. Turbati, durante le mie ore di veglia, dal quadro orribile che si stava delineando nelle pagine del diario, i miei sogni furono una serie di incubi spaventosi e vividi. I volti delle vittime e dei sospettati, tutti riconoscibili dai fatti stampati da Internet, che avevo scaricato in precedenza, fluttuavano in una giostra grottesca senza fine davanti ai miei occhi, le vittime che urlavano, sanguinanti dalla gola, dalle loro bocche, i sospettati che ridevano tutti, una risata folle e acuta mentre brandivano luccicanti coltelli lampeggianti, colpendomi selvaggiamente il viso mentre venivano portati oltre la mia visuale da un invisibile vento demoniaco. A volte, vittime e sospettati si sovrapponevano l'un l'altro, finché i volti non diventavano indistinti, una sfocatura, che sbiadiva dentro e fuori fuoco, dissolvendosi nella nebbia, nel nulla.

Quando l'ultima di quella grottesca galleria finalmente scomparve dalla vista, mi ritrovai da solo in una tipica strada dell'East End del XIX secolo. Alzai lo sguardo, il segnale stradale all'angolo riportava Dorset Street. Ero radicato sul posto, appena fuori dalla porta di un pub, il suo nome chiaramente illuminato come 'Il Britannia', uno dei ritrovi di almeno una delle vittime dello Squartatore. Dall'interno proveniva della musica, un pianoforte stonato, accompagnato da risate rauche e canti. Per quanto mi sforzassi, non riuscivo a muovermi, e poi, le porte del pub si aprirono verso di me e, invece della luce interna che fuoriusciva per venirmi incontro, si riversò un fiume di sangue, un diluvio che mi travolse, si alzò e mi portò lungo la strada, urlando di terrore, le mie braccia che si agitavano nel tentativo di trovare una presa, qualsiasi cosa da afferrare per tirarmi fuori dal folle torrente di sangue, profumato di rame dolciastro. Venivo trascinato a una tale velocità che gli edifici della strada erano indistinti, anzi i miei occhi, la mia bocca, il mio naso si stavano rapidamente riempiendo del terribile liquido rosso che mi portava inesorabilmente verso ... verso dove? Sapevo che stavo annegando, annegando nel sangue delle vittime dello Squartatore, e urlai, urlai e urlai, ma nessuno sembrò sentire.

Proprio quando sembrò che i miei polmoni stessero per scoppiare, da non sopportarlo più, sentii una mano afferrare la mia. Lentamente, con forza, la mano mi strappò da quell'oceano di sangue denso e viscoso. Come è nella natura dei sogni, mi ritrovai improvvisamente in piedi nel parco dell'ospedale dove avevo lavorato per cinque anni, completamente asciutto e immacolato dal sangue che pochi istanti prima aveva saturato i miei vestiti e il mio corpo, e lì, accanto a me, c'era il mio vecchio amico e mentore, il dottor TJ O'Malley. O'Malley mi aveva insegnato quasi tutto quello che sapevo sulla psichiatria moderna ed era stato mio insegnante e mio amico, fino alla sua prematura morte per cancro tre anni prima. Ora eccolo lì, a salvarmi dal sangue, dal terrore, dalla paura. Allungai la mano per toccarlo, per ringraziarlo, e lui non c'era più, se n'era andato!

Ci furono altri sogni meno distinti, ma tutti di natura simile, il tema non variava mai e poi, all'improvviso, mi svegliai.

Non avevo sentito la finestra aprirsi, non avevo sentito il vento che soffiava le tende nella stanza, né avevo percepito la figura oscura che ora stava torreggiando sopra di me, trasudando minaccia. Nell'oscurità riuscivo appena a distinguere il profilo della figura di un uomo, chino su di me, i suoi occhi rossi come il sangue dei miei sogni. Gli occhi sembravano brillare nell'oscurità, penetrarono nella mia stessa anima e la paura e il terrore che provai in quel momento furono indescrivibili. Era vestito di nero dalla testa ai piedi, la metà inferiore del viso mascherata da una sciarpa di seta nera. In testa portava un cappello a cilindro nero e in mano portava un lungo coltello scintillante e dall'aspetto malvagio.

Ero paralizzato dalla paura. Non potevo muovermi. Si chinò sempre più vicino a me e parlò con una voce tombale.

"Allora, Robert, mi conosci, vero? Sai chi sono, sai troppo Robert, troppo. Come hai scrutato nella mia anima, così ho guardato nella tua. Non posso lasciarti andare oltre, ora sei mio, Robert, mio per sempre".

Prima che potessi rispondere, alzò rapidamente la mano sinistra e si tolse la sciarpa dal viso. Mentre questa cadeva, fui preso dal più grande senso di shock e repulsione che avessi mai provato. Scrutai dentro all'Inferno stesso. L'uomo aprì la bocca e apparve un'enorme voragine e l'odore di putrefazione rancida si riversò da quell'abisso e capii che era la Morte in persona. Il suo braccio destro si alzò e, anche nell'oscurità della mia stanza da letto, riuscii a vedere il lampo della lama mentre scendeva rapidamente verso la mia gola. Mentre il coltello premeva sulla mia carne, cercai di urlare e poi ...

Sudando e tremando in modo incontrollabile, mi svegliai davvero: era stata la più terrificante delle esperienze, un sogno nel sogno. Allungai la mano e accesi la luce sul comodino. La realtà di quell'ultimo incontro era stata così terrificante che mi ci vollero più di dieci minuti per ritrovare una parvenza di compostezza. Alla fine, mi sentii abbastanza sicuro di me da uscire dal letto e scendere timidamente le scale verso la cucina, dove accesi tutte le luci e anche il bollitore. Avevo bisogno di una tazza di caffè straordinariamente forte.

Seduto al tavolo della cucina in pantaloncini, conclusi che il diario aveva avuto una sorta di presa sul mio inconscio e subconscio. Ero stato totalmente assorbito dallo strano e torbido mondo di Jack lo Squartatore, lo stavo percependo attraverso gli occhi dello scrittore di quell'incredibile documento. Niente mi aveva mai colpito così profondamente prima. C'era qualcosa di ultraterreno in quei fogli di carta vecchia, nell'inchiostro sbiadito, nelle invettive selvagge delle parole poste su ogni pagina. Mi sentivo come se fosse lì con me, in casa, nella mia testa, nella mia mente. Sebbene sapessi che era del tutto irrazionale, senza senso o logica, in qualche modo ero sintonizzato sulla presenza di una forza malefica. Anche se sapevo che nessuno avrebbe mai capito, sapevo di non essere solo in casa quella notte. Guardai l'orologio. Erano solo le 2.30 del mattino. Avevo dormito a malapena tre ore, eppure sapevo che dovevo tornare al diario, dovevo continuare il viaggio, dovevo portarlo fino alla fine. Avrei ricominciato a leggere, nel cuore della notte, in silenzio e con attenzione, a sorvegliare, quindi avrei rimuginato sull'anima dell'uomo di cui ero sicuro fosse ... Jack lo Squartatore!

Andai nello studio; caffè in mano, accesi tutte le luci della stanza e ancora una volta mi sedetti alla scrivania. Con le mani tremanti, molto più di quanto avrei creduto possibile solo poche ore fa, allungai la mano e presi il diario ancora una volta.

DODICI
CALMA RELATIVA

12 settembre 1888

Che notte! Niente sonno, solo sogni, sogni rossi, rossore caldo e stucchevole ovunque. I mal di testa sono peggiori di prima. Anche il laudano non li ha fermati. Guarda cosa mi hanno fatto queste schifose puttane. Ora mi hanno privato del mio sonno, del mio riposo. Pagheranno, oh sì, gliela farò pagare. Oggi ho camminato per miglia, senza taxi, e le strade erano piene di persone insignificanti, vermi e insetti. L'odore delle strade era un assalto ai miei sensi, ma dovevo andare. Se il laudano non funziona più, ho bisogno di qualcos'altro, devo fermare il dolore. Ho pensato di far visita a 'T', ma mi conosce troppo bene. Invece mi sono ritrovato sulla strada dove vive Cavendish. Che immensa facciata, vive bene. Mi sono presentato e sono stato accompagnato in salotto. Sembrava contento anche se sorpreso di vedermi. Non siamo così intimi ovviamente, spesso mi chiedo come mi vede, e dopotutto ci conosciamo a malapena, anche se abbiamo parlato spesso. Gli ho detto che il laudano non era abbastanza, la testa stava peggiorando. Ha indagato su altri 'sintomi' che ho negato e ha detto che avrei dovuto fissare un appuntamento per un consulto adeguato. Ha pensato che fossi stupido quando ho rifiutato, ha detto che volevo solo qualcosa per alleviare il dolore? Mi importa? No, io non lo faccio. Mi ha suggerito di prendere aria da qualche parte, forse in campagna. Devo vedere la costa, forse il mare? Penso di sì. Non va bene uccidere le puttane se non riesco a trarre piacere dal lavoro. Sbarazzati del dolore e poi di nuovo dalle puttane. Le voci sono d'accordo, riposiamoci un po'. Torneranno quando i tempi saranno maturi, quando il sangue delle puttane sarà pronto a fuoriuscire di nuovo.

Quella era stata una delle annotazioni individuali più lunghe dello Squartatore. Mi colpì che stesse descrivendo una notte piena di sogni, quasi come quelli che avevo appena vissuto io. Il collegamento era fin quasi troppo stretto per i miei gusti. Quale bizzarro capriccio del destino mi aveva portato a quella pagina, subito dopo aver subito la serie di incubi da cui ero appena sfuggito? Tuttavia, c'era una differenza significativa. Aveva scritto 'niente sonno, solo sogni' e pensai che forse si stesse riferendo alle allucinazioni. Certamente, nel suo stato mentale annebbiato dalle medicine, il vero sonno sarebbe stato difficile e probabilmente era rimasto in uno stato di veglia per ore, la testa piena di un'immagine vivida dopo l'altra, finché il dolore alla testa non lo avrebbe fatto sentire come se stesse per esplodere. Pensava che il laudano non fosse riuscito a fermare il mal di testa; infatti, ora sappiamo che, a causa delle quantità che stava consumando, aiutava effettivamente a perpetuarlo, inducendo le terribili allucinazioni di cui soffriva. Era in una spirale discendente senza fine di abuso di droghe, come spesso sperimentano i tossicodipendenti dei giorni nostri. Stava vivendo in un mondo a metà, da qualche parte tra il sonno e la coscienza, assediato da terribili sogni intrisi di sangue, un ricordo costante dell'orgia di distruzione, in cui la sua vita era stata immersa dalla sua rapida discesa in molteplici omicidi selvaggiamente ossessivi. Quella spirale lo avrebbe condotto quasi inevitabilmente in un vortice di autodistruzione disordinato. Per lo Squartatore, non poteva esserci ritorno, mai più per lui una vita normale, un giorno qualunque. Aveva già superato il punto di non ritorno.

Stavo ancora tremando, innervosito dai miei terribili incubi e dal mio incontro immaginario, sebbene psicologicamente molto reale, con l'assassino mascherato. Il mio equilibrio mentale era stato profondamente turbato nelle ultime ore, dalla lettera di mio padre, dal biglietto del bisnonno, dal diario stesso e dai sogni. Anche se non mi sarebbe piaciuto ammetterlo, mi sentivo trascinato, sempre più in profondità, in un mondo molto lontano dalla realtà della vita normale, in un'oscurità che non avevo scelto. In breve, mi stavo identificando e ricevendo un assaggio della follia dello Squartatore.

Ero incuriosito dal misterioso 'T'. Aveva menzionato l'uomo (?) in passato, senza la minima idea della sua identità. Ancora una volta si era riferito a lui semplicemente con l'iniziale, mentre identificava chiaramente il mio bisnonno per nome. Perché? Ovviamente sentiva il bisogno di proteggere 'T' dall'esposizione, anche nel suo diario privato. Era un parente stretto o forse un amico di qualche livello sociale? Forse l'avrei scoperto continuando a leggere il diario.

Dovetti ammettere che questa nota era stata forse la più lucida finora. Certamente sembrava avere più senso logico di alcune delle sue note precedenti; c'era un'incoerenza meno sconclusionata nelle sue parole. Il mio bisnonno si era ovviamente offerto di accettarlo come paziente, cosa che lui aveva rifiutato, indicando che doveva avere i mezzi finanziari per pagare qualsiasi trattamento del genere. Lo Squartatore aveva tuttavia accolto il suggerimento del bisnonno di 'prendere aria'. Le sue parole mi indicavano che forse aveva famiglia o amici, sia in campagna sia sulla costa.

Dubitavo che avrebbe esplorato entrambe le opzioni, senza conoscere un potenziale ospite accomodante e amichevole. Si stava forse annoiando, mi chiesi, con l'intera faccenda dell'omicidio? Aveva suggerito, nei suoi scritti, che non traeva più alcun piacere dagli omicidi e aveva bisogno di rinfrescare la sua sete di sangue. Persino le sue voci erano silenziose, la sua testa probabilmente era così offuscata dall'abuso di laudano che era insensibile anche a quella parte della sua psicosi. Compatii il povero membro della famiglia o i conoscenti che avrebbero avuto con lui nell'immediato futuro. Sarebbero stati totalmente ignari del fatto che il più famigerato assassino che avesse mai percorso le strade di Londra era stato loro ospite.

Quanto al mio bisnonno, beh, il dottor Burton Cleveland Cavendish viveva davvero in una residenza tranquilla e sontuosa. Da ragazzo ero stato molto colpito dalle vecchie fotografie di famiglia che mostravano la sua casa su un viale alberato, da tempo scomparso nella zona di Charing Cross a Londra. La casa aveva effettivamente una facciata imponente, con cinque o sei gradini, fiancheggiata da ringhiere di ferro lucidato, che conducevano alle pesanti porte d'ingresso doppie in quercia, complete di cassetta delle lettere e maniglie in ottone scintillante. Sebbene in bianco e nero, le fotografie non lasciavano motivo di dubitare della lussuosità della casa o del suo proprietario. Burton Cavendish aveva iniziato la sua carriera come un umile medico generico, diventando un abile chirurgo e, alla fine, decidendo di specializzarsi in malattie del cervello, entrò nella branca della medicina che ora conosciamo come psichiatria. Man mano che la sua ricchezza cresceva, aumentava anche il suo senso di filantropia e dedicava regolarmente una parte del suo tempo a fornire consulenze gratuite al Colney Hatch Asylum. Dubito che le sue ragioni fossero del tutto altruistiche, naturalmente, poiché le sue visite al manicomio lo avrebbero portato a contatto con molti pazienti, che soffrivano delle afflizioni più disparate di quelle che avrebbe probabilmente incontrato nel suo comodo studio privato. In breve, il manicomio era pieno fino all'orlo di abbondante materiale di ricerca, cavie umane! Se questo suona insensibile, dovrei sottolineare che nel XIX secolo c'erano pochi libri di testo psichiatrici, ancora meno ospedali specializzati per il trattamento dei disturbi psicologici e il solo modo per un medico di studiare - e quindi imparare a curare tali malattie - era il contatto con chi soffriva di tali disturbi; più grave sarebbe stata l'afflizione, maggiore sarebbe stata la possibilità di studiarne gli effetti e le cause, meglio sarebbe stato scoprire una cura.

Tenendo presente che, in termini di distanza, l'area di Charing Cross non era lontana da Whitechapel, sebbene in termini di ricchezza fosse un mondo lontano, non avevo motivo di dubitare che lo scrittore del diario avesse effettivamente visitato la casa del mio bisnonno e quel pensiero di per sé mi fece rabbrividire ancora una volta. Anche se avevo visto solo fotografie della casa e non l'avevo mai visitata, essendo stata demolita anni prima della mia nascita, riuscì comunque a farmi provare uno strano senso di turbamento per il fatto che lo Squartatore poteva essersi seduto a godersi il tè pomeridiano o qualcosa del genere con il mio antenato, mentre tutta la popolazione di Londra, e anzi del Paese, grazie ai resoconti di tutti i principali giornali dell'epoca, cercavano di individuarlo e catturarlo.

Inoltre, poco traspariva dalle sue stesse parole del suo rapporto con il mio bisnonno. 'Non erano così intimi', si chiedeva come il mio bisnonno lo percepisse; eppure aveva scritto che si vedevano spesso, anche se 'si conoscevano appena'. C'era un legame professionale (alcuni pensavano che lo Squartatore fosse un dottore o una specie di medico), un legame sociale, o peggio di tutto, Jack lo Squartatore poteva avere qualche legame distante e tenue come poco conosciuto e (almeno parzialmente) ignorato, remoto membro della famiglia? I miei sensi si opposero decisamente a quest'ultima possibilità. Non potevo nemmeno accettare una cosa del genere, anche se non potevo ignorarla del tutto. Dopotutto era possibile 'conoscere a malapena' un parente, come dice lo scrittore, se si aveva poco o nessun contatto con quella persona per un certo periodo di tempo, o addirittura per tutto il corso della propria vita. Forse il mio bisnonno avrebbe spiegato tutto nei suoi appunti, ai quali sarei arrivato a tempo debito nello studio di quell'incredibile, orribile, ma avvincente documento.

Un rapido sguardo ai miei appunti aveva dimostrato che vi era stata in realtà una pausa di ventidue giorni tra l'uccisione di Annie Chapman e il successivo violento e sanguinoso omicidio - o dovrei dire omicidi - quando, nella notte del 30 settembre, Jack lo Squartatore aveva commesso non una, ma due abominevoli atrocità. Ero incuriosito da quello che avrei potuto scoprire. Poteva essere che tra l'omicidio di Chapman e la macabra doppia uccisione, lo Squartatore fosse davvero andato in vacanza? Si era ammalato così tanto da essere incapace di continuare la sua ricerca omicida; fu davvero ricoverato in ospedale e - orrore degli orrori - rilasciato nella comunità in tempo per uccidere di nuovo? In quale percorso contorto mi avrebbe portato il diario, quali rivelazioni potevano essere in attesa per me nelle pagine successive di quella sorprendente storia, che si svolgeva a parole davanti ai miei occhi? Stavo per scoprire il segreto di quelle tre settimane mancanti nella carriera omicida di Jack lo Squartatore?

Sebbene stanco, e in una certa misura intorpidito dal mio sonno interrotto, dai miei incubi e dall'orribile pensiero di essere collegato, in qualche modo, per nascita al sanguinario assassino di donne indifese, allungai le braccia, protendendomi verso il soffitto, mi sforzai di aprire i miei occhi, nonostante il desiderio inconscio di scivolare di nuovo nel torbido; quasi impaurito di sapere cosa sarebbe successo dopo, ma allo stesso tempo preso dall'intrigo del diario, mentre l'orologio a muro continuava il suo inesorabile ticchettio, mi preparai per passare alla pagina successiva.

TREDICI
UNA PAUSA DI RIFLESSIONE

Non chiedetemi perché, ma, proprio mentre stavo per passare alla pagina successiva del diario, qualcosa mi fermò. Ancora oggi non posso dire cosa fosse; forse era la stanchezza, i postumi degli incubi, o solo un bisogno fondamentale per sfuggire all'intensità della situazione per qualche minuto, ma decisi di posare il diario e guardare invece oltre il mondo abitato dallo Squartatore e dalle sue vittime. Forse anche io mi stavo turbando, più di quanto immaginassi, da quel diario: dal tema ricorrente dell'omicidio assetato di sangue, dalle divagazioni potenzialmente folli di un uomo insultato dalla storia e dal fatto che qui, nel mio studio, sulla mia scrivania, c'era un documento che poteva essere stato maneggiato e scritto dalla mano del famigerato Jack lo Squartatore. Stavo maneggiando le stesse carte che aveva avuto lui in mano, mettendo la mia impronta, le mie impronte digitali su quelle dello Squartatore stesso?

Naturalmente, era ovvio che mio padre e quelli prima di lui avevano gestito i documenti e che ci sarebbero state varie impronte sulle pagine, ma sembrava ironico che da qualche parte su quelle pagine, come potenziale mezzo per identificare l'assassino di Whitechapel, ci fosse un record di impronte digitali, una sorta di database degli omicidi. Naturalmente, non esistevano registrazioni del genere e le impronte digitali sulle pagine erano irrilevanti come fonte di identificazione e, nella migliore delle ipotesi, se rese pubbliche, avrebbero avuto solo un valore di curiosità. 'Le impronte digitali di Jack lo Squartatore', potevo già vedere il titolo sui giornali. Cosa avrebbe rivelato? Nella migliore delle ipotesi, avrebbero aggiunto ulteriore mistero al caso e sarebbe stato interessante solo per coloro che cercavano di sensazionalizzare l'intera vicenda. Per uno studioso attento di omicidi, potevano essere di scarso valore se non forse per stabilire che le impronte fossero state maschili o femminili e non ero abbastanza esperto nel campo della scientifica per sapere se fosse del tutto possibile.

Basta con queste speculazioni! Volevo conoscere e capire di più del mondo, visto attraverso gli occhi vittoriani, compresi quelli del mio bisnonno. Mi voltai ancora una volta verso il computer. Molto di quello che avevo già raccolto sullo Squartatore e le sue vittime era stato trovato su www.*Casebook*.org, un sito Internet dedicato allo studio del caso 'Jack lo Squartatore'. Con centinaia di membri in tutto il mondo, *Casebook* forniva a coloro, che erano interessati al caso, non solo i dettagli dei crimini stessi, ma anche una ricchezza di dettagli e informazioni concernenti la Londra vittoriana, accompagnati da una raccolta di fotografie informative ed evocative. Cliccai ancora una volta sul sito e feci ricerche approfondite sul mondo vittoriano.

Certamente, la Londra abitata dal mio bisnonno sarebbe sembrata un altro mondo all'abitante medio dell'East End attuale. La ricchezza e la posizione sociale di mio nonno nella comunità gli avevano permesso di vivere un'esistenza privilegiata. Poteva permettersi il meglio del cibo e dei vestiti, era assistito da un seguito di domestici nella sua casa piuttosto sontuosa di Londra e la sua vita sociale probabilmente era stata piena di visite ad amici, di teatro, di gare e, naturalmente, del suo club privato per gentiluomini. La mia bisnonna avrebbe riempito il suo tempo 'ricevendo' ospiti, prendendo il tè con i suoi visitatori e forse impegnata in un piccolo gruppo di beneficenza. Anche le classi medie un po' benestanti avrebbero sicuramente pensato di impiegare almeno uno, o forse più domestici, nelle loro confortevoli case, lontane dai bassifondi di Whitechapel e simili. Per quanto riguarda la vera nobiltà, la famiglia reale, i lord, le signore e i signori della corte reale, le loro vite sarebbero state ancora più lontane dalla realtà del duro lavoro quotidiano che era il destino dei loro più umili compagni londinesi.

La stragrande maggioranza di quei poveri sfortunati, così sfortunati da abitare nell'East End di Londra alla fine del XIX secolo, viveva in uno stato quasi continuo di povertà assoluta, se non completa miseria. Gli alloggi, dove esistevano, erano di scarsa qualità e intere famiglie erano spesso costrette a vivere in un'unica stanza, fredda, angusta e non riscaldata. Le finestre erano spesso prive di vetri e, per tenere lontane le correnti d'aria, molti riempivano gli spazi vuoti con vecchi giornali, o stracci, qualsiasi cosa per tenere fuori il freddo pungente dell'inverno. Il lavoro era spesso precario e sempre duro, con salari spesso appena sufficienti per vivere. Malattie e cattive condizioni di salute erano all'ordine del giorno, cosa che non mi sorprese se si considerava che le strade stesse erano poco più di squallide fogne a cielo aperto e che l'igiene personale era praticamente inesistente.

Molti di coloro che non avevano una casa propria si spostavano da un posto all'altro, spesso dormendo nelle case dei poveri dove si poteva acquistare un letto per pochi centesimi a notte. Molto spesso, c'erano sessanta o settanta persone che condividevano una camera da letto in comune in queste case, che erano più simili a ostelli che a case. Molti lavoratori itineranti e le donne che si prostituivano per le strade dell'East End utilizzavano regolarmente le case dei poveri.

Un certo numero di dignitari e celebrità di quei tempi visitavano l'East End, solo per rimanere sconvolti dal degrado e dalla privazione che esistevano lì. Gli autori Jack London e Beatrix Potter, e nientemeno che Charles Dickens, avevano tutti tentato di attirare l'attenzione sulla povertà e sui pessimi standard di vita dei loro compatrioti a Whitechapel e nei dintorni, ma poco era stato fatto per alleviare la loro lotta quotidiana per l'esistenza.

Le donne, ovviamente, se la passavano anche peggio degli uomini in quel vasto crogiolo di malattie e povertà. Nel XIX secolo, una ragazza della classe operaia era considerata adatta solo ai lavori più umili e quindi all'eventuale matrimonio. Quella poca istruzione disponibile era diretta ai ragazzi, non essendo considerata necessaria, per le ragazze, ricevere tale istruzione. Con un tasso di mortalità prolifico e la possibilità di vedovanza in giovane età - un evento quotidiano in quel pozzo nero dell'umanità - non c'era da meravigliarsi che così tante donne, per scelta o per circostanza, fossero trascinate nel mondo oscuro e pericoloso della prostituzione.

Tuttavia, mentre leggevo quei fatti, dovevo tenere a mente che le vittime dello Squartatore, come tutte quelle povere disgraziate che di notte esercitavano il loro mestiere per le strade, non erano nate nella prostituzione. In effetti, molte erano nate da famiglie rispettabili, erano cresciute per essere sposate, avevano avuto figli e la prostituzione era l'ultima risorsa per molte poiché le loro vite si erano disintegrate intorno a loro attraverso la morte, il divorzio, l'abbandono, l'alcolismo o per molti altri motivi. Ero rimasto particolarmente colpito durante la mia lettura dei file di *Casebook* sulle vittime, nel vedere un ritratto ufficiale in bella posa di Annie Chapman e suo marito John, un cocchiere, scattata nel 1869, e altre foto dei suoi figli. L'immagine della normalità, della domesticità evocata da quelle immagini, era servita a ricordarmi, e dovrebbe ricordare ad altri, che, come tutte le vittime sia dello Squartatore sia del sistema sia le aveva prodotte, erano normali donne di tutti i giorni, non una sorta di disadattate o rifiuti umani. La storia, che mi colpì profondamente, aveva disumanizzato in una certa misura le vittime dello Squartatore. Avevamo dimenticato che vivevano respirando, anime calde e vitali, che non desideravano altro che vivere, mangiare, dormire ed esistere insieme ai loro simili, non importa quanto tristi e squallide potessero essere diventate le loro vite.

Annie Chapman aveva avuto la sua giusta dose d'infelicità. Una delle sue figlie era morta di meningite all'età di soli dodici anni, suo figlio era uno storpio e il suo matrimonio si era disintegrato (sia lei sia suo marito erano considerati forti bevitori). A quanto pare, John Chapman pagava alla moglie il mantenimento di dieci scellini (cinquanta pence) a settimana, che continuò fino alla sua morte, avvenuta per cirrosi epatica e idropisia, il giorno di Natale del 1886. Si diceva che Annie fosse sconvolta dopo aver appreso la notizia e fu solo dopo la sua morte, che si seppe che Annie si prostituiva, come unico mezzo che le restava per mantenersi. Al momento della sua morte, viveva in una pensione nella famigerata Dorset Street a Spitalfields, una strada che comprendeva un labirinto di alloggi di scarsa qualità, l'ubicazione di tre taverne di poca reputazione e un luogo noto per le prostitute locali. Lì, in quelle tane microcosmiche d'iniquità piene di fumo, i suoni tintinnanti di vecchi pianoforti verticali stonati si confondevano con le voci rauche delle prostitute imbevute di gin e dei loro clienti ugualmente ubriachi, dove i litigi tra i clienti erano un normale evento notturno. Qualunque fosse la normalità domestica di Annie Chapman, era triste rendersi conto di quanto fosse caduta in basso quella donna, un tempo rispettabile, nei due anni precedenti il suo assassinio per mano dello Squartatore.

Quei fatti erano inevitabili. Finalmente riuscii ad identificarmi con una delle vittime. Annie era diventata abbastanza reale per me. Le foto in particolare sembrarono mostrarmelo. Evocavano giorni felici nella vita di una giovane famiglia. In quelle immagini sgranate, color seppia, non c'era traccia della tragedia che presto l'avrebbe sovrastata. Finora, nel corso del mio viaggio attraverso il diario, avevo visto gli eventi solo attraverso gli occhi dello scrittore e attraverso i miei pensieri. Ora ero in grado di pensare alle vittime stesse, non solo come vittime dello Squartatore, ma come persone molto reali, abbastanza comuni. Avendo letto e digerito i dettagli della vita e della morte della povera Annie Chapman, il suo matrimonio, i suoi figli, l'eventuale dolore e degrado, sapevo per certo che sarei stato in grado di trovare circostanze simili, se avessi guardato nella storia delle altre vittime e, in effetti, promisi a me stesso che avrei fatto proprio così.

La stanza stava diventando soffocante e aprii la finestra, solo uno spiraglio per far entrare un po' di aria fresca di cui avevo bisogno, in quella che era diventata un'atmosfera piuttosto opprimente. Lessi gli ultimi dettagli sul funerale di Annie Chapman e sul fatto che la sua bara fosse stata sepolta molto tardi, cosa che trovai piuttosto triste e, mentre posavo delicatamente i miei appunti sulla scrivania di fronte a me, il mio cuore divenne pesante e triste, per quella triste e solitaria vittima di Jack lo Squartatore.

Decisi che avevo rimandato troppo a lungo. Le mie mani si protesero per riprendere il diario, ma, mentre lo facevo, un piccolo soffio dalla finestra doveva aver catturato le pagine su Chapman, che frusciarono leggermente sulla scrivania e quasi si librarono sopra la superficie. Usando una mano, l'allungai e li appoggiai delicatamente sulla scrivania, mettendoci sopra un fermacarte per tenerli in posizione. C'erano presenze ultraterrene nell'aria quella notte? Ero decisamente di umore abbastanza ricettivo da sentire la loro presenza. Cercando di non lasciare che i miei nervi avessero la meglio su di me, tornai alle parole dello Squartatore. Dove, mi chiesi, mi avrebbero portato quelle parole, la sua mente, in questa notte buia, ventosa e insonne?

QUATTORDICI
DOV'È L'INFERNO?

13 settembre 1888

La strada per l'Inferno è una strada a senso unico, una volta imboccato il sentiero non si torna indietro. Percorro lo stesso sentiero ogni giorno, seguendo le puttane mentre anche loro barcollano ciecamente verso l'oblio che posso offrire. Le loro morti sono preordinate, ciascuna preannunciata dalle voci che mi guidano lungo il cammino. Il loro sangue deve scorrere; le loro vite devono finire per le strade, dove solcano i loro corpi sporchi, la loro carne rancida. Continuerò il mio lavoro finché le puttane non se ne saranno andate e la sporcizia sarà sparita, lavata.

14 settembre 1888

Non oso uscire di casa. Le tentazioni sono

troppo grandi, ma non posso lavorare mentre provo tanto dolore. L'ultima dose di laudano non sembra così forte come l'ultima. Ne ho bisogno sempre di più solo per tenere a bada il dolore. Voglio che il dolore si fermi. Potrei uccidere una donna stasera, ma non posso. Devo aspettare fino a quando le voci addormentate si svegliano dentro di me e mi danno forza e scopo. Le puttane devono aspettare. Lasciare che pensino di essere al sicuro.

15 settembre 1888

Vorrei poter evitare il dolore che so che sta arrivando, eppure ogni giorno devo vivere con quella consapevolezza. È facile per quelle dannate puttane. Il loro dolore è breve, mentre le spedisco nell'eterno Inferno, mentre io devo vivere nella mia versione di quel luogo disgraziato. C'è così tanto altro in arrivo, eppure ogni giorno mi sveglio con la paura, la consapevolezza della certezza della fine che un giorno dovrà essere la mia. Nessuno lo sa, né loro possono, devo soffrire da solo, per i miei peccati, le mie perdizioni terrene che ora devono portarmi più a fondo nelle più oscure profondità della disperazione.

Quindi, almeno qualcosa era diverso. Per la prima volta lo Squartatore (ora farò a meno di chiamarlo 'lo scrittore'), aveva messo tre voci su una pagina del diario. Tutte le voci precedenti, per quanto brevi, avevano ciascuna un'intera pagina dedicata a loro. Per qualche ragione, aveva scelto di mettere insieme queste tre brevi note. Era a corto di carta? Aveva scritto che non era stato in grado di uscire o forse le stava semplicemente mettendo insieme perché si susseguivano così da vicino l'uno all'altro. Forse non c'era alcuna ragione precisa per quello; aveva appena cambiato il suo formato di scrittura. Qualunque fosse la ragione, le note l'avevano rivelato.

Era su un sentiero in rapida discesa verso la distruzione e lo sapeva. La sua visione di un Inferno vivente era evidente praticamente in ogni parola che aveva scritto sul diario. Stranamente, sembrava vedersi condividere una strada comune verso il suo ultimo oblio con le sue vittime, guidato lungo la strada dalle sue voci. Le voci gli avrebbero quindi detto quando sarebbe stato ora di smettere, o quando avrebbe dovuto finire per la sua personale discesa all'Inferno? La prima nota si concludeva con l'ennesima minaccia alle 'puttane', suggerendo che la loro morte doveva avvenire proprio nei luoghi in cui avevano venduto i loro corpi per una miseria. Le strade erano il luogo in cui lavoravano e le strade sarebbero state il luogo in cui sarebbero morte, riversando il loro sangue nelle fogne di Londra: le loro vite non significavano niente più di quella di un insetto, per lo Squartatore. Per quanto lo riguardava, erano già all'Inferno, con lui! Che voleva uccidere di nuovo, e maledettamente, non avevo dubbi, ed era quasi disperato di tornare al suo compito mortale. Eppure, era tenuto a freno dal suo dolore, i mal di testa stavano peggiorando. Pensava che il laudano stesse diventando inefficace; in effetti, probabilmente non era diverso da quello che aveva preso in precedenza, il suo corpo era ormai semplicemente abituato alla droga e ai suoi effetti. Ora doveva assorbire quantità sempre maggiori di quella droga a base di oppio prima di sentire qualche effetto, probabilmente era così intossicato che non poteva 'sentire' le sue voci. Stavano 'dormendo', forse anche le sue allucinazioni stavano in sospeso; era certamente in uno stato confusionale e sentiva che la sua vita stesse diventando niente più che una vita d'inferno. Sentivo che stava raggiungendo un punto di profonda disperazione.

A parte tutto il resto, lo Squartatore era profondamente depresso, la sua infelicità e la sua paura trasudavano da ogni pagina. Paura? Sì, aveva paura del dolore, paura di morire. Non si riferiva nemmeno solo al dolore causato dal mal di testa, di questo ero certo. L'avevo sospettato in precedenza e ora ero sicuro che soffrisse degli stadi successivi (terziari) della sifilide, probabilmente contratta, come avevo sospettato in precedenza, da qualche legame, di molto tempo, prima con una di quelle signore della strada che ora così disprezzava. Se fosse stato così, con tutta probabilità soffriva di lesioni dolorose su varie parti del suo corpo, i suoi stessi tessuti cominciavano a rompersi, le piaghe si stavano sviluppando sul viso (anche se, forse non ancora), sulle mani e su altre estremità. (Ecco perché nel mio sogno avevo visto la visione di una maschera facciale sulla parte inferiore del suo viso). Nel mio stato di sogno inconscio avevo previsto la sifilide! Probabilmente a quel punto il cervello era gravemente danneggiato e senza dubbio l'uomo stava gradualmente diventando pazzo. Avevo cominciato a credere che fosse un uomo intelligente e quindi avrebbe conosciuto la prognosi della malattia; questo si sarebbe aggiunto al terrore che provava, sapendo esattamente cosa gli stava succedendo, ma non essendo in grado di fare qualcosa per prevenirlo. Non c'erano farmaci per il trattamento della malattia. Se avesse cercato aiuto, con tutta probabilità sarebbe stato rinchiuso in un manicomio e potevo capire la sua riluttanza a cercare aiuto medico. Comunque, da tempo aveva superato quel punto. Che strano pensare che oggi la malattia possa essere curata efficacemente con i moderni antibiotici. All'epoca, era simile a una condanna a morte.

Forse, inoltre, si rifiutava di uscire di casa, soprattutto alla luce del giorno, a causa di quelle deformità fisiche, che lo avrebbero reso facilmente riconoscibile come malato di sifilide. Tuttavia, aveva recentemente fatto una visita di cortesia al mio bisnonno, quindi avevo pensato che fosse improbabile. Il suo dolore però era senza dubbio reale. Come doveva aver sofferto, non riuscendo a trovare sollievo dai continui mal di testa e dagli altri sintomi altrettanto dolorosi che stava senza dubbio sperimentando.

Queste tre note mi avevano convinto che lo Squartatore non era un uomo sposato. Sicuramente nessuna moglie non avrebbe riconosciuto i sintomi che stava manifestando. Le sue parole urlavano di solitudine. Forse era stato sposato in passato, ma ero sicuro che non avesse nessuna compagna di vita quando aveva scritto il suo triste diario. Dopotutto, secondo le sue stesse parole, doveva soffrire da solo per i suoi peccati e le sue indiscrezioni (una relazione mentre era stato sposato forse), o peggio ancora (per gli standard vittoriani, una relazione omosessuale)?

Qualunque fossero le risposte che si sarebbero sicuramente rivelate man mano che mi sarei addentrato sempre più nel diario, sapevo che il caso degli omicidi di Jack lo Squartatore era probabilmente molto più complesso di quanto molti studiosi e 'Squartatologisti' avessero pensato in precedenza. Ero stato il primo a pensare che forse lo Squartatore fosse stato vittima dei suoi crimini tanto quanto quelle donne che aveva brutalmente assassinato e mutilato. I puristi probabilmente mi considererebbero pazzo quanto lui: senza dubbio, lo era stato anche solo pensare a qualcosa di simile! Tuttavia, quella sensazione non mi abbandonò; cresceva ogni minuto che passava, in ogni parola che leggevo. Non avrei potuto, non avrei mai provato a scusare i suoi crimini, oh no, ma, alla luce di quello che stavo imparando sul suo stato d'animo, le terribili malattie del cervello, delle quali - ero sempre più sicuro - lui fosse afflitto, potevo forse cominciare a capire cosa si celasse dietro i crimini di Jack lo Squartatore.

16 Settembre 1888

Vigilanti per le strade! Ebrei, macellai, calzolai, tutti accusati, ah! E dopo? Devo unirmi alla folla, come prima? Urlare alla polizia, al povero sfortunato garzone di macellaio che passa per strada con indosso il grembiule di cuoio macchiato di sangue?

Mi sto stancando di questo gioco, mi fa di nuovo male la testa, ho le vertigini, l'attesa affolla i miei pensieri e penso che anche il pubblico abbia aspettative su di me. Aspettano di vedere quando colpirò di nuovo. Vogliono vedere e ascoltare il mio lavoro. Fingono di temere la mia lama lampeggiante, ma nel profondo vogliono ascoltare e leggere di sanguinosi omicidi. Non lo ammetteranno, oh no, non lo faranno, ma so che è quello che vogliono. Vogliono che uccida la prossima puttana, ma li terrò ad aspettare il mio momento, la prossima puttana non sanguinerà finché non sarò pronta, poi il fiume di rosso scorrerà ancora una volta e macchierò le strade con il sangue delle sporche puttane. C'è troppa gente; non si possono svolgere i propri affari senza essere avvicinati, in cerca di punizione, ah, come se la prostituta morta avesse bisogno di vendetta. Lasciatele morire, lasciatele sanguinare, lasciatele rannicchiarsi sul mio acciaio freddo e duro mentre taglia la loro carne calda e appiccicosa. Voglio vedere l'orrore sul viso di una puttana mentre gorgoglia e soffoca con il sangue in gola. L'ultima è stata troppo veloce, troppo facile, lasciate che la prossima muoia un po' più lentamente, sì, e fatemi assaggiare la paura della schifosa e spregevole puttana! Andrò in viaggio, dove? Domani deciderò. Lascio che Londra sudi, lascio che le puttane aspettino, solo un po' di più, ma aspetta, devo portare le mie lame lampeggianti in questo viaggio? Devo lasciare che le strade di una nuova città diventino rosse, ci sono puttane dappertutto, no, e non meritano di morire anche loro? Mi fa così male la testa, devo provare a dormire, domani mi alzerò abbastanza presto per decidere su queste questioni così pesanti. Mi sento male, ho bisogno di dormire, chiudere gli occhi, riposare.

Le sue parole sembravano risuonare nella mia testa. I suoi agghiaccianti e concreti riferimenti al sanguinoso spargimento di sangue dei suoi omicidi, il suo apparente divertimento per la reazione del pubblico alle sue azioni e il suo evidente disgusto per le folle che si accalcano sulle strade di Londra alla ricerca dell'assassino, come se loro, non lui, fossero la causa dei disordini pubblici. Stava diventando esasperato dalla folla, dal loro bisogno di trovarlo per vendicarsi degli omicidi. Soprattutto per le vittime, quelle povere sfortunate donne, che erano cadute nella più bassa delle professioni, erano a malapena esseri umani e quindi immeritevoli di simpatia pubblica. Dopotutto erano 'solo puttane' e, come aveva scritto in una nota precedente, era rimasto sorpreso di sapere che le puttane in realtà avevano dei nomi. Non erano altro che la 'materia prima' per il suo 'lavoro'. Come un artista utilizza la sua tela e applica diligentemente i suoi colori con i suoi pennelli, così quelle povere donne erano le sue tele, i suoi coltelli i suoi pennelli, e la carneficina, provocata da quelle lame, divenne nella sua mente i suoi capolavori della creazione, il suo 'lavoro'.

Ancora più snervante, mentre leggevo quel testo diabolico nel cuore della notte, era il suo dichiarato desiderio di guardare il viso e sentire l'orrendo 'gorgoglio e soffocamento' della sua prossima vittima mentre la sua vita declinava. Uccidere un altro essere umano a sangue freddo era una cosa, ma trarre piacere dalle sue vittime negli ultimi momenti di dolore e agonia era veramente insensibilità all'estremo. Nonostante i suoi evidenti disturbi psicologici, provai un senso di repulsione positivo per l'uomo che aveva scritto quelle terribili parole, che aveva già ucciso almeno tre volte ed era destinato a uccidere di nuovo, ancora più orribilmente.

Rabbrividii e capii che era tardi. I miei occhi

erano pesanti e mi resi conto che stavo raggiungendo quel punto di metà sonno / metà veglia, quando gli occhi iniziano a perdere la capacità di concentrarsi, le parole sulla pagina iniziano a danzare in un balletto macabro e il cervello inizia a fare scherzi mentali ai disattenti. Forse era per questo che ora mi sentivo come se le parole su quella pagina orribile cambiassero forma, si allungassero e si gonfiassero, ondeggiassero davanti a me finché non sembrarono trasudare e gocciolare con piccoli rivoli di sangue, lentamente lungo la pagina, verso le mie dita nel punto in cui si trovavano saldamente sul diario.

Mi scossi rapidamente fino a svegliarmi e contemporaneamente lasciai cadere il diario sulla scrivania, come se fosse rovente nella mia mano. Mi resi conto di essere troppo stanco per continuare a quell'ora della notte. Il disturbo nella mia mente, causato dal mio precedente tentativo di dormire, e gli incubi, che ne erano seguiti che avevano accompagnato lo sforzo, non erano nulla in confronto alle paure e alle visioni dolorose che ora si affollavano nella mia mente, come se qualcuno avesse aperto una diga d'irrazionalità in qualche angolo profondo della mia psiche. Questo era peggio dei sogni che arrivano nel sonno, perché ora mi trovavo in quel posto orribile dove realtà e fantasia erano troppo intrecciate per separarsi. Immagini di figure scure e tenebrose passarono attraverso la mia vista, anche se i miei occhi sembravano incapaci di mettere a fuoco, era come cercare di vedere attraverso una nebbia, una nebbia rossa, impenetrabile, stucchevole, appiccicosa, e il sangue che formava la nebbia era esso stesso pieno di una vita tutta sua e mi urlava pieno di disperazione e agonia!

Ero sveglio, la stanza era normale, non c'era nulla da temere; poi, le strane lettere danzanti del diario mi riempirono di nuovo la testa, la nebbia si fece sempre più fitta, e ora, invece delle urla, da dentro la densa nuvola che mi avvolgeva le urla che sentivo come reali, erano le mie!

La mia testa colpì la scrivania con un tonfo sordo. Ero crollato in un impeto di tensione nervosa e l'impatto della mia fronte sulla dura superficie di legno mi aveva riportato alla realtà. Tremavo e, mi vergognavo ad ammetterlo, quasi in lacrime. L'intero processo del mio viaggio attraverso il diario stava diventando una prova, per la quale sembravo essere singolarmente impreparato.

Avevo bisogno di Sarah. Non ero una persona che si sentiva sola per l'assenza della moglie per alcuni giorni. Era abbastanza normale che lei andasse di tanto in tanto nei Cotswolds per trascorrere i fine settimana o anche un'intera settimana con sua sorella. Non avevo mai sentito il bisogno di passare ogni minuto della mia vita con lei, né lei con me. Eravamo innamorati e questo era abbastanza. Il tempo che stavamo insieme era prezioso e speciale come qualsiasi coppia poteva sperare e l'assenza occasionale di Sarah non mi aveva mai infastidito fino a quel momento. Non mi ero mai sentito più spaventato o più solo di così in tutta la mia vita. Cosa mi stava succedendo? Avrei voluto prendere il telefono, chiamarla proprio adesso nel cuore della notte e dirle di tornare a casa, dirle quanto mi mancava e avevo bisogno di lei, ma non potevo. Come avrei potuto farle capire che avevo paura di alcune carte che mio padre mi aveva lasciato, che ero così spaventato dal fatto che stavo seduto qui da solo nel cuore della notte a leggere le parole di Jack lo Squartatore e che avevo paura di ogni parola di quel terribile diario? Come potevo spiegare a mia moglie che era come se fosse lì con me, a guardarmi, assicurandomi di non perdere una pagina, una sola parola?

Chiusi gli occhi, mi appoggiai allo schienale della sedia (avevo paura di tornare a letto) e lasciai che un sonno improvviso, profondo e buio mi raggiungesse. Questa volta dormii senza sognare, o, se lo feci, furono quei sogni che arrivano nel sonno più profondo, quelli che non ricordi mai di aver sognato.

QUINDICI
LA MATTINA DEL SECONDO GIORNO

MI SVEGLIAI IRRIGIDITO, dolorante e mi sentivo tirato e molto stanco. Il mio corpo sembrava come se non avessi dormito affatto, anche se una rapida occhiata all'orologio mi mostrò che erano poco prima delle sette; un fatto confermato anche dai raggi di debole luce del primo mattino che invadevano lo studio attraverso la finestra. Probabilmente avevo dormito da due a tre ore e mezza circa; non avevo controllato l'orologio prima di essere travolto dal sonno oscuro dal quale mi ero risvegliato. Il vento e la pioggia della sera prima erano scomparsi, la casa era silenziosa e per un momento o due mi sentii relativamente calmo, quasi me stesso.

Poi, la consapevolezza mi colpì. Ricordavo esattamente perché ero lì, seduto sulla sedia del mio studio, rigido e dolorante dalla testa ai piedi. Come avrei potuto dimenticarmene, anche solo per un momento? Eccolo lì, il diario, sulla scrivania di fronte a me, esattamente come l'avevo lasciato. Alla luce del giorno, sembrava abbastanza innocente e innocuo, eppure, mentre lo fissavo, mi sembrava quasi che ci fosse della malvagità in quella cosa, mi sembrava quasi pulsasse leggermente, come se avesse una vita propria. C'era uno spirito maligno all'opera da qualche parte nelle profondità nascoste delle sue parole? Stavo diventando pazzo? Col tempo spero che tu, caro lettore, possa essere il giudice di questa constatazione. Rimproverandomi per la mia stupidità, mi sforzai di tornare al senso della realtà e fu allora che mi resi conto di quanto mi sentissi orribile.

Mi faceva male la testa, la mia lingua era sporca e pelosa, praticamente ogni muscolo delle mie spalle, braccia e gambe era dolorante e pulsante. Se non avessi saputo cos'era, avrei giurato di avere una sbornia. Assolutamente no, avevo bevuto solo un paio di whisky la sera prima, di certo non abbastanza da provocare simili sensazioni. In effetti, il mal di testa era piuttosto grave, al limite dell'intensità di un'emicrania, qualcosa di cui avevo sofferto molto raramente in passato. Mi alzai dalla sedia, allungandomi per cercare di indurre un aumento del flusso sanguigno alle mie estremità stanche e affaticate. Barcollai, piuttosto che camminare, dallo studio alla cucina, presi la cassetta del pronto soccorso ed estrassi un paio di pastiglie di paracetamolo, che bevvi velocemente con un bicchiere di acqua fredda. Forse mi avrebbe aiutato con il mal di testa. Mi sedetti su una delle sedie della cucina, appoggiando il mento sulla mano destra contratta e feci un sospiro pesante. Il mio mento era ruvido contro la mano, avevo un disperato bisogno di rasarmi e oserei dire che, se mi fossi guardato allo specchio in quel momento, i miei capelli spettinati avrebbero dato l'impressione di essere un ruvido vagabondo senzatetto. Mi stropicciai gli occhi, mi facevano male, pensai che probabilmente fossero iniettati di sangue. In quel momento fui molto contento che Sarah non fosse lì a vedermi così. Le mie peggiori paure furono confermate quando salii le scale pochi minuti dopo, entrai in bagno e riconobbi a malapena la faccia che mi fissava dallo specchio.

Feci una doccia, mi rasai, mi vestii con abiti puliti e mi sistemai, finché non assomigliai al me che ero abituato a vedere allo specchio tutte le mattine, poi, ancora una volta, tornai in cucina. Il mio stomaco era vuoto; forse mi sarei sentito notevolmente meglio con un po' di colazione nello stomaco. In qualche modo, però, quando esaminai il contenuto del frigorifero, niente mi colpì. Il cibo mi interessava poco, nonostante i morsi della fame che mi tormentavano le viscere. Decisi di accontentarmi di pane tostato e caffè, con la consapevolezza che qualcosa sarebbe stato meglio di niente e riuscii a consumare tre fette di pane tostato caldo imburrato e due tazze di caffè caldo fumante, prima di tornare con la mente al documento che mi aspettava in studio.

Era strano pensare che fossero passate meno di ventiquattro ore da quando avevo posato gli occhi per la prima volta sul diario. Meno di un giorno, eppure eccomi qui, sentendomi più turbato e irritato di quanto potessi mai ricordare in tutta la mia vita, tale era l'effetto procurato su di me. Ci pensai un attimo. Avevo letto fino a sfinirmi, avevo provato a dormire, ero stato assalito da sogni bizzarri, avevo smesso di dormire, avevo continuato a leggere, solo per essere perseguitato da ciò che potevo solo descrivere come una serie d'incubi notturni, finché alla fine ero crollato in quel torpore oscuro, o meglio uno stato di esaurimento, poi finalmente mi ero svegliato questa mattina in quello stato spaventoso sia della mente sia del corpo. Tutto questo in meno di un giorno! Cosa mi stava succedendo? Non ero, dopo tutto, un uomo incline a deliri o nevrosi, io ero un uomo di scienza per l'amor di Dio! Ero uno psichiatra, non un paziente, non una di quelle povere anime sfortunate che mi consultavano per la mia ponderata opinione professionale. Cosa mi sarei diagnosticato in quel momento - mi chiesi? Non risposi alla mia domanda. Non ci riuscii. Qualunque cosa mi fosse accaduta nelle ore trascorse da quando ero entrato in contatto con il diario, sfidava ogni conclusione razionale. Non riuscivo a capire come la lettura di poche pagine di carta vecchia e sgualcita potesse avere avuto un effetto così profondo sulla mia mente. Era illogico e impensabile che il diario stesso potesse manifestare tali sentimenti nella mia mente, no? Erano solo parole scritte su carta, non potevano ospitare alcun potere sovrannaturale, non potevano certo essere il depositario di qualsiasi maleficio persistente, imbevuto nelle pagine dello scrittore. Il male che era Jack lo Squartatore *non* era stato infuso nelle pagine del suo diario. Comunque, questo fu quello che mi dissi in quel momento.

Ricordo di aver pensato tra me e me che se non c'era nulla di cui preoccuparsi, perché non tornavo nello studio, prendevo il diario e lo leggevo fino alla fine in una rapida sessione, leggendo le note di accompagnamento del bisnonno e quindi rimettere l'intera cosa nei suoi nastri e consegnarla alla cassaforte o in qualsiasi altra cosa, e dimenticarsene? Anche se il pensiero mi aveva attraversato la mente, sapevo che l'opzione era impossibile. Il diario non mi avrebbe permesso di farlo. So che sembra stupido, ma era così che mi sentivo, sapevo che non potevo farlo. Dovevo continuare il mio viaggio attraverso le sue pagine esattamente nel modo in cui avevo fatto finora. Anche l'occasionale pausa dal diario per studiare i fatti, che avevo scaricato da *Casebook* e da altre fonti, mi sembrava essere parte del piano del diario, un bisogno di essere compreso in ogni momento lungo il percorso, di essere consapevole dei fatti del caso in un preciso ordine cronologico, come per dare al diario un solido fondamento nella mia mente, in modo che potessi capire la mente, che aveva controllato quella mano che aveva scritto le diaboliche parole su ogni pagina carica di terrore.

Ora, potresti pensare che sia fantasioso usare un termine come 'carico di terrore', ma per me quello era esattamente ciò che il diario iniziava rapidamente a rappresentare. Ero stato coinvolto, quasi contro la mia volontà (dopotutto, non avevo chiesto io quella dannata cosa, vero?), in un viaggio nella mente, i pensieri e le contorte e terrificanti conclusioni che erano state tratte come risultato di quei pensieri, quelli di un uomo profondamente turbato e molto, molto malato. Supponevo che la maggior parte delle persone, esperti o laici, avesse probabilmente perso di vista il fatto che Jack lo Squartatore, chiunque fosse stato, qualunque male avesse perpetrato, era ancora, dopotutto, solo un uomo, il figlio di qualcuno, forse il marito di qualcuna, fratello, amico. Sebbene i suoi stessi crimini potessero essere stati mostruosi sia nella loro sostanza sia nella loro esecuzione, lui era stato capace, almeno una volta, di provare amore, affetto ed emozioni profonde. Dopotutto, bisognava ricordare che i suoi crimini erano stati commessi mentre era sotto l'influenza di uno stato emotivo molto profondo, per quanto deformato e contorto potesse apparire ad una mente razionale. Ero, pensai, strettamente legato alle parole del suo diario, a quelle che ora avevo capito essere le ultime settimane nella carriera omicida di

Jack lo Squartatore. Ero legato alla storia dei suoi crimini e credimi quando ti dico che non avevo mai conosciuto un tale terrore, sia reale sia immaginario; ero molto, molto, spaventato dalle rivelazioni che potevano ancora rivelarsi a me, mentre la testimonianza, intrisa di sangue dello Squartatore, sarebbe proseguita.

Avrei voluto parlare con Sarah, ma era ancora troppo presto. Sebbene non dubitassi che lei e Jennifer fossero sveglie, le richieste mattutine del bambino probabilmente le avrebbero tenute occupate per un bel po' di tempo. Forse tra un'ora o giù di lì avrei provato a chiamare: sapevo che parlare con Sarah sarebbe stata la migliore terapia che potessi prescrivermi.

Prima di tornare nello studio, mi venne in mente qualcosa del mio ultimo incontro notturno con il diario, qualcosa che mi stava assillando in fondo alla mente. Mezzo dimenticato dal mio goffo sonno sulla sedia, mi tornò in mente quando pulii il mio piatto e mi gustai l'ennesima tazza di caffè.

Lui aveva detto che avrebbe lasciato Londra! Perché! Dove stava andando? Ovviamente, se lo Squartatore avesse lasciato Londra all'inizio di settembre, spiegherebbe perché il massacro per le strade dell'East End era stato interrotto, perché non ci furono ulteriori attacchi fino alla notte del terribile duplice omicidio. Se fosse stato così, tuttavia, la questione rimaneva. Dov'era andato? Aveva perpetrato altre atrocità altrove durante la sua assenza dalla capitale? Da un commento fatto nella sua ultima nota, mi era sembrato che fosse irritato dalla reazione del pubblico ai suoi crimini. L'apparente simpatia della stampa e del pubblico per le sue vittime sembrava farlo infuriare; l'ossessione dei londinesi, che affollavano le strade, alla ricerca dell'assassino, lo stupivano sinceramente. Dopotutto, non stava svolgendo un servizio pubblico nel ripulire le strade da coloro che aveva definito come parassiti? All'inizio pensavo che probabilmente si fosse divertito delle buffonate della folla, da qui il suo primo coinvolgimento in essa; ora la protesta pubblica stava diventando un'irritazione per lui e l'enorme numero di potenziali vigilantes per le strade fu forse determinante nella sua decisione finale di lasciare la città, anche se solo per un po'. Forse mi sbagliavo, ma il pensiero aveva un certo peso nella mia mente.

Decisi che il mio primo compito sarebbe stato quello di continuare le mie indagini sui fatti reali. Volevo provare a verificare, utilizzando le informazioni fornite da *Casebook* e altri siti web, se ci fossero stati omicidi in stile Squartatore altrove in Gran Bretagna durante il settembre 1888. Poi mi venne in mente che poteva anche aver lasciato il paese. Non era plausibile che avrebbe potuto viaggiare in Francia, Olanda, Germania forse, e rimanere per un po', o usare il tempo per perfezionare la sua 'arte', uccidendo in terra straniera. Anche se forse sarebbe stato più difficile da stabilire, promisi a me stesso che avrei cercato di imparare quello che potevo su qualsiasi omicidio correlato nel continente, se ovviamente il diario avesse confermato che lo Squartatore aveva davvero lasciato le coste inglesi.

Cosa diavolo avrei fatto, quindi, se non avesse indicato dove si trovava nei giorni successivi alla sua ultima nota? Il diario mi avrebbe informato o mi avrebbe portato fuori strada? Ci sarebbe stata una di quelle lacune, giorni persi, lasciati vuoti, semplicemente perché forse non aveva niente da dire, o perché aveva lasciato il diario a casa e non aveva modo di tenerlo aggiornato? Ci sarebbe tornato all'improvviso dopo un'assenza di giorni o settimane, pronto ad assalire le pagine con rivelazioni ancora più sanguinose? La mia testa pulsava ancora, ma sentivo che non avrei potuto rimandare più a lungo. Mi ripromisi di telefonare a Sarah esattamente dopo un'ora, indipendentemente da ciò che il diario mi avrebbe rivelato in quel momento. Le domande nella mia mente stavano iniziando ad assorbire i miei pensieri, volevo risposte, avevo bisogno di sapere cosa sarebbe successo dopo, per sistemare il pezzo successivo del puzzle. Quindi, finalmente tornando alla mia sedia, temporaneamente fortificato dalla colazione, e almeno parzialmente rinfrescato, ripresi il diario sapendo che c'era un unico modo per scoprirlo.

SEDICI
LA MALATTIA IMPROVVISA DI JACK

17 Settembre 1888

Un viaggio piacevole dopotutto. Ho lasciato Londra presto, uno scompartimento tutto per me, clic-clac, clic-clac, il rumore del treno che sferragliava lungo i binari. Luoghi da vedere lungo la strada, campi, alberi e fabbriche. Case nei campi e città a bizzeffe, vedevo il mondo dal finestrino, eppure c'era di più. C'erano animali, mucche, pecore, oche e l'odore del fumo del motore che mi portava via dalla città malvagia, sempre più in avanti, più a nord. Ho visto le guglie del Minster, la grande chiesa di York, la splendida cattedrale di Durham che dominava la città e la grande città di Newcastle, che si trova sul Tyne. Ho visto castelli, grandi edifici storici e bianche onde sul mare mentre la locomotiva mi portava sempre più vicino alla mia destinazione. Infine, la città, con il suo imponente castello che svetta sopra - che spettacolo - e la stazione, essa stessa una meraviglia dell'architettura moderna, così grandiosa e spaziosa. Camminare in un tale luogo! Che aria. Respiro così bene. Le persone, anche se con una voce strana, sono straordinariamente amichevoli con uno sconosciuto. La camera è soddisfacente, il letto pulito, il personale attento. Esplorerò ulteriormente domani, visiterò il grande Forth Bridge, quella meraviglia di ferro dell'età moderna, sebbene non sia pronta per l'attraversamento dei treni, lo capisco, mi rifarò gli occhi sulle sue massicce travi, la sua grandezza come si stende sulle acque torbide sottostanti, ma, per ora, è bene rilassarmi, forse mangerò un pasto abbondante, e poi dormirò per riposarmi le ossa. Domani, sì, visiterò le strade, visiterò la città, ammirerò i panorami, troverò un buon farmacista e percorrerò il Royal Mile. Ma per ora mi riposo, il mio lavoro aspetterà, ma non sparirà, anche se sono assente dalla città. Può aspettare. Sono stanco dopotutto; sono molto stanco. Il mal di testa sta tornando.

QUELLA ERA una rivelazione di proporzioni monumentali. Aveva davvero lasciato Londra e, dalla descrizione del suo viaggio non c'erano dubbi che lo Squartatore si fosse diretto a nord, ad Edimburgo. Quella descrizione poteva essere stata scritta da una persona diversa. C'erano prove qui di pensiero lucido, di ciò che poteva essere descritto solo come normalità. Aveva smesso di inveire, a parte l'unico piccolo riferimento al suo 'lavoro' alla fine. Aveva descritto il suo viaggio come pieno di meraviglie, York Minster, la cattedrale di Durham, che, come aveva giustamente descritto, si trova su uno sperone collinare che domina la città, e la grande città di Newcastle-on-Tyne, che, durante il XIX secolo doveva essere stata una città industriale viva. Aveva davvero visto la stazione di Waverley a Edimburgo come una meraviglia; anche in periodo vittoriano, era uno dei migliori esempi di architettura infrastrutturale in Gran Bretagna. Con i suoi archi aggraziati e le ampie scalinate che conducevano da un binario all'altro, la sua vista a pianta aperta che si apriva sulla strada esterna, era una stazione di cui gli abitanti di Edimburgo erano giustamente orgogliosi. E che dire della sua promessa di visitare il grande Forth Bridge? Si stava comportando più come un turista che come un assassino seriamente squilibrato che cercava di nascondersi dalla vasta caccia all'uomo che si stava svolgendo a Londra. Ma poi, non aveva fatto nulla di male, vero? Almeno non nella sua mente: aveva semplicemente lasciato la città per ricaricare le batterie, per così dire, per sfuggire alla folla di persone che affollavano le strade, per riposarsi e prepararsi per il prossimo round del suo compito.

Non so perché, ma qualcosa nelle sue parole sembrava rafforzare la mia convinzione che fosse un uomo di una certa classe sociale; certamente un ordinario della classe operaia dell'East End non avrebbe avuto i soldi per viaggiare in Scozia in treno, o di pagare per una camera in quello che sembrava a me come un hotel di discreta qualità. Non ne aveva parlato molto, aveva solo sentito che era una buona struttura, come sarebbe un hotel dove 'il personale è attento'. Chiunque fosse lo Squartatore, non era un uomo povero o privo di cultura. C'era educazione nel suo background; quello era un uomo consapevole del mondo.

Ovviamente gli piaceva il cambio d'aria, perché Edimburgo era così diversa da Londra. Più piccola, con meno industria e inquinamento, era dopotutto un ambiente molto più pulito e più sano rispetto alla grande metropoli, verso la fine del XIX secolo. Trovò logicamente le persone 'con la voce strana', poiché, a uno che probabilmente non aveva mai visitato la città prima, l'accento scozzese poteva sembrare una lingua straniera.

Forse era semplicemente andato ad Edimburgo per motivi di salute, per riposarsi, per una vacanza? Almeno, per il momento, i suoi demoni sembravano averlo lasciato in pace per un po'. C'era una precisa sanità mentale nelle sue parole, una sanità mentale che era stata notevolmente assente da ogni altra annotazione nel suo diario. Il mio pensiero immediato fu che, almeno per un breve periodo, era in pace, e fintanto che le sue 'voci' rimanevano in silenzio, probabilmente non era un pericolo per coloro che lo circondavano. Il tempo l'avrebbe detto e, qualunque cosa fosse emersa dal suo soggiorno nella capitale della Scozia, sapevo che in poco meno di due settimane avrebbe pedinato ancora una volta le strade buie di Londra, dove avrebbe incitato nuova paura nei cuori della gente di quella grande città con non solo una ma due brutali uccisioni.

18 Settembre 1888

Che posto pieno di bellezza. Mi sono sentito a casa oggi. I bei parchi e giardini di questa bella città sono meravigliosi da vedere. Ho fatto un giro su un omnibus per vedere il ponte; è davvero una splendida testimonianza dell'abilità dell'ingegneria, anche se forse sarei un po' nervoso, se decidessi di avventurarmi attraverso una distesa d'acqua così grande anche su una struttura così robusta. Dicono che presto sarà aperto al traffico ferroviario. Ho guardato attraverso un telescopio che ho preso in prestito da un altro spettatore e ho visto molte piccole navi sul Forth e ho potuto vedere le persone così lontane che, anche attraverso il vetro, erano come formiche, piccole formiche che si affrettavano, lontane sulla sponda lontana. La città ha un bel museo; ne sono rimasto affascinato, così tanti luoghi meravigliosi da vedere. Devo andare oltre però, ci sono cose che devo fare, anche quando sono qui, in questo posto, perché mi sono innervosito nel sentire alcuni compagni sull'omnibus parlare del lato più oscuro di questa bella città e devo vederlo da solo. Aspetterò fino a domani e, quando verrà la sera, ci andrò.

Un pensiero improvviso mi scosse. C'erano ovviamente molti sospettati, così tanti uomini che una volta o l'altra nel corso degli anni erano stati sospettati di essere lo Squartatore. Per qualcuno di loro, mi chiesi, era stato verificato se avesse visitato la Scozia durante il periodo degli omicidi? Tornai ancora una volta ai miei appunti, così com'erano. Anche se certamente non esaustivi, erano ovviamente il risultato di molti anni d'indagini sul caso da parte di molti studiosi e laici. Non riuscii a trovare nulla a sostegno di un accenno di una visita ad Edimburgo da parte di nessuno dei sospettati noti. Inoltre, c'erano straordinariamente poche prove documentali sui movimenti di *uno* dei principali sospettati. A parte il fatto che era stato dimostrato che il principe reale fosse stato fuori città al momento degli omicidi, in virtù di uno studio delle circolari di corte del tempo, non c'erano informazioni sui movimenti o dove si trovava qualcuno degli altri sospettati.

Fui anche disturbato dall'ultima nota del diario. Dopo la sua breve descrizione della sua visita al Forth Bridge, che, come aveva giustamente sottolineato, non era ancora aperto al traffico ferroviario (lo cercai rapidamente su Internet, ma non fu aperto fino al 1890, sebbene fosse quasi stato completato quando l'aveva visitato), e a generali 'visite turistiche', ci fu il suo improvviso riferimento a una conversazione sentita relativa al 'lato oscuro' della città. Non avevo dubbi su cosa si riferisse. Edimburgo sarebbe stata leggermente diversa da qualsiasi grande città del suo tempo. Con la sua grande popolazione e le associazioni marittime, grazie alle vicine strutture portuali, la grande città aveva avuto il suo lato più squallido, il quartiere a luci rosse, chiamalo come vuoi, in altre parole, avrebbe avuto un numero relativamente grande di prostitute che lavorano per strada di notte. Non avevo dubbi che Jack lo Squartatore stesse per fare un giro notturno nella parte meno attraente di Edimburgo; ancora una volta sentii un pizzicore di paura che cominciava a percorrermi la schiena.

Sapevo cosa dovevo fare. Senza dubbio, il diario stava generando un senso di paura e tensione nella mia mente, come non avevo mai sperimentato prima. Mi stava anche insegnando ad essere uno 'squartatologo' dilettante piuttosto bravo, come sono conosciuti coloro che seguono il suo caso. Prima di voltare la pagina successiva del diario, mi presi una pausa, telefonai a Sarah come mi ero ripromesso di fare; poi avrei approfondito gli appunti di ricerca che avevo raccolto e, se necessario, ne avrei cercati altri. Avevo bisogno di sapere se ci fossero stati omicidi irrisolti di prostitute a Edimburgo il 18 settembre 1888.

Fare una pausa! Questo fu il primo passo. Da quando avevo iniziato il mio strano viaggio nel diario, quella era stata la prima vera rottura cosciente che mi concessi. Rimisi il diario sulla scrivania, mi alzai dalla sedia e uscii di proposito dallo studio, in cucina, dove mi preparai una rapida tazza di caffè istantaneo (lo so, altro caffè), poi mi spostai verso la porta sul retro, l'aprii e uscii.

L'aria fresca mi colpì come uno schiaffo in faccia! Era la prima ventata d'aria naturale che avevo ricevuto, da quanto ero arrivato a casa il giorno prima con il diario infilato sotto il braccio. C'era una leggera brezza, quel tanto che bastava ad arruffare le foglie degli alberi, e mi sedetti su una delle sedie del patio e lasciai che l'aria fresca mi investisse. Aveva un buon sapore, quel miscuglio inebriante di caffè e fresca brezza autunnale e, dopo essermi seduto nel patio per una decina di minuti, mi sentii sufficientemente riposato da avventurarmi in casa per fare la mia telefonata a Sarah.

Quindici minuti dopo ero al telefono con la mia adorabile moglie, sentendomi solo un po' triste e leggermente depresso. Sembrava che il mio nuovo nipote, il piccolo Jack, si fosse ammalato durante la notte, e Jennifer avesse telefonato al dottore, il quale avrebbe dovuto chiamare per vedere Jack in qualsiasi momento nelle prossime due ore. Sarah, dopo aver chiesto come stavo, dopo la mia dura giornata di ieri (ovviamente le dissi che stavo bene), mi aveva chiesto se mi sarebbe dispiaciuto che lei fosse restata ancora qualche giorno per aiutare Jennifer con il bambino, se avesse dovuto aiutarla in caso il piccolino fosse peggiorato. Senza far capire quanto mi mancava, dissi a Sarah che ovviamente non mi sarebbe dispiaciuto, sarei stato bene e c'era sempre la signora Armitage che chiamava e si assicurava che fossi ancora nella terra dei vivi. (Avrei dovuto fare qualcosa per la signora Armitage: pensai di impedirle di interrompermi senza destare i suoi sospetti).

"Ti amo, Robert", disse Sarah mentre terminava la chiamata.

"Anche io, mia cara", avevo risposto, riponendo il telefono sul tavolo e sentendomi improvvisamente molto solo nella quiete silenziosa di casa mia e, nonostante il calore della stanza, rabbrividii involontariamente e provai una sorta di panico, cominciando dalla mia mente, come se fossi in pericolo restare qui da solo. Mi ci vollero un paio di minuti per combattere quella sensazione di panico, fino a quando non si placò e mi rimproverai di essere così irrazionale e stupido. Cosa diavolo poteva accadermi qui a casa mia, dopotutto stavo solo leggendo dei vecchi diari, no? Per quanto orribile potesse essere il loro contenuto, erano solo pezzi di carta, niente di più. Dovevo lavorare sodo per convincermi di quel fatto, ma, dopo averlo ottenuto, tornai nel mio studio, per continuare la mia ricerca, questa volta sugli omicidi irrisolti a Edimburgo.

Non ce n'erano! Potete immaginare il mio senso di perplessità e frustrazione nel fare quella scoperta inaspettata. Per quanto negativa fosse e, ovviamente una buona notizia per gli abitanti di Edimburgo, non potei fare a meno di sentirmi un po' deluso. Eppure, eccolo lì, in bianco e nero, da una fonte affidabile d'informazioni in rete. Nessuno dei giornali di quel giorno aveva riportato un singolo omicidio inspiegabile di una prostituta o di una donna di quella feccia durante il settembre del 1888. Trovai difficile accettare che, dopo aver letto la minaccia dello Squartatore di visitare il lato più oscuro di Edimburgo mentre era lì, non avrebbe fatto nulla per allentare le proprie tensioni e la sete di sangue selvaggiamente sadica. Visitai altri tre siti web, che fornivano tutti informazioni storiche e notizie dalle date rilevanti e tutti lo confermarono, non c'era niente! Poteva essere che si stesse davvero prendendo una pausa, come avevo appena fatto io, forse un po' di più ovviamente, o c'era qualcosa di più sinistro che mi aspettava nelle pagine successive?

Mi appoggiai allo schienale della sedia, feci un respiro profondo, presi il diario e, come le parole dello Squartatore, mi raggiunsero ancora una volta dalla pagina, così il mio strano viaggio nella storia continuò.

DICIASSETTE
DOVE GLI UOMINI SCENDONO AL MARE CON LE NAVI

20 Settembre 1888

Oh! Che notte. Che divertimento! Ho preso la strada per le banchine, un sentiero lungo e tortuoso lo confesso, nessun taxi in vista. Comunque l'aria era buona e mi riempiva di energia per il compito che mi attendeva. I moli erano grandi, anche se non eccessivi per rivaleggiare con quelli di Londra. Come sono privi di fantasia questi scozzesi: chiamare la strada per Leith, appunto, Leith Street. Oh beh. Che posto confuso. Tante navi legate, scafi scricchiolanti e odore di mare. E fuori dai cancelli, stavano aspettando puttane in abbondanza per infettare i marinai. Sfacciate puttane, senza alcun segno di decenza, così ovvio nel loro intento di attirare gli ignari verso un destino devastato dalla malattia. Rimasi a guardare da lontano, al riparo di un magazzino, finché il molo tacque. Il più grande insulto alla nostra sovrana - questo si chiamava 'molo Vittoria' - e qui le puttane esercitavano il loro mestiere malvagio. L'ultima puttana a lasciare il molo non era così vecchia credo, anche se ieri sera gli affari erano stati scarsi e non aveva trovato nessun marinaio da tentare. Capelli scuri, piuttosto magri, con fianchi oscillanti. Andava barcollando per trovare conforto nel bere. Non c'è bisogno che lo chiediate, ma non è mai arrivata al suo bar. Mi si è avvicinata mentre aspettavo e ha avuto il coraggio di chiedermi se mi sarebbe piaciuta la sua compagnia. Non ho risposto, se non per trascinare la puttana nell'ombra. Ho sentito il suo profumo da quattro soldi, così dolce. Mi sono mosso così rapidamente, la sua gola è stata tagliata in pochi secondi, quasi di netto, stavolta ho quasi rimosso la testa della cagna. Ha provato ma non poteva urlare, stupida piccola puttana. L'ho lasciata sanguinare in uno scarico; ci sono molti scarichi lungo la darsena. L'ho sventrata con la stessa rapidità con cui avrei fatto con un salmone, l'ho squarciata e le ho fatto scorrere le viscere lungo le pietre. Le gambe si sono mosse per un po', nessuna delle altre l'aveva fatto. L'ho tagliata bene, e anche velocemente, tutta calda e appiccicosa, e le sue parti tutte scoperte come si addice a una puttana. Ho pensato di lasciarla lì dove giaceva, spalancata al mondo, ma no, avrebbero potuto pensare che fosse stato strano trovare una puttana squilibrata così a nord e la polizia mi avrebbe potuto rintracciare qui. Meglio sbarazzarsene, così ho lasciato sanguinare la puttana per un po', poi l'ho trascinata su una specie di molo e l'ho gettata dentro. La marea se la prenderà; a chi mancherà una piccola puttana puzzolente? Ho sostituito il mio cappotto, anche se intriso di poco sangue grazie agli ottimi scoli qui, e sono tornato a dormire, a rinfrescarmi e le mie voci sono venute e mi hanno detto di stare bene. Penso di essere stato qui troppo a lungo, me ne andrò presto. Ci sono puttane in abbondanza ovunque io vada. Non mi daranno mai pace? Devo sventrare e strappare i cuori e le parti e versare il sangue di ogni puttana della nazione prima che cessino la loro lurida tentazione degli innocenti? La mia testa comincia a farmi male, devo prendere altro laudano e riposare prima di andarmene.

Con le mani tremanti, posai il diario sulla scrivania. Quella era stata la nota più lunga e, in verità, più orribile mai registrata dallo Squartatore. Aveva lasciato una data vuota per il 19, ma era facilmente spiegabile. Deve aver speso tutto il giorno per prepararsi alla sua visita a Leith, che avrebbe fatto quella notte, e la nota del 20 che avevo appena letto, ovviamente, era riferita alla propria escursione assassina della notte precedente.

Quindi aveva ucciso anche ad Edimburgo. Avevo pensato che forse non aveva intenzione di farlo, ma che l'ascolto di quel riferimento casuale, da parte di due persone del luogo, aveva portato la sua ossessione a sorgere dal profondo della sua anima nera per costringerlo a eseguire quell'ultimo atto di ferocia. La sua descrizione dell'uccisione di quella povera ragazza, piuttosto giovane a quanto pare, era spaventosa e mi fece gelare fino alle ossa.

La mia mente era piena delle immagini selvagge che le sue parole mi ispiravano. Potevo quasi vedere il suo attacco silenzioso e feroce, la lama che fendeva ferocemente la gola della povera ragazza, quasi decapitandola. Quali terribili ultimi pensieri dovevano essere passati nella sua mente mentre tossiva e sputava il suo ultimo respiro su quella banchina fredda e buia di tanti anni prima? Dubitavo che potesse sapere molto di quegli ultimi secondi, almeno, speravo di no, e poi ovviamente aveva descritto, nei minimi dettagli fino a quel momento, la sua demoniaca mutilazione del corpo della ragazza. Pensavo che probabilmente fosse vero che i moli avevano un numero qualsiasi di piccoli canali di scolo e questo ovviamente lo aveva aiutato a smaltire il sangue della sua vittima, facilmente e rapidamente. Ciò spiegava perché lui stesso non era intriso di sangue, in particolare perché si era solo tolto il cappotto prima di iniziare il suo 'lavoro'.

Il mio polso stava accelerando, il mio cuore batteva forte nel petto e potevo praticamente sentire il pulsare del sangue nelle mie vene, tanto ero inorridito da quell'ultima, terrificante nota. Era come se avesse ucciso, poi fosse andato casualmente in albergo per dormire e rinfrescarsi, invisibile e inascoltato come al solito; non poteva essere macchiato di sangue in alcun modo, perché sicuramente anche nel 1888 ci sarebbe stato qualcuno di servizio in albergo a qualunque ora fosse tornato e avrebbe notato il sangue sui suoi vestiti, no?

Una macchia rossa sembrava fluttuare davanti ai miei occhi, come se il sangue di quell'ultima, povera vittima sfortunata fluttuasse nella mia stessa anima, offuscando il mio cervello, i miei pensieri. Perché non c'erano registrazioni di quell'atroce evento? C'era la polizia ad Edimburgo o, più precisamente, a Leith nel 1888? La mia ricerca precedente mi aveva detto che la polizia metropolitana era stata costituita a Londra solo nel 1829, quindi pensai che fosse possibile che non ci fosse stata la polizia a Edimburgo al momento dell'omicidio della ragazza, forse non c'era nessuno per investigare sul molo insanguinato, perché doveva essere rimasto qualche segno del suo feroce assalto alla ragazza. Avrei dovuto esplorare quella strada.

Mi collegai rapidamente ad Internet ancora una volta e cercai, senza successo, di ottenere alcune informazioni storiche relative alla polizia di Edimburgo. Il migliore risultato fu un riferimento recente al sito web della polizia scozzese, in particolare la *Lothian and Borders Division*, la polizia che oggi presiede Edimburgo. Inviai rapidamente un'e-mail chiedendo informazioni sulla storia della polizia della città e chiedendo dettagli su eventuali sparizioni irrisolte di giovani donne nel periodo in questione, il tutto con il pretesto di ricercare crimini del passato non risolti per un archivio storico, poi mi resi conto che avrei potuto scoprire poco di più fino a quando non avrebbero risposto, se davvero si sarebbero presi la briga di rispondere a tale richiesta.

Intanto, pensavo tra me e me che sicuramente la ragazza sarebbe mancata a qualcuno - genitori, famiglia, amici? Forse era una ragazza di fuori città, non conosciuta a Leith. Supposi che, tanti anni prima, la Scozia e precisamente Edimburgo poteva essere stata un'attrazione per i poveri, come Londra in Inghilterra. Forse la povera ragazza era una ragazza di campagna, arrivata di recente ad Edimburgo e sconosciuta a chiunque in città, o forse un'orfana. Eppure, perché il suo corpo non era stato scoperto? Anche in quel caso la risposta alla mia domanda era ovvia. Se aveva lasciato cadere il suo corpo in acqua come aveva detto, con ogni probabilità la marea avrebbe portato il suo povero corpo senza vita abbastanza rapidamente verso il mare. Il Forth è di per sé una vasta distesa d'acqua e il mare aperto è a poche miglia di distanza. Sì, potevo benissimo capire perché il corpo della ragazza potesse essere scomparso, senza essere mai scoperto. Il sangue fuoriuscito dal suo cadavere eviscerato avrebbe anche agito come una calamita per tutti i tipi di creature sottomarine in cerca di cibo e sarebbe stato prontamente consumato. C'erano squali nel mare al largo della costa scozzese? Altre domande ma poche risposte.

Non potei fare a meno di provare un immenso dolore per la povera ragazza, probabilmente una delle tante che si erano fatte strada, dalle città e dai villaggi periferici in cerca di una vita migliore, proprio come molti dei giovani di oggi che si dirigono a Londra, Edimburgo e alle altre nostre città metropolitane. Forse incapace di trovare lavoro, trovandosi prossima alla fame, si era rivolta alla prostituzione, vendendo il suo giovane corpo per strada, probabilmente per poco più del prezzo di un letto per la notte, o di un pasto economico, concedendosi a qualsiasi uomo che le offriva pochi centesimi, la possibilità di vivere un altro giorno, di sopravvivere a un'altra notte. Invece, aveva concluso i suoi giorni su un oscuro molo al buio, il suo sangue vitale che scorreva in uno scarico sporco e il suo corpo brutalmente mutilato e letteralmente gettato in pasto ai pesci. Chiunque fosse, probabilmente sarebbe rimasta sconosciuta nella morte come lo era stata nella vita. Sapevo con certezza che c'era poco o niente che potessi fare per tentare di identificare quella nuova misteriosa vittima dello Squartatore; sarebbe rimasta anonima per tutta l'eternità come lo era stata in vita. Guardai il mio computer, desiderando che arrivasse una qualche forma di risposta dalla polizia.

Dissi una preghiera silenziosa per l'anima della povera ragazza mentre sedevo sulla mia comoda sedia da ufficio, la sua anima dopotutto era nota a Dio e a nessun altro. I miei sentimenti in quel momento erano un misto di orrore, repulsione e una profonda tristezza: tristezza per un'altra povera anima perduta, strappata alla vita dal coltello affilato di un pazzo. Nonostante la mia formazione professionale, e sebbene non fosse una parola molto usata dai miei colleghi moderni, sapevo che lo Squartatore era piuttosto matto; malato, sì, con molti sintomi dei più terribili disturbi psicologici, ma follia era l'unico termine che potevo usare per descrivere quegli atti di violenza e mutilazione sfrenata. Tuttavia, anche la sua anima doveva essere turbata; perché lui era conosciuto da Dio, non è vero, se Dio fosse veramente esistito? Le sue azioni lo avrebbero posto al di fuori della grazia di Dio, o sarebbe stato accolto in Cielo, accanto alle anime delle sue vittime, nonostante i suoi peccati, quando sarebbe giunto il momento? Pensai che fosse meglio evitare la questione teologica. Quello era argomento di discussione per altri.

Guardai di nuovo lo schermo del mio computer e vidi lo sfarfallio che mi diceva che avevo posta in arrivo. Fui sorpreso di scoprire che la sezione informazioni della polizia di Edimburgo aveva risposto alla mia e-mail in poco tempo. La mia richiesta originale era stata inoltrata ad un impiegato civile del dipartimento, una specie di esperto della storia della polizia e anche un avido fanatico del crimine. Era incredibilmente contento, così diceva la sua e-mail, di fornirmi le informazioni che avevo richiesto e anche qualsiasi altra cosa potessi richiedere da lui in futuro.

La polizia della Città di Edimburgo, com'era allora nota, fu istituita nel 1805, il che significa che la capitale della Scozia era molto in anticipo rispetto a Londra nella formazione del loro corpo di polizia (la *Metropolitan Police Force* non era stata istituita fino al 1829, come ricorderete). La polizia di Leith Burgh si formò un anno dopo nel 1806, poiché Leith era a quel tempo un Burgh separato (sobborgo). Era un dato di fatto che a quei tempi Edimburgo era molto più piccola di quanto non lo sia oggi e molti dei sobborghi si trovavano all'interno di varie contee, al di fuori dei confini della città ed erano quindi coperti dall'*Edinburghshire* o dal *Midlothian Constabulary*, fondato nel 1840.

Capii subito che quella situazione avrebbe potuto creare difficoltà logistiche. Se i vari dipartimenti di polizia fossero stati qualcosa di simile a quelli presenti in Inghilterra, la comunicazione tra loro potrebbe non essere sempre stata il massimo e se la ragazza fosse stata uccisa a Leith, sebbene potesse aver vissuto entro i confini della città, o altrove, la sua scomparsa sarebbe potuto non essere stata mai registrata. Un fatto curioso era incluso nelle informazioni del mio contatto scozzese. Sebbene il quartier generale della polizia fosse al numero 1 di Parliament Street, la maggior parte dei cittadini della città e la polizia stessa si riferivano all'edificio come "High Street" ed era un linguaggio comune prevedere il destino di potenziali arresti come "finire ad High Street". Ovviamente, lo Squartatore era stato attento a evitare quel destino.

Il successivo frammento d'informazioni mi fece rizzare i capelli! In risposta alla mia domanda sulle sparizioni inspiegabili o irrisolte, il mio informatore, con il bel nome scozzese di Angus MacDonald, aveva escogitato una possibilità allettante. Per quanto ne sapeva, disse, secondo tutti i documenti ancora esistenti di quei giorni, c'era solo una scomparsa irrisolta nell'area che mi interessava.

Il 30 settembre 1888, una giovane donna di nome Flora Niddrie era entrata nella stazione di polizia piccolo nel villaggio di Corstorphine, appena ad ovest di Edimburgo per riportare che la sua amica, Morag Blennie, 22 anni, era partita per la città due mesi prima e da allora non aveva più avuto notizie, nonostante le sue promesse di restare in contatto. Orfana, Morag parlava bene ed era un po' istruita e aveva lasciato il villaggio nella speranza di trovare lavoro in città. Essendo una postazione con un solo uomo, l'agente della stazione di polizia aveva preso la dichiarazione della ragazza sulla sua amica, senza attribuirle una priorità troppo alta. Dopotutto, così tante ragazze seguivano un percorso simile e semplicemente non riuscivano a tornare a casa, a tenersi in contatto o ad entrare in contatto con i loro ex conoscenti. L'agente era anche consapevole della possibilità che Morag potesse essere scivolata nella prostituzione e probabilmente non avrebbe voluto essere trovata dalla sua amica o da chiunque altro la conoscesse. La sua scomparsa sarebbe stata un elemento di bassa priorità per la polizia del tempo.

Le macchie di sangue sul molo erano state trovate dai lavoratori portuali di prima mattina e verificate il giorno dopo l'omicidio e, in assenza di prove contrarie, la polizia di Leith Burgh aveva concluso che probabilmente si era verificata una rissa sul posto - un evento comune intorno ai moli a quanto pare - e che dopo molti spargimenti di sangue, ma senza alcun danno grave, i protagonisti sarebbero probabilmente strisciati via di casa per leccarsi le ferite.

La notte dell'omicidio, un uomo mentre tornava a casa dal pub aveva visto un uomo, come descrisse lui, in uno stato di agitazione e con le mani insanguinate, che camminava lungo George Street, nella città di Edimburgo. Lo riferì alla polizia il giorno successivo, poiché pensava che ci sarebbe stata una ricompensa in gioco se avesse assistito a qualcosa di significativo.

Con nient'altro su cui lavorare e nessun altro rapporto sull'uomo, o su qualsiasi crimine violento, la polizia della città di Edimburgo non aveva avuto altra scelta che archiviare semplicemente il rapporto e non intraprendere ulteriori azioni.

Se presi individualmente, tutti quegli eventi apparentemente non collegati significavano molto poco, eppure, e se ...? E se la ragazza descritta nel diario fosse davvero Morag Blennie? E se le macchie di sangue sul molo fossero state segnalate dalla polizia di Leith Burgh al quartier generale della polizia cittadina a Parliament Square e se la polizia cittadina avesse poi stabilito un collegamento con l'uomo notato in George Street con il sangue sulle mani? Anche se non fu data per dispersa fino al 30 di quel mese, dieci giorni dopo il suo omicidio, avrebbero potuto fare solo una cosa. Forse avrebbero potuto controllare le rive del Forth, trovare qualche piccolo capo di abbigliamento, una scarpa, solo qualcosa che poteva almeno identificare la povera vittima di quell'insensata uccisione. Chissà cosa sarebbe potuto succedere se avessero collegato tutto insieme e rintracciato l'uomo misterioso con le mani insanguinate in un hotel in città, sì, pensai, e se ...?

Solo nel 1920, le forze di Leith si fusero nella polizia della città quando i confini della stessa furono estesi per includere la piccola città portuale. All'improvviso, ogni crimine commesso entro i confini della città sarebbe caduto nella rete di una sola forza di polizia centralizzata. Purtroppo, non era così nel 1888. Sapevo in cuor mio che gli agenti di polizia dell'epoca avevano svolto il loro lavoro al meglio delle loro capacità, ma quella piccola domanda fastidiosa continuava a ripetersi nella mia testa, e se ...? Dal 1920, ogni segnalazione di comportamento sospetto, macchie di sangue inspiegabili o persone scomparse sarebbe caduta sotto il braccio investigativo di quell'unico corpo di polizia e forse la comunicazione sarebbe stata più rapida ed efficace. Se lo Squartatore avesse visitato la città di Edimburgo dopo il 1920, non sarebbe stato così fortunato, poiché mi sembrò che quella volta fosse stato un po' sciatto nelle sue azioni, rispetto alla sua relativa invisibilità nel commettere i suoi atti atroci in Londra.

Sebbene non avesse risposto con certezza a nessuna delle mie domande, ero grato per le informazioni fornite dal signor MacDonald e, almeno nella mia mente, ero incline a pensare a quella povera ragazza - il suo corpo che galleggiava nell'oceano nel cuore della notte - come Morag Blennie. Pensai che fosse meglio darle quel nome che nessuno; dopo tutti quegli anni non pensavo che a qualcuno sarebbe dispiaciuto.

La mia bocca era molto secca e la mia testa pulsava. Guardai il diario che giaceva sulla scrivania davanti a me e rabbrividii di nuovo. C'era qualcosa di molto spaventoso in quella raccolta di carte, quasi come se stesse portando il suo messaggio dalle profondità dell'Inferno stesso. Le parole stesse, più le guardavo, più sembravano intrise della vita e dell'anima dell'orrenda mano che le aveva scritte, su quelle pagine logore, leggermente sbiadite, che, stranamente, erano quasi calde al tatto. Naturalmente erano calde; le avevo tenute tra le mani così a lungo che il calore del mio corpo doveva essersi trasferito alle pagine, dando quell'impressione. Mi rimproverai per quella stupidità, mentre allo stesso tempo credevo anche alle mie paure irrazionali e molto poco professionali.

Che lui fosse in grado di pensare in maniera logica, era evidente per me dalla sua consapevolezza che lasciare la sua vittima in mostra, come aveva fatto con le donne a Londra, avrebbe attirato una risposta immediata della polizia. Anche se quell'ultimo omicidio era avvenuto lontano dalle strade di Whitechapel, sicuramente la notizia di una prostituta mutilata a Edimburgo sarebbe presto arrivata alle orecchie della polizia metropolitana e avrebbe portato gli investigatori verso nord. Anche se a quel punto se ne sarebbe andato da tempo, era evidente che non voleva che la polizia, o chiunque altro, trovasse una traccia della sua visita a Edimburgo. Sì, riuscivo a vedere i processi logici del suo pensiero all'opera: la sua decisione di gettare il corpo della povera ragazza in acqua, che galleggiava sanguinante e fatta a pezzi, e si perdeva nell'oblio.

Vedeva ancora le prostitute come una sostanza

inquinante nella società, uno scoglio da distruggere e, senza dubbio, lui si vedeva come una sorta di angelo vendicatore: questo era chiaro. Non si sarebbe fermato finché non avrebbe liberato il mondo dai suoi bersagli, quelle povere sfortunate, una delle quali aveva probabilmente avvelenato il suo stesso corpo malato.

Mi preparai a riprendere il diario, respirando profondamente; il mio battito cardiaco accelerò al pensiero di toccare quella cosa; il mio senso di paura e disgusto, per ciò che doveva ancora venire, cresceva di minuto in minuto. Mentre mi chinavo in avanti verso la scrivania, vidi che le mie mani tremavano più che mai; mi sembrava di essere preso dall'antica domanda dell'uomo 'combatti o fuggi'. Dovevo prenderlo o scappare dalla stanza e cercare rifugio nella sicurezza del salotto. Rifugio? Rifugio da cosa? Mi chiesi. Sforzandomi di pensare razionalmente, allungai lentamente la mano attraverso la scrivania, ancora tremando notevolmente e proprio mentre stavo per prendere di nuovo il diario ...

Il campanello suonò! Dannazione, avevo dimenticato del tutto la signora Armitage. Doveva essere lei, venuta a controllare il mio benessere. Avrebbe fatto rapporto a Sarah senza dubbio. Se non avessi risposto alla porta, avrebbe pensato a tutti i tipi di pensieri orribili e avrebbe preoccupato Sarah con ogni sorta di problemi inventati. Facendo un respiro profondo e, devo ammetterlo, quasi con un senso di sollievo di avere la scusa di lasciare lo studio per qualche minuto, lasciai il diario al centro della scrivania, mi alzai dalla sedia e lasciai lentamente lo studio, anche troppo lentamente pensai, arrivai in fondo al corridoio e, con dita tremanti, girai la chiave per aprire la porta anteriore.

DICIOTTO
UNA VOCE DALLA TOMBA?

"ROBERT? Robert, qual è il problema? Avete un aspetto assolutamente terribile, siete malato? Sarah sa in che stato vi trovate? Ditemi cosa c'è che non va, perché non siete venuto o non mi avete chiamato, se mi aveste detto che eravate malato sarei venuta subito a trovarvi".

La signora Armitage rimase lì, respirando a malapena mentre si lanciava nella sua preoccupata modalità 'vicina'. In verità, non mi ero reso conto di avere un aspetto così brutto, considerando la prova mentale che stavo attraversando con ogni pagina del diario che stavo leggendo.

"Sto bene signora Armitage, onestamente, cosa le fa pensare che io sia malato?"

"Oh, andiamo Robert, da quanto vi conosco? Sembra che voi siate stato sveglio tutta la notte (*cosa che ovviamente avevo fatto*) e mio caro ragazzo, siete così pallido! Se non lo sapessi, penserei che voi siate uno di quegli uomini che va in declino, solo perché sua moglie è via per qualche giorno. Quando avete mangiato l'ultima volta?"

"In realtà, ho fatto colazione tempo fa e un buon pasto ieri sera, quindi sto bene, come ho detto. Non c'è niente di sbagliato, ho solo lavorato su qualcosa ed è vero che non ho dormito molto ma, a parte questo, sto bene, onestamente".

"Beh, non lo sembrate, questo è certo; sembrate così tirato e, beh, sembra che voi abbiate visto un fantasma. Non vi è successo niente per spaventarvi, vero?"

"Oh, andiamo, signora Armitage, sono un uomo adulto per l'amor di Dio, di cosa dovrei aver paura qui a casa mia? È solo lavoro, tutto qui".

"Davvero, Robert, dovevate prendervi del tempo libero per sistemare gli affari del vostro povero padre, non impantanarvi nel lavoro. Dovreste riposarvi un po'; sapete, recentemente avete avuto qualche settimana stressante".

"Sì, lo so. Senta, signora Armitage, apprezzo la sua preoccupazione, davvero, ma devo andare avanti. Sto bene, davvero, e probabilmente stanotte dormirò bene e domani mi sentirò molto meglio".

Non mi piaceva essere così sprezzante nei confronti della nostra vicina premurosa, che era una ficcanaso, va bene, ma almeno aveva un cuore d'oro.

Aveva buone intenzioni e lo sapevo. Però aveva colto il suggerimento.

"Molto bene Robert, se lo dite voi", rispose lei, "ma vi chiamerò domani e vedrò se state bene. Sarah non mi perdonerebbe mai se non fossi sicura che vi stiate prendendo cura di voi stesso mentre lei è via, giusto?"

"Ok, ok, adesso, per favore signora Armitage ..."

"Va bene Robert, ma ricordate, prendetevi cura di voi stesso, se avete bisogno di me, chiamatemi. Ci vediamo domani".

Finalmente, ero di nuovo solo. Osservai la signora Armitage mentre scompariva lungo il vialetto, fuori dal cancello e si voltava verso casa sua; poi mi diressi in cucina. Era decisamente necessario altro caffè prima di tornare nello studio e al diario. Passarono altri cinque minuti mentre gironzolavo in cucina, preparando il caffè e scegliendo una manciata di biscotti al cioccolato per accompagnarlo. Ero un po' scioccato che la signora Armitage avesse visto in me un tale cambiamento da essere così evidente. Avrei dovuto lavorare sodo per mantenermi in forza e non lasciare che il diario prendesse troppo il sopravvento (o l'aveva già fatto?). Mi posi l'obiettivo di due ore al massimo per continuare la mia esplorazione del diario, dopo, mi ripromisi, mi sarei fermato a pranzo e mi sarei preso una dose d'aria fresca, magari facendo una passeggiata in paese per comprare un giornale o qualcosa del genere. Almeno, quello era il piano.

Mentre tornavo nello studio, l'atmosfera all'interno della stanza mi sembrò improvvisamente piuttosto pesante e opprimente, come se una presenza che non potevo spiegare fosse sospesa nell'aria. Non l'avevo notato prima, era piuttosto strano, non avevo sperimentato nulla di simile prima. Era quasi come se, nel tempo che avevo impiegato per parlare con la signora Armitage e preparare il caffè, la stanza fosse stata invasa da un'aura onnipervadente, una sensazione piuttosto che una presenza. Era stupido, mi dissi che mi stavo semplicemente spaventando e diventando ansioso per il contenuto del diario, ecco tutto. Stupido o no, la sensazione era abbastanza reale e snervante e, nonostante la luce del sole si riversasse nella stanza attraverso le finestre dello studio, accesi la lampada da tavolo, un radiante caldo che proiettò un bagliore confortante sulla scrivania. La stanza era anche spiacevolmente calda, il che era insolito perché nello studio non c'era il riscaldamento e il tempo non era ancora abbastanza freddo per il riscaldamento centralizzato. Aprii le persiane superiori delle finestre per far entrare un po' di aria fresca nella stanza e tornai alla scrivania.

Se il suono del campanello era stata la mia prima sorpresa della giornata, la seconda non fu da meno. Mentre giravo la pagina del diario, aspettandomi di trovare davanti ai miei occhi la prossima nota dello Squartatore, immagina il mio stupore quando invece trovai, nascosta tra la pagina precedente che avevo letto e quella successiva, una pagina vecchia e di buona qualità, una velina scritta dalla mano del mio bisnonno! Era più piccola delle pagine del diario, assicurando così che fosse rimasta ordinatamente tra le pagine, indisturbata, probabilmente da quando mio padre aveva letto il diario per la prima volta.

Non era datata ed era indirizzata semplicemente a 'Figlio mio'. Quello ovviamente sarebbe stato mio nonno. La calligrafia era pulita, molto ordinata, come pensavo si addicesse ad un membro del Royal College dei chirurghi. Il mio bisnonno aveva scritto quanto segue:

Figlio mio

Scrivo questo dopo l'evento. In quanto tale, è facile dire che avrei dovuto agire prima, ma all'epoca pensavo che la mia diagnosi fosse corretta e che agivo nell'interesse del paziente, l'uomo che ha scritto il diario che stai leggendo. Ho inserito questa nota a questo punto nel diario perché è in questo momento della cronografia del diario che sono stato coinvolto in queste tragiche questioni. Che io sia un disgraziato della massima portata è fuori discussione e vorrei aver avuto un po' più di lungimiranza in quel momento, ma il passato è storia e non può essere cambiato.

Era il 23 di settembre dell'anno del nostro Signore 1888. Sì, il 23, ne sono sicuro. Ero nel mio studio in Charles Street, tra i pazienti, quando bussarono forte alla mia porta. Erano due rappresentanti dell'ospedale di Charing Cross, che mi avevano chiamato per chiedermi di andarci appena possibile. Sembrava che avessero un paziente, ricoverato di recente, che era in uno stato di grande confusione, quasi delirio. Era stato portato in ospedale da un agente di polizia dopo essere stato trovato a vagabondare nelle ore diurne mostrando segni di disorientamento, molto perplesso e disturbato. Sembrava non sapere chi fosse, o addirittura dove fosse, o addirittura da dove venisse. Non riusciva a ricordare nulla dei suoi movimenti recenti né di dove abitava, quindi era stato trasferito in infermeria dove era stato visitato dai medici. Sebbene potesse parlare poco, era riuscito a dare loro il mio nome in quanto di sua conoscenza e, senza altri mezzi per identificarlo e non essere sicuro di cosa esattamente affliggeva l'uomo, il medico incaricato del suo caso, un certo dottor Silas Malcolm, li aveva mandati in fretta e furia alla mia porta con questa urgente richiesta di intervenire su di lui.

Ora, Silas Malcolm mi era noto sin dai miei giorni al Lincoln's Inn Fields. Avevamo studiato insieme per un po' di tempo e ci siamo diplomati come chirurghi più o meno nello stesso periodo, così ricordavo, quindi era naturale che io acconsentissi alla sua richiesta di assistenza in quel caso.

Immagina la mia sorpresa, figlio mio, quando sono arrivato in ospedale e mi hanno presentato il paziente. L'avevo visto l'ultima volta alcune settimane prima, certamente non molto tempo prima, e rimasi sbigottito dal suo stato di collasso. Silas Malcolm mi aveva salutato cordialmente e, dopo aver confermato che conoscevo il suo paziente, si era azzardato a pensare che l'uomo soffrisse di una febbre cerebrale indotta dall'eccessiva somministrazione di laudano. Accettai, spiegando che il paziente (non lo nominerò qui), mi aveva parlato in privato qualche tempo prima e aveva indicato che soffriva di forti mal di testa e stanchezza e avevo suggerito che una piccola dose regolare di laudano potesse dimostrarsi efficace. Sembrava tuttavia che il paziente avesse preso troppo a cuore le mie parole e si fosse assuefatto al farmaco, che, come sai, può causare disturbi comportamentali estremi se assunto in quantità eccessive.

Lo incontrai il giorno successivo, quando il paziente fu sufficientemente coerente per parlare lucidamente a chiunque, ed era un po' sorpreso, anche se ovviamente contento di vedermi al suo capezzale, dopo aver visitato il reparto alla fine del mio intervento. Era ancora in uno stato di confusione, pensava di aver fatto un viaggio in treno, anche se non ricordava dove fosse andato ed era ossessionato dal pensiero di aver ucciso una ragazza. Ha detto che la sua mente era 'piena di sangue' e che non poteva chiudere gli occhi senza vedere il sangue della sua vittima 'colare nello scarico'.

Tutte quelle affermazioni le avevo attribuite all'effetto allucinogeno della sua overdose di laudano, stupido cieco che sono stato! Lo rassicurai dicendo che soffriva di una forma minore e temporanea di demenza causata dall'uso eccessivo di laudano e che sarebbe stato di nuovo bene in un giorno o due. Il dottor Malcolm aveva prescritto una serie di purganti, che stavano rapidamente allontanando il laudano dal suo sistema circolatorio e io dissi che gli sarebbe stato permesso di lasciare l'ospedale entro due giorni.

Perché non gli avevo creduto? Perché, figlio mio, perché? Forse, se lo avessi fatto, si sarebbe potuto evitare tanto dolore e tanto meno sangue versato per le strade di Londra. Ma non gli credetti, non gli credetti, e dovrò sempre convivere con questa consapevolezza. Potresti chiedermi perché mi sono preso tanta pena di far visita a quell'uomo che non ho nominato, di interessarmi al suo benessere. Ti dico ora, figlio mio, che se avessi potuto tornare indietro nel tempo, lo avrei allontanato quando lo vidi la prima volta, qualche mese prima, al mio club. Mi si era avvicinato e mi aveva chiesto se lo conoscessi. Naturalmente, non dal suo volto, ma dai suoi occhi. Aveva gli occhi di sua madre, sai, e non ho mai dimenticato quella signorina che lo aveva partorito anni prima. In ossequio alla sua memoria, fui abbastanza cortese con lui e lo trattai più gentilmente che potei e lo considerai un bravo giovanotto per la maggior parte del tempo.

So che ti starai chiedendo chi fosse lui, chi fosse sua madre e forse te lo rivelerò a suo tempo, ma non adesso. Per ora, tieni presente che ci sono ragioni per cui lo tengo per me. Continua a leggere il suo diario, figlio mio, e ti dirò di più, più avanti, te lo prometto.

La nota finiva lì, una conclusione allettante per una dichiarazione sconcertante. In verità, mi sembrava che le parole del mio bisnonno avessero sollevato più domande di quante non avessero fornito risposte, anche se almeno adesso ero sicuro di un legame autentico e solido tra il bisnonno e lo Squartatore. Quanto a quella donna, sua madre, poteva essere stata un'amante del bisnonno prima o forse anche durante il suo matrimonio con la mia bisnonna? È per questo che si era rifiutato di nominarla? Lo Squartatore poteva essere suo figlio, un mio antenato illegittimo? Il pensiero mi fece rabbrividire, perché, se fosse vero, allora il sangue dello Squartatore avrebbe potuto scorrere nelle mie vene in quel preciso momento, perché entrambi avremmo condiviso i geni del bisnonno, almeno se fosse stato così.

Pensavo di sapere tutto della storia della mia famiglia, ma forse nell'armadio c'erano degli scheletri di cui non ero mai venuto a conoscenza. Ero abbastanza spaventato al pensiero che forse stavo per scoprirli.

Qualunque senso di presentimento avessi provato fino a quel momento ora era raddoppiato d'intensità. Qualunque fosse la verità della questione, qualunque rivelazione fosse rimasta nascosta, all'interno delle pagine non ancora lette del diario, sentii che la mia pace mentale, così com'era, non sarebbe mai tornata del tutto in equilibrio, quello che avevo avuto prima di visionare quel documento di malvagità e di malata depravazione. Mi chiedevo, dove mi stesse portando quello strano viaggio, perché, anche se in verità non avevo messo piede fuori di casa da quando ero tornato a casa con il diario, psicologicamente ero stato trasportato nel mondo oscuro e tetro della vittoriana Whitechapel, ero stato testimone di numerosi atti macabri, viziosi omicidi e mutilazioni, avevo viaggiato nella Edimburgo del XIX secolo per osservare ancora scene di uccisioni premature e feroci e ora la mia mente era assediata dai pensieri che Jack lo Squartatore potesse, in qualche modo, essere stato un mio parente, poiché il seme del mio bisnonno poteva essere stato impiantato in quell'assassino sconosciuto crudele e disumano e potesse fluire anche nelle mie vene.

I miei palmi stavano sudando, la mia fronte era profondamente inarcata e il mio cuore batteva forte nel petto. Mi sentivo come se un'esplosione di emozioni profonde, precedentemente non sfruttate, si fosse improvvisamente rilasciata nel profondo della mia anima e, nonostante i miei tentativi di convincere la mia mente che tutto era normale, che nulla era cambiato, sentii l'inizio di ciò che si sarebbe trasformato nell'incubo vivente più lungo e più spaventoso che avessi potuto immaginare per me stesso. Credetemi quando vi dico che l'Inferno esiste in molte forme diverse. Nelle parole del suo diario, lo Squartatore sentiva di essere già lì e la mia discesa in quel luogo spaventoso fu solo all'inizio!

DICIANNOVE

DI DIARI E GIORNALISMO

Quando le parole del biglietto del mio bisnonno iniziarono a penetrare più a fondo nella mia coscienza, nella mia mente crebbe la sensazione di trovarmi di fronte a innumerevoli domande, alle quali non avevo precisamente una risposta. In primo luogo, non c'era una sola informazione nella nota che spiegasse esattamente dove era stato trovato lo Squartatore che vagava incoerentemente per le strade di Londra. Né c'era nulla che mi fornisse una spiegazione su quando o come fosse iniziata quell'improvvisa crisi di disorientamento e parziale perdita di memoria. Aveva iniziato ad avere allucinazioni mentre tornava a Londra in treno? Era arrivato prima a casa sua, solo per soccombere a quella strana e improvvisa reazione, dopo essere uscito di casa qualche tempo dopo?

L'ultima nota sul diario era datata 20 settembre e la nota del mio bisnonno era datata 23. Potevo presumere quindi dalle sue parole che il paziente era stato ammesso uno o due giorni prima di tale data, quindi forse il collasso dello Squartatore si era verificato il 21, ovvero quasi certamente il giorno in cui era tornato in treno a Londra. Al più tardi sarebbe stato ricoverato in ospedale il 22, quindi non c'era proprio un abisso di date vuote. Spiegava perché non c'erano note nel diario per quelle date. Non sarebbe stato possibile per lui accedere al suo diario se fosse stato alloggiato in un letto di una corsia d'ospedale.

Devo ammettere che ero totalmente incuriosito dai riferimenti alla madre dello Squartatore. Chi poteva essere stata? Se non fosse stata un'amante segreta o una parente del mio bisnonno, cosa avrebbe provocato, nel mio antenato, quel sentimento di responsabilità verso quell'uomo? Era logico presumere che l'uomo fosse il figlio bastardo di una relazione illecita tra il bisnonno e quella donna misteriosa? Certo che no, dissi tra me e me. Potevano esserci molte ragioni per i suoi sentimenti di benevolenza verso quell'uomo, anche se dovetti ammettere che, in quel momento, non riuscivo a pensarne alcuna! All'improvviso capii che l'uomo doveva essere giovane. Perché? Il bisnonno non aveva menzionato la sua età, solo che gli ricordava sua madre, eppure, in qualche modo, avevo la sensazione di avere ragione. Jack lo Squartatore era un uomo giovane, probabilmente più giovane di me a quel tempo, lo sapevo e basta, senza prove concrete a portata di mano, lo sapevo e basta.

I miei appunti di ricerca giacevano sulla scrivania di fronte a me, dove li avevo lasciati pronti per la mia nuova escursione nelle pagine del diario. All'improvviso qualcosa sulla prima pagina parve balzare fuori dal foglio e mi colpì dritto in mezzo agli occhi. Era una data, il 30 settembre 1888. Era ovviamente la data del cosiddetto 'duplice omicidio', quando Elizabeth Stride e Catherine Eddowes avrebbero incontrato la loro terribile morte. Eppure c'era qualcos'altro, non ci avevo pensato all'inizio, ma c'era un significato in quella data che per il momento mi sfuggiva. Mi scervellai ma non lo trovai, nessuna rivelazione accecante o realizzazione mi venne in mente. Avrei dovuto sperare che la mia memoria entrasse in azione in breve tempo e che il significato della data si rivelasse a me.

Supposi che era per la mancanza di una buona dormita; anche se era ancora abbastanza presto, improvvisamente sentii i miei occhi diventare pesanti, i miei pensieri sembrarono incepparsi, come se fossi stato preso in un vortice d'improvvisa ubriachezza. Mi scossi nel tentativo di schiarirmi le idee. Mentre lo facevo, mi parve di sentire un suono dietro di me, una specie di fruscio sommesso, come se qualcuno calpestasse foglie secche. Mi voltai velocemente, sapendo logicamente che non c'era nessuno lì, ma allo stesso tempo, le mie paure e le mie idee illogiche erano tali che dovevo solo controllare, di essere veramente solo. Lo ero, ovviamente.

Il pensiero più importante nella mia mente in quel momento era semplice: era possibile essere soli e tuttavia non esserlo? Chiunque sia stato innamorato probabilmente riconoscerà quel concetto, la sensazione che, non importa quanto distanti possano essere, due amanti possono ancora sentirsi come se fossero distanti miglia. Sfortunatamente per me, la sensazione nella mia mente non era quella di stare con Sarah, la donna più bella con cui avevo condiviso la mia vita, e che era a molti chilometri di distanza, a casa di sua sorella; no, la mia sensazione era di stare insieme con la forza malevola, che sentivo in qualche modo contenuta nelle parole e nelle pagine del diario. Come una massa cancerosa di proporzioni gigantesche, la sensazione mi abbatté, la mia mente era annebbiata da pensieri di morte, di una follia che correva senza controllo, verso un inevitabile culmine di distruzione; ma di chi, sua o mia? La sua distruzione, ovviamente, era stata un fatto storico. Erano passati più di cento anni dalla serie di omicidi che aveva perpetrato e Jack lo Squartatore, chiunque fosse stato, era ormai morto da tempo. Allora, perché stavo facendo quella domanda? Possibile che la mia mente stesse diventando offuscata e contorta, a causa delle parole che fluttuavano verso i miei occhi da quelle pagine invecchiate, dalla carta stessa, stranamente calde al tatto e orribili nel contenuto?

Mi scossi ancora una volta nel tentativo di dissipare il sogno ad occhi aperti, la sensazione ultraterrena di aleggiare sopra di me, che incombeva su tutto lo studio, il librarsi appena sotto il soffitto di una nuvola di depressione e paura, d'intenzioni malvagie e scopi malevoli. Perché non mi sono arreso, buttando il maledetto diario nella spazzatura, o meglio ancora, portarlo in giardino e bruciarlo? Non ci sono riuscito. Non importa quanto avrei voluto disfarmene, per non leggere nemmeno una singola pagina delle depravazioni commesse dallo Squartatore: ero in qualche modo guidato da un'ossessione che non potevo negare, come se una volontà più forte della mia stava invadendo il mio corpo e la mia mente.

Anche se la testa mi faceva male e il cuore mi pulsava rumorosamente nel petto e, sebbene ogni parte logica dell'uomo che ero mi gridasse di lasciar perdere, sapevo che non avrei mai abbandonato il mio strano viaggio nel diario finché non l'avessi letto fino all'ultima pagina intrisa di sangue, fino a quando non avrei scoperto il segreto, contenuto in qualche luogo all'interno di quelle pagine o nelle parole del mio antenato, che avevano iniziato questa maledizione sulla nostra famiglia lasciando in eredità il diario a mio nonno, che aveva, tragicamente continuato l'usanza, o forse dovrei dire, l'ossessione? Mi venne in mente il pensiero che forse mio nonno e mio padre avevano entrambi provato le stesse sensazioni cui ero sottoposto in quell'istante. Se lo fossero stati, mi chiedevo come avevano affrontato quella conoscenza, che alla fine mi sarebbe stata rivelata. Sapevo che mio nonno aveva trascorso gli ultimi anni della sua vita come un recluso virtuale, lasciando di rado la sua casa e allontanando i visitatori dalla sua porta, ad eccezione dei membri più stretti della sua famiglia. L'avevo semplicemente considerato un po' strano, forse un po' senile, ora forse era il momento di rivedere quell'opinione, ma con cosa sostituirla? Persino mio padre aveva subito un cambiamento di personalità negli ultimi anni della sua vita. Il suo volto, un tempo permanentemente allegro, era stato sostituito da uno sconvolto e segnato da rughe di preoccupazione, una fronte corrugata e una perdita del suo senso dell'umorismo, un tempo quasi leggendario. Forse non era stato solo il risultato della sua lunga battaglia contro il cancro, come avevo pensato. Forse qualcosa di molto più malevolo aveva divorato il suo cuore e la sua anima, come poteva aver fatto a coloro che ci erano passati prima di lui.

Questo era brutto, incredibilmente brutto. Non riuscivo proprio a scrollarmi di dosso quella terribile sensazione di rovina e tristezza, di crescente depressione e oppressione. Quella era la parola giusta, oppressione. La stanza era piena di un tangibile senso di crudeltà e tirannia, mi sentivo come se non avessi più il controllo degli eventi, un drappo incombeva su di me e non sarebbe andato via finché non avessi completato il mio compito e ciò significava raggiungere l'ultima pagina con l'ultima parola del diario, l'ultima traccia d'informazioni del mio bisnonno. Stavo scoppiando? Cominciai a pensare di sì. Anche la mia mente professionalmente addestrata e analitica poteva essere influenzata da forze esterne. Lo sapevo e mi chiedevo quanto sarei stato influenzato dalle restanti pagine del diario.

Dovevo essere caduto di nuovo in uno di quei 'sonni da veglia'; sai, quando pensi di essere sveglio, ma in realtà ti sei appisolato per un po' e ti svegli, sentendoti come se avessi dormito per ore, quando in realtà sono passati solo pochi secondi, o forse un minuto. Comunque, all'improvviso mi risvegliai con una violenta scossa e per un momento non ero nemmeno sicuro di dove fossi. Mi sistemai in qualche modo e guardai l'orologio. Mi resi conto che era passato il tempo in cui mi ero ripromesso di interrompere quello che stavo facendo e di prendermi una pausa, magari di prendere un po' d'aria fresca nei polmoni. Per quanto volessi e avessi bisogno di continuare il mio viaggio nel diario, sapevo che dovevo lasciare lo studio e raccogliere i miei pensieri e dare alla mia mente e al mio corpo l'opportunità di rigenerarsi, anche per un breve periodo. Così, con uno sforzo supremo (e fu molto difficile), mi alzai dalla sedia, lasciandomi il diario e gli appunti alle spalle e uscii dallo studio senza guardarmi indietro. Pensai, che se avessi lanciato uno sguardo indietro in quella direzione, sarei probabilmente tornato alla sedia.

La passeggiata nel centro del paesino, dove Sarah ed io avevamo stabilito la nostra casa cinque anni prima, non fu lunga, ma decisamente piacevole. Ingoiai parecchie boccate d'aria fresca e dal sapore dolce mentre camminavo lungo la strada. Gli uccelli cantavano, un bel canto risonante che riempiva l'aria intorno a me. Tordi, passeri e vari fringuelli erano tutti uniti in un concerto armonioso di uno sfrenato canto gioioso degli uccelli, tutto apparentemente coreografato e guidato dalla voce tumultuosamente melodica di un unico merlo, che vidi appollaiato maestosamente sulla cima di un palo del telegrafo sul lato opposto della strada, il collo teso verso l'alto, il becco giallo come una bacchetta da direttore d'orchestra mentre coordinava la sinfonia del canto. Il sole era caldo sul mio collo mentre camminavo e l'accenno di una brezza servì a far frusciare dolcemente le foglie degli alberi mentre camminavo: olmi, sorbi e l'unica grande quercia che faceva la guardia all'unico incrocio nel villaggio. Per alcuni minuti, mentre camminavo, gli orrori della vittoriana Whitechapel, i terribili crimini dello Squartatore, tutti i pensieri di follia, demenza e gli effetti strani e diabolici del diario rimasero lontani da me. La mia mente, che nelle ultime ventiquattr'ore si era riempita di poco altro, fu improvvisamente libera di godere dei semplici piaceri della mia camminata, della sinfonia degli uccelli e della dolce e gentile serenata di accompagnamento delle foglie, mentre danzavano e frusciavano nella brezza e nei meravigliosi raggi del sole.

Attraversai la strada principale e mi avvicinai al giornalaio solitario del villaggio. Mentre mi avvicinavo al negozietto, le parole stampate sulle notizie che si trovavano accanto alla porta mi balzarono addosso. *DONNA MACELLATA IN UN BRUTALE ASSASSINIO!* La mia fuga dagli orrori dei crimini dello Squartatore non era durata a lungo. Tutti i pensieri sul canto degli uccelli, il fruscio delle foglie e le calde giornate di sole furono immediatamente dissipati da quelle parole crude, scritte in grassetto pennarello nero, su quello sfondo di carta bianca vergine. Ero circondato dalla morte, dalla terribile verità della realtà, che qui, nel mezzo della nostra cosiddetta società moderna illuminata, la brutalità e l'omicidio erano ancora dietro l'angolo, aspettando - come lo Squartatore - la notte, per colpire e distruggere le vite degli innocenti.

Entrai nel negozio per essere accolto dal volto sorridente e amichevole di Rashid, il proprietario, che, nonostante il suo nome e le sue origini, apparentemente aveva vissuto nel villaggio più a lungo della stragrande maggioranza del suo attuale gruppo di residenti. Provai a rispondere al suo gioviale "Buongiorno, dottore" con un'allegria che di certo non provavo e subito acquistai una copia del Daily Mail e del giornale locale, la cui prima pagina era dedicata alla brutale uccisione annunciata sulla lavagna fuori dalla porta.

Cinque minuti dopo, ero seduto sulla piccola panchina di legno che si affacciava sul piccolo stagno del villaggio, popolato dal solito gruppo di anatre residenti, tutte innocentemente soddisfatte a remare sulla superficie scintillante, con le loro ombre riflesse come anatre capovolte increspate nel chiarore dell'acqua. Lasciando da parte il Daily Mail, passai rapidamente in rassegna la notizia principale del giornale locale. Una donna di trent'anni era stata trovata in un vicolo della città di Guildford, non lontano dal mio tranquillo villaggio. Alla povera donna era stata tagliata la gola ed era stata orribilmente mutilata. Il rapporto concludeva: *"In un crimine che ricorda gli omicidi di Jack lo Squartatore nella Londra del XIX secolo, la polizia sta cercando con urgenza l'autore di questo atto odioso e barbaro, che al momento appare senza motivo. Con poche prove per il momento, l'ufficiale incaricato del caso chiede che il pubblico rimanga vigile e che le donne della zona prestino particolare attenzione se escono da sole dopo il tramonto"*.

La mia testa girava, il tremito nelle mani era tornato e il giornale tremò visibilmente mentre cercavo di trattenerlo, come se fosse l'ultimo oggetto solido in un universo che si sgretolava rapidamente.

"Perché ora?" Chiesi ad alta voce, anche se a nessuno in particolare, (dopotutto ero solo). Perché questo doveva accadere in questo preciso momento? Il mio cuore era andato alla povera vittima di quel crimine orribile e sadico e alla sua famiglia ovviamente, ma era quasi troppo per la mia mente, da dover affrontare. Era avvenuto proprio quando il diario era caduto nelle mie mani, la sera stessa che avevo iniziato ad esplorare le sue pagine sinistre e antiche. Aggiunto a ciò il riferimento del giornale allo Squartatore in persona e la coincidenza si rivelò inquietante, come se il presente riflettesse in qualche modo il passato.

No, non potevo accettarlo. Jack lo Squartatore era morto molto tempo prima e nessuno sapeva dell'esistenza del diario, quindi l'omicidio di quella povera donna sfortunata non era stato altro che una macabra coincidenza, tutto qui. Continuavo a ripetermi quel fatto mentre tornavo lentamente a casa, i miei piedi e le gambe sembravano di piombo, il mio cuore pesante e la mia mente avvolti in un vortice. Gli uccelli probabilmente cantavano ancora, le foglie frusciavano silenziosamente e il sole era probabilmente caldo come prima, ma non lo sentii più, lo giuro. Tornai a casa imbambolato forse come uno zombie, buttai i giornali sul tavolo della cucina e mi sedetti sulla poltrona accanto al caminetto di Sara con la testa tra le mani, mentre quella cappa di oscurità e depressione trasudò dallo studio alla cucina e rapidamente si avvolse intorno a me. In verità, non mi ero mai sentito così infelice, così turbato mentalmente e così privo di fiducia.

Mi sentivo come se il mio mondo meravigliosamente costruito mi venisse strappato via da un potere, da una forza che ancora non riuscivo nemmeno a riconoscere. Sapevo che in breve tempo sarei tornato nello studio, avrei ripreso il diario e sarei andato sempre più a fondo nella mente e nel mondo di Jack lo Squartatore. Quello che avrei trovato lì, nessuno lo sapeva. Certamente non volevo cercare di prevedere cosa mi avrebbe colpito la prossima volta che avrei sbirciato quelle pagine; ero ancora così turbato dalla strana coincidenza dell'omicidio della povera donna, a pochi chilometri da casa mia, della notte precedente. Mentre ero seduto a leggere le parole dello Squartatore, qualcuno l'aveva trascinata in un vicolo buio e terrificante, le aveva tagliato la gola e aveva commesso atti di grande crudeltà e orrore sul suo corpo. Ricordo di aver pensato che, anche se lo Squartatore poteva essere morto da tempo, qualcosa della sua crudeltà potesse esistere in ognuno di noi, sepolto nel profondo del subconscio di uomini e donne apparentemente razionali, ma era lì, in attesa di essere liberato da un catalizzatore giusto, se e quando sarebbe arrivato il momento.

Sentendo di essere attirato da una strana inevitabilità e sentendomi più teso e nervoso di quanto avrei creduto possibile in me stesso solo ventiquattro ore prima, mi alzai dalla sedia. Il diario mi stava aspettando ...

VENTI
'CARO CAPO'

25 Settembre 1888

La confusione regna nella mia testa. Sono turbato dagli eventi. Mi avevano messo lì, in quel posto, in quel letto e stavo soffrendo tanto per l'oblio. Grazie a Dio è arrivato Cavendish! Lui è la mia roccia, la mia ancora, almeno sa e non mi ha denunciato per la mia follia. Mi hanno però tenuto lontano dall'unica cosa che aiuta questo dolore nella mia testa, il mio laudano.

Sono passate ore e sto meglio di prima, molto meglio. La mia mente è lucida e ancora una volta posso concentrare i miei pensieri su ciò che deve essere fatto. Non ero così lucido in ospedale; in verità, non riesco a ricordare come ci sono arrivato, mi sono sentito così male sul treno e poi i miei sensi sono venuti meno, anche se ricordo di aver blaterato qualcosa a Cavendish. Ha dato la colpa al laudano, ah! Che cosa ho detto? Di questo non posso essere sicuro. Ho detto troppe cose di cui non si dovrebbe parlare? So di avergli parlato della puttana scozzese, ma poco altro. Il suo senso della logica, il suo giudizio professionale e la sua lealtà manterranno il suo silenzio.

Adesso ho molto da fare. Le strade sono piene di puttane che hanno bisogno di essere giustiziate, da consegnare alla loro giusta fine. Questa volta mi divertirò, perché sono invisibile e i fannulloni dei poliziotti sono impotenti a prendermi.

Immagino di scrivere a loro, no, non direttamente a loro, perché non sarebbe divertente. La stampa avrà le mie parole e lascerà che stampino la promessa che agirò e il pubblico leggerà quelle parole e tremerà e la polizia leggerà quelle parole, e si dimenerà nella loro incapacità di prendermi. Nasconderò la mia mano, più per confonderli, e avrò bisogno di un nome che si addica al mio compito, e l'inchiostro sarà rosso come il sangue delle puttane che strappo: il nome con cui stuzzicherò e schernirò i poveri sciocchi. Perché non sono io l'originale Jack così agile, Jack così veloce, non strappo le puttane in modo così veloce e lucido? Un po' lungo? Forse. Allora darò loro il nome 'Jack, lo Squartatore', lo squartatore delle puttane, lascerò che inseguano le ombre, mentre allargo i miei percorsi attraverso le meravigliose grotte del signor Bazalgette, che mi ha così gentilmente fornito il mantello dell'invisibilità con cui evito le uniformi e i fischietti, i fannulloni e gli inquirenti. Devo tornare nelle strade, hanno dormito troppo a lungo, le voci, devono parlarmi ancora una volta e insieme raccoglieremo il sangue che è mio di diritto.

Inizierò subito la mia lettera; la manderò al capo, non ad una qualsiasi pubblicazione ma alla più grande agenzia della città! Lascia che mi conoscano e che mi temano. La darò loro nel colore del sangue delle puttane; vorrei avere quello reale con cui scriverlo, ma forse in futuro lo farò. Le mie parole raggiungeranno in profondità i cuori delle sporche puttane e tremeranno, perché sapranno che vengo per loro, una alla volta, una dopo l'altra. Sì, tremate signorine della notte; tenete le vostre interiora finché potete, Jack sta venendo per tutte voi.

QUINDI ECCOLO LÌ, davanti ai miei occhi. Mi sembrava di aver assistito, con quelle poche parole, alla nascita di Jack lo Squartatore! Eppure quanto banale, quanto casuale era stata la sua decisione di usare quel nome, ora sinonimo della morte di quelle povere donne tanto tempo prima. Naturalmente, il nome Jack era stato quasi un'istituzione vittoriana. Quasi tutti i romanzi dell'epoca avevano un 'Jack' da qualche parte al suo interno. C'era Jack Tar, per un marinaio e la filastrocca cui lo Squartatore aveva alluso nei suoi scritti era ovviamente il vecchio 'Jack sii agile, Jack sii veloce, Jack ha saltato il candelabro'. Aveva preso quella innocua rima per bambini e l'aveva aggiunta all'azione terribile dei suoi crimini per inventare un nome che sarebbe caduto nell'infamia e avrebbe occupato il suo posto nella storia del crimine.

Mi sentii male, la mia testa pulsava ancora più violentemente di prima e capii senza guardarle che mi tremavano le mani. Aveva passato la sua permanenza in ospedale con tanta leggerezza, quasi indifferente di aver confessato la sua colpa al mio bisnonno. Sembrava semplicemente divertito e disdegnato per l'incapacità del mio antenato di credergli. Era uno stratagemma, mi chiesi, quel soggiorno in ospedale? Se l'avesse progettato deliberatamente per ottenere una sorta di attenzione. Poteva essere stato abbastanza sfacciato da sapere che il bisnonno sarebbe venuto al suo capezzale e che avrebbe attribuito la sua confessione a un'allucinazione a causa del laudano che stava prendendo? Non lo sapevo, dubitavo che l'avrei mai saputo, ma avevo il sospetto che lo Squartatore potesse essere stato abbastanza arrogante da fare proprio una cosa del genere, confidando che, alla sua confessione, il mio bisnonno non gli avrebbe creduto. Poteva essere stato gravemente malato, anzi seriamente mentalmente squilibrato, ma era intelligente, davvero molto intelligente.

Era anche ovvio dal tono e dal contenuto di quell'ultima nota che lo Squartatore si stava preparando a colpire di nuovo. Sapevo, dalle mie note, che si stava avvicinando alla notte del 30 settembre, quando avrebbe commesso quel duplice omicidio raccapricciante. Fu allora che mi venne in mente la cosa che stavo cercando di ricordare! Il 30 aveva un significato per me, alla luce di quello che avevo già letto. Ora sapevo che, la stessa notte in cui lui era stato fuori per le strade di Whitechapel, a massacrare le sue ultime vittime, duecento miglia a nord di Londra, una povera ragazza scozzese stava entrando in una stazione di polizia per riferire che la sua amica Morag Blennie era scomparsa. Flora Niddrie non aveva più rivisto Morag, né nessun altro e sentii una tristezza così desolante, un vuoto nella mia anima che non riesco a descrivervi in queste pagine.

Mi sentii male per il suo elogio all'opera di Joseph Bazalgette. Non avevo bisogno di cercare quel nome per conoscerne il significato. Le 'meravigliose grotte', alle quali lo Squartatore si riferiva, in realtà, erano le nuove (a quel tempo) fogne di Londra, che erano state progettate dall'ingegnere Bazalgette e avevano fatto molto per alleviare ciò che era noto come "Il Grande Fetore", il terribile fetore da vomito che aveva pervaso ogni casa ed edificio di Londra, fino alla loro introduzione. Londra si era quindi trasformata dall'essere poco più di una fogna a cielo aperto, in una città moderna e pulita grazie al suo lavoro e Joseph Bazalgette meritava un posto in un qualsiasi elenco dei grandi ingegneri e innovatori inglesi. Per Jack lo Squartatore, tuttavia, il suo sistema d'interconnessione di tunnel e canali doveva ovviamente essere utilizzato ancora una volta per un uso completamente diverso e non potevo fare a meno di pensare che il trasporto di migliaia di tonnellate di liquami grezzi e di effluenti sarebbe stato uno scopo molto più nobile e virtuoso che essere usato come veicolo di fuga, il mezzo per evitare di essere beccato, usato dal famigerato assassino di Whitechapel.

Per quanto riguarda la lettera, beh, così tanti 'esperti' per così tanto tempo hanno deriso la lettera 'Caro capo' come una fabbricazione, il lavoro di un giornalista o qualcuno che cercava di sensazionalizzare gli omicidi, ecco la mia prova che era autentico. Noterai che ora non avevo dubbi sull'autenticità del diario. Sebbene fosse vero che non avevo prove scientifiche che fosse opera dello Squartatore, sapevo in cuor mio che quel diario non era un tentativo di enfatizzare i crimini dopo l'evento, né era un falso moderno, gli appunti del mio bisnonno me lo avevano confermato. Per coloro che non hanno mai visto o sentito della lettera, mi sono preso il tempo di copiarla qui, nel colore usato dallo Squartatore, e usando le sue ortografie originali: gli 'errori' grammaticali erano stati un ovvio tentativo di deviare le autorità, per quanto riguardava le sue origini e la sua intelligenza. Si legge come segue:

25 settembre 1888

Caro Capo,

Continuo a sentire che la polizia mi ha catturato, ma non ci sono ancora riusciti. Io rido quando si sentono così intelligenti e parlano di essere sulla strada giusta. Quella barzelletta sul grembiule in pelle mi ha dato dei buoni suggerimenti. Mi piacciono le puttane e non smetterò di ucciderle finché non crollerò. Ottimo lavoro l'ultimo che fatto. Non ho dato tempo alla signora di strillare. Come possono prendermi adesso. Amo il mio lavoro e voglio ricominciare. Presto sarete qui da me con i miei giochetti divertenti. Ho conservato un po' della roba rossa in una bottiglia di birra allo zenzero durante l'ultimo lavoro, con la quale scrivere, ma è diventata densa come la colla e non posso usarla. L'inchiostro rosso si adatta bene. Haha. Il prossimo lavoro che farò, taglierò le orecchie alla signora e le manderò agli agenti di polizia solo per divertimento. Conserva questa lettera finché non avrò fatto un po' di pulizia, poi distribuiscila. Il mio coltello è bello e affilato. Voglio mettermi subito al lavoro se ne ho la possibilità. In bocca al lupo.

Cordialmente

Jack lo Squartatore

Su richiesta della polizia, la Central News Agency aveva infatti mantenuto la lettera nascosta al pubblico fino al 1° ottobre, dopo il duplice omicidio, e naturalmente il nome sulla bocca di tutti a Londra diventò quello di Jack lo Squartatore. Aveva raggiunto la sua fama, esattamente come sospettavo lui intendesse! Fu anche vero che aveva, nel corso di uno dei suoi due omicidi del 30, tagliato l'orecchio ad una delle sue vittime. Poiché la lettera era stata ricevuta il 27, come avrebbe potuto un giornalista descrivere con tale precisione i piani dello Squartatore? A meno che, naturalmente, lo Squartatore non fosse il giornalista? Adesso c'era una nuova possibilità su cui riflettere! I miei pensieri stavano diventando affollati, chiusi e potevo sentire pulsare le mie tempie, nella mia testa. Ci fu un improvviso e impercettibile lampo di luce all'esterno, che percepii piuttosto che vederlo, attraverso la finestra dello studio, seguito da un immenso e spaventoso tuono, il più forte che potessi ricordare. Sembrò scuotere la casa, lo studio stesso sembrò riverberare l'immenso fragore di quel tuono, e poi, come se un'orda di demoni si fosse scatenata dalle porte dell'Inferno stesso, vennero le urla e le grida di numerosi allarmi di case e auto lungo la strada. Era una disarmonia che non avevo mai sentito prima; il fulmine balenò di nuovo, ci fu un altro immenso tuono, la stanza tremò e poi il cielo sembrò aprirsi e la pioggia cominciò a sferzare le finestre con l'intensità di mille diavoli che cercavano di farsi strada in casa. Mi sedetti, quasi paralizzato sulla sedia mentre fuori infuriava il temporale, gli allarmi stridevano, la luce del giorno si spense e io ero alla deriva in un mare di disorientamento. Con successivi lampi e terribili tuoni, la mia lampada da scrivania si accese e si spense, come se fosse intrisa di vita propria e quella vita stesse combattendo per la sua esistenza. Per più di venti minuti, quella tempesta furiosa continuò e non riuscii a sfuggire al pensiero che quella terrificante dimostrazione dell'ira della natura fosse stata lanciata dalle profondità di un incubo bizzarro. Improvvisamente com'era iniziata, la tempesta si placò e il sole si ritirò da dietro le nuvole scure, riportando la sua luce e il suo calore nel mondo. In qualche modo, però, non riuscì a raggiungere la mia stanza. Uno dopo l'altro i sistemi d'interruzione automatica spensero gli allarmi e una strana quiete percorse la strada, solo il rumore dell'acqua piovana che gocciolava dalle grondaie e le foglie e i rami degli alberi arrivavano alle mie orecchie attraverso i vetri delle finestre.

La stanza era fredda, come se non fossi più nel mio studio caldo e confortevole, ma fossi invece sepolto nella cripta più buia, lontano da ogni fonte di luce e di calore. Pensai anche di aver sentito uno strano odore nella stanza, un odore fetido, umido, stantio, come il fetore della morte, o semplicemente il profumo del male. Era una sciocchezza ovviamente, era la mia mente che mi giocava brutti scherzi, doveva essere così. Non c'era niente nella stanza che potesse essere la causa di un simile odore, ero seduto nel mio studio, da solo, circondato dai miei beni personali, come avevo fatto mille volte prima, niente era cambiato, non poteva esserci nulla di strano odore, a meno che, naturalmente, non fosse l'odore della mia stessa paura, che permeava i miei processi mentali e invadeva la mia mente cosciente.

E avevo paura, questo era certo, anche se ancora non avevo idea del perché. Ogni grammo di logica dentro di me mi diceva che non c'era nulla di cui aver paura; stavo semplicemente seduto a leggere dei vecchi giornali, cosa poteva esserci di più innocuo? Alcuni fogli di vecchia pergamena non potevano farmi del male, no? Allora perché la paura? Che cosa poteva causare una tale reazione a quelle parole che ora sembrava quasi che stessero guadagnando una sorta di vita propria nel mio stato mentale sempre più febbrile? Cominciavo a credere, per quanto irrazionale potesse sembrare allora e anche oggi, che ci fosse molto di più in quei vecchi e sgualciti fogli di carta che avevo originariamente percepito. Che cosa fosse quel qualcosa a quel punto non avevo idea, ma ero determinato a non arrendermi, a vedere il diario fino alla fine, qualunque cosa fosse, e ovunque mi avrebbe portato.

Promisi a me stesso di utilizzare i miei processi di pensiero logico, la mia mente professionale e analitica, per cercare di evitare di essere catturato dall'aura quasi eterea che sembrava emanare dal diario. Mi sentivo stupido in quel momento, anche solo ad avere simili pensieri, per credere che potesse esserci qualcosa di oscuro e sinistro nel diario, eppure, allo stesso tempo, il mio cuore stava tentando di scavalcare la mia mente, stava inviando un avvertimento che avrei dovuto ignorare a mio rischio e pericolo, ma ovviamente, come medico, non meno scienziato, gli avvertimenti del cuore non erano abbastanza tangibili perché potessi ascoltarli; riponevo la mia fiducia nella logica e nella scienza, nella realtà del XX secolo e, ancora oggi, vorrei aver ascoltato il mio cuore.

VENTUNO
PENSIERI DEL PASSATO E DEL PRESENTE

Quel giorno il mio pranzo fu malinconico. Sebbene il frigorifero fosse ben rifornito (Sarah se ne era assicurata prima di andarsene), afferrai la prima cosa che vidi, un pacchetto di fette di pollo già pronte, feci un panino veloce, mi versai un grande bicchiere di succo fresco e bighellonai più a lungo che potei in cucina, divorando lentamente quel magro pasto. In verità non mi interessava mangiare, il pasto scarso era semplicemente un mezzo per garantire che una qualche forma di apporto nutritivo raggiungesse il mio stomaco, mangiavo per necessità, non per piacere.

La mia testa era inondata di pensieri, nessuno dei quali particolarmente piacevole. Solo ieri la mia vita era sembrata ordinata, perfino tranquilla. Nonostante la recente perdita di mio padre e il dolore che ne era derivato, ero felice, almeno quanto ogni uomo aveva il diritto di essere. Ora, attraverso la mia esposizione al diario e il potere strano e irresistibile delle sue parole, mi sentivo come se fossi intrappolato in un vortice a spirale discendente di pensieri illogici, immagini mentali orribili e un senso di fusione che mi aveva fatto vacillare al limite della sottile linea di demarcazione tra realtà e fantasia. Con ogni pagina che leggevo, con ogni nuovo orrore descritto dalla stessa mano dello Squartatore, venivo trascinato quasi impercettibilmente in un'oscurità, un mondo a parte il mio, dove le immagini, i suoni e gli odori delle strade disgustose e puzzolenti della Londra vittoriana stava diventando orribilmente reale, dove potevo vedere, piuttosto che immaginare, il sangue delle vittime dello Squartatore mentre sgorgava in modo incontrollabile dalle ferite aperte imposte sui loro corpi, quasi assaporando l'odore dolce-rame che accompagnava il flusso di quella preziosa vita. Senza sapere perché, avevo persino immaginato di poter sentire gli ultimi momenti di terrore e panico che dovevano essere balenati nelle menti di Polly Nichols e Annie Chapman e della povera ragazza scozzese (Morag Blennie?), così come la fatale realizzazione che avevano vissuto negli ultimi secondi della loro vita. Quella era la parte più spaventosa: potevo davvero sentire tutte quelle cose, potevo davvero vederle accadere, erano reali come se fossero state messe in atto proprio lì, nel mio studio, come un panorama bizzarro e ultraterreno della morte, una maschera di orrore e repulsione messa in scena solo per me, una visione privata dell'Inferno!

C'era da meravigliarsi che la mia mente fosse confusa? Ovviamente non c'era una ragione logica per cui sentissi quelle cose, non era altro che un viaggio nelle profondità della mia immaginazione, una specie di sogno ad occhi aperti, riempito dall'intensità dei contenuti di quel diario infernale. Almeno, questo era quello che continuavo a dirmi. Con il passare del tempo, tuttavia, mi resi conto che stavo inconsciamente cercando di ritardare il momento in cui sarei tornato al mio studio e avrei ripreso il diario ancora una volta. Perché non l'avevo semplicemente ignorato? Avrei potuto sigillarlo, buttarlo via, fare una dozzina di cose che mi avrebbero strappato via dall'innaturale mondo da incubo in cui ero entrato, ma non lo feci. Con gli arti che diventavano più pesanti di secondo in secondo e con il battito cardiaco in aumento a causa dello strano brivido che sembrava scorrere nelle mie vene, tornai allo studio. Sì, c'era un brivido legato a tutto l'orrore cui mi stavo esponendo, non certamente un brivido piacevole, ma comunque un brivido. Quella visione privata della mente dello Squartatore stava diventando ossessiva, una dipendenza forte quanto l'attrazione del laudano intriso di oppio era stata per l'assassino stesso.

Mentre riprendevo il mio posto sulla mia sedia da ufficio in pelle, riflettevo sul fatto che anche la mia visita al villaggio non aveva fatto nulla per alleviare lo stress e la tensione che stavano gradualmente aumentando dentro di me. Certo, la passeggiata era stata piacevole, ma tutti i pensieri di pace e tranquillità erano stati immediatamente fugati dalla notizia dell'orrendo omicidio che si trovava praticamente alla mia porta. Le somiglianze tra quello e il contenuto del diario erano troppo simili in modo inquietante. Sebbene la vittima non fosse stata una prostituta (il rapporto la descriveva come una barista), era stata rapita mentre tornava a casa dal lavoro a tarda notte e orribilmente mutilata a detta di tutti; 'macellata' era la parola usata dal giornalista per illustrare il delitto. Oltre agli effetti inquietanti del diario, mi era anche abbastanza chiaro che da qualche parte nelle vicinanze c'era un nuovo e altrettanto sadico killer in libertà. Speravo che la polizia effettuasse un arresto precoce, che almeno quell'assassino simile allo Squartatore degli ultimi giorni venisse arrestato e che le strade diventassero di nuovo sicure per le donne, per poter camminare liberamente.

Tutti quei pensieri e altro ancora mi scorrevano in mente mentre mi sistemavo il più comodamente possibile sulla mia sedia da ufficio in pelle e mi preparavo a continuare il mio viaggio nel mondo dello Squartatore. Tuttavia, mentre allungavo la mano per prendere il diario, mi fermai a metà dell'azione e consapevolmente mi fermai. Invece, presi il telefono e composi il numero di mia cognata. Forse se avessi parlato con la mia adorabile Sarah, solo per un paio di minuti, mi avrebbe dato più coraggio e aiutato a dissipare un po' dell'aura di tristezza che aveva rapidamente iniziato a scendere su di me non appena ero tornato nello studio. Il telefono squillò e squillò finché non si accese la segreteria telefonica di Jennifer. Dannazione! Nessuno in casa. Lasciai un breve messaggio per Sarah, niente di troppo dettagliato, le dissi che l'amavo e che mi mancava e che avrei provato al suo numero di cellulare e, se non avesse funzionato, avrei chiamato di nuovo più tardi. Il suo cellulare era spento! Presumevo che fossero fuori e probabilmente in un posto dove i cellulari non prendevano. Speravo che il piccolo Jack non fosse peggiorato, che non stesse languendo in un letto d'ospedale, o nella sua culla. Pensai ad ogni sorta di pensieri cupi e malsani sul bambino, ma poi decisi che Sarah mi avrebbe chiamato se le cose fossero andate troppo male. Dovevo solo aspettare e parlare con lei più tardi.

Decisi che avevo rimandato anche troppo, reindirizzai la mia mano tremante verso il diario dall'aspetto minaccioso sulla scrivania, lo presi di nuovo e passai alla macabra pagina successiva. C'era un intervallo di un giorno, come ormai ero abituato a trovare, e poi il diario continuò.

27 settembre 1888.

Il teatro riecheggia la vita o è il contrario? La

scorsa notte ho fatto una visita al Lyceum Theatre e ho assistito a un'esibizione del nuovo spettacolo teatrale, 'un fenomeno da palcoscenico' lo chiamano, "Lo Strano Caso del Dottor Jekyll e Mister Hyde" di Robert Louis Stevenson. Una meravigliosa esibizione di Richard Mansfield, il grande attore americano, nel ruolo del protagonista, eppure, quanto mi piace il mio lavoro. Non sono io il perfetto gentiluomo, questo 'Dottor Jekyll', eppure anche lo strumento di paura e terrore che è 'Mister Hyde'? Oh, vedere gli sguardi scioccati sui volti di così tanti tra il pubblico! Avrei potuto ridere ad alta voce delle loro pietose urla e rantoli, ma non lo feci. Se solo avessero saputo, cosa avrebbero pensato, come avrebbero reagito? Mi prenderò una copia del libro, in modo da poter studiare più in dettaglio le parole dell'autore sull'argomento, ovviamente troncate dalle esigenze del palcoscenico.

Mi chiedo, la stampa ha già ricevuto la mia lettera? Cosa ne penseranno? Congederanno le mie parole come una bufala o forse una bugia fantasiosa? Ah, presto vedranno che non mento. Si avvicina velocemente il tempo in cui tornerò a lavorare, le strade sono troppo asciutte del sangue delle puttane, deve scorrere ancora una volta il fiume della vita, rilascerò il flusso dai pozzi dei loro miserabili corpi, sanguineranno e moriranno. Le voci si fanno di nuovo più forti, la testa mi fa un male terribile. Il laudano aiuta ma non lo fermerà del tutto. Il dolore a volte è più di quanto possa sopportare. Solo il sangue delle puttane lo farà andare via. Prenderò una dose maggiore, sentirò il calore scorrere attraverso il mio corpo e il sonno, se sarò così fortunato, sarà un bel sonno lungo e nero, e poi il mio lavoro potrà ricominciare.

Una visita a teatro? Non riuscivo quasi a credere a quello che stavo leggendo. Eccolo lì, solo tre notti prima di commettere il feroce duplice omicidio di Liz Stride e Catherine Eddowes, godendosi felicemente una serata, davanti alla più celebre commedia di Londra. I miei appunti avevano dimostrato che, al momento in cui iniziarono gli omicidi dello Squartatore, Richard Mansfield, un famoso attore americano, era protagonista al Lyceum proprio in quella commedia e che, dopo il duplice omicidio, lo spettacolo fu cancellato perché la gente pensava che forse il contenuto avrebbe potuto ispirare l'assassino a colpire di nuovo. Oggi troveremmo una cosa del genere ridicolmente ingenua e infantile all'estremo, ma, alle fazioni sensibili della società vittoriana, sembrava la cosa giusta da fare in quel momento. Non posso dire se il signor Mansfield sia mai stato risarcito per l'annullamento del suo impegno da protagonista, poiché non riuscii ad ottenere tali informazioni. Lo Squartatore si era ampiamente divertito alla visione dei suoi compagni spettatori. Dire che aveva voglia di 'ridere forte' quando era stato testimone del loro shock e orrore per le scene più spaventose dell'opera teatrale era ancora un altro esempio del suo totale disprezzo per i suoi concittadini, che aveva così evidentemente ridicolizzato e disprezzato. Ero stato incuriosito dalla sua allusione alle somiglianze tra il personaggio di Jekyll e Hyde a se stesso. Ne sapeva abbastanza per rendersi conto che la somiglianza esisteva, quindi evidentemente non aveva ancora superato il punto di non ritorno, la discesa finale nella follia verso la quale sapevo che stava precipitando con cupa inevitabilità. Se quel punto fosse stato superato, avrei dubitato che avrebbe avuto la lucidità di pensiero per fare un simile confronto. Almeno per ora, sentivo che si stava aggrappando all'ultimo barlume di ragione e sanità mentale, anche era poco più di un filo.

Nel profondo, la rabbia stava crescendo ancora una volta. Le voci erano tornate, presumibilmente guidandolo e pungolandolo. Qualunque fosse la psicosi che agiva nella sua mente, ero certo che presto avrebbe avuto poco controllo sulle proprie azioni. La sete di sangue stava diventando più forte, ora vedeva i corpi delle sue vittime come 'pozzi' che gli avrebbero fornito il sangue di cui aveva bisogno per soddisfare il suo bisogno folle di sangue e delle 'sue voci'. Ero ancora certo che fosse nella fase terziaria o finale della sifilide e che il danno al suo cervello fosse ormai irrevocabile. Non riuscivo ancora a capire come non gli fosse stata diagnosticata la malattia. Sicuramente, nel corso degli anni aveva consultato un medico e quel dottore non avrebbe notato i segni rivelatori? Inoltre, sebbene i primi segni della malattia siano evidenti per il malato, non sono immediatamente visibili per un dottore e, se avesse scelto di non cercare aiuto, la fase iniziale sarebbe passata con o senza farmaci, e la seconda fase avrebbe permesso alla malattia di rimanere dormiente, forse per anni, prima di risorgere, come una fenice dalla cenere, per iniziare il suo terribile stadio terminale.

Ovviamente ignorava i sintomi il più possibile e ignorava anche i medici, incluso il mio bisnonno, che lo aveva curato per il suo ultimo 'attacco' di amnesia temporanea e demenza parziale. Ciò era evidente dalla sua intenzione di aumentare il dosaggio di laudano, che ormai era probabilmente già in proporzioni pericolose. Era totalmente dipendente dall'oppio contenuto nella droga e, come ogni tossicodipendente, qualsiasi tentativo di svezzarlo dalla droga sarebbe stato un esercizio infruttuoso senza una qualche forma di supporto e assistenza medica. Sapeva che il laudano avrebbe indotto quello che aveva descritto come un 'sonno oscuro', un profondo sonno allucinogeno, durante il quale avrebbe 'visto' e 'sentito' ogni sorta di aberrazioni, che avrebbero alimentato le sue passioni sadiche non appena fosse tornato in uno stato di veglia. In passato, quel tipo di sonno mi era stato descritto in molte occasioni da pazienti molto meno disturbati di chi stava scrivendo quell'orribile testo. Già mezzo impazzito dalla sifilide che si stava diffondendo attraverso il suo corpo e le sue cellule cerebrali, ora era anche un drogato e forse anche soggetto ad altre forme di disturbi psicologici. Ero rimasto sorpreso in una certa misura che riuscisse a vivere nel mondo di tutti i giorni, anche se era certo che lo facesse e che nessuno vedeva attraverso la sua facciata esterna, la sua maschera di normalità. Sì, per molti versi era come l'attore Richard Mansfield, che aveva creato un personaggio teatrale così sbalorditivo e spaventoso che le persone spesso correvano urlando dall'auditorium, tale era la paura che generava in loro, ma Mansfield era solo un attore, che, alla fine di ogni esibizione, poteva asciugare la vernice grassa e il trucco, lavarsi la faccia e le mani, tornare a casa nel suo alloggio e diventare se stesso di nuovo. Lo Squartatore era diverso, enormemente diverso.

Per dirla semplicemente, a differenza del personaggio interpretato da Richard Mansfield, a differenza del Dottor Jekyll e Mister Hyde di Robert Louis Stevenson, Jack lo Squartatore non era frutto dell'immaginazione, né creazione immaginaria di un cervello letterario. No, mentre le parole del suo diario urlavano le sue minacce di ulteriore caos, mentre le strade di Londra aspettavano inconsapevolmente che il sangue scorresse ancora una volta, il personaggio con due menti, due personalità, ma una sola anima, quella dell'omicida orribile e brutale, era fin troppo reale, fin troppo genuina e stava per passare alla storia con il nome con cui presto avrebbero gridato ad ogni angolo di strada i venditori di giornali e riviste. In pochi giorni tutti lo avrebbero conosciuto con il suo nome terribile e agghiacciante. 'L'assassino di Whitechapel' e il 'Grembiule di cuoio' stavano per essere consegnati alle pagine della storia e 'Jack lo Squartatore' stava per annunciarsi al suo pubblico!

VENTIDUE
UN'IMMAGINE DELL'INFERNO

Mio padre, che riposi in pace, mi aveva sempre detto che gli psichiatri sono tra i medici più ignoranti. Quando gli chiesi perché, mi rispose che, sebbene la gamma di malattie, psicosi e altri disturbi che tentiamo di trattare sia enorme, praticamente illimitata, in effetti, la conoscenza clinica e documentale a nostra disposizione è minuscola al confronto. Non possiamo, ad esempio, scrutare nella psiche umana, non possiamo capire come funzionano realmente i processi mentali del cervello umano, o come può essere che un insieme di circostanze possa condurre un individuo, diciamo, nella fossa più profonda del trauma o depressione, quando le stesse circostanze non hanno alcun effetto su milioni di altri individui. Probabilmente, la psichiatria non è e non sarà mai una scienza esatta. Nella maggior parte dei casi trattiamo, piuttosto che curiamo, i pazienti affidati alle nostre cure, riuscendo ad alleviare alcuni dei sintomi peggiori e più inquietanti della loro malattia senza riuscire mai a curarli totalmente.

Confronta un chirurgo che cura, ad esempio, malattie del cuore, dove è disponibile così tanta conoscenza sul funzionamento di quel particolare organo, dove la scienza della cardiochirurgia è tale che ora possiamo trapiantare un cuore sano da una persona all'altra, dando, a coloro che altrimenti sarebbero destinati a una morte prematura, una nuova prospettiva di vita, e forse capirai cosa intendeva lui e perché io per primo, avevo capito il suo ragionamento.

Non solo, ma la mia esperienza personale mi aveva insegnato che è del tutto possibile per due, o anche tre, o più psichiatri facciano diagnosi diverse e prescrivano diversi cicli di trattamento per un singolo paziente, nonostante presentino esattamente gli stessi sintomi. Tale è dunque la natura imprecisa della mia professione. I pazienti che entrano nel mondo della medicina psichiatrica sono sempre trattati con le migliori intenzioni e con la massima professionalità dal loro psichiatra, ma ciò che possiamo fare è limitato dalla nostra conoscenza di quei precisi meccanismi del cervello, della mente e della psiche.

Faccio queste osservazioni per te in modo che tu possa apprezzare (come io non ho fatto) ciò che stava accadendo nella mia mente in quel momento. In circostanze normali, leggere il diario di un miscredente morto da tempo non avrebbe dovuto avere un effetto negativo sulla mia abile mente professionale, eppure eccomi qui, a sentirmi sempre più turbato ad ogni pagina che leggevo del diario dello Squartatore. Col senno di poi forse stavo cominciando a mostrare segni di dissonanza cognitiva. Gli esseri umani non possono pensare due cose opposte o in conflitto nello stesso momento, ad esempio sappiamo che le sigarette sono dannose ma continuiamo a fumare. Per poterlo fare, la mente razionalizza il pensiero o la percezione che va contro il comportamento. Quindi, come psichiatra, pensavo di essere 'al di sopra' dall'essere influenzato da un tale documento. Perché mio padre, mio nonno e il mio bisnonno avevano letto quelle pagine e ciascuno aveva tenuto per anni e anni il segreto che vi era nascosto, senza mai dire una parola sulla sua stessa esistenza fino a dopo la loro morte? Una volta raggiunta l'ultima pagina del diario, mi sarei sentito obbligato a mantenere io stesso quel segreto, come avevano fatto loro? O c'era qualcosa di molto più sinistro nel leggere le parole dello Squartatore? Che cosa strana stava accadendo, che mi stava trascinando più a fondo nel passato, un passato che stava diventando così reale che potevo quasi vedermi camminare accanto all'uomo, mentre aspettava nell'ombra, solo per rivelarsi alle sue vittime dall'oscurità prima di commettere i suoi atti malvagi di omicidio e mutilazione? Mentre mi sedevo, preparandomi a continuare, sentii pulsare ancora più forte la mia testa e capii, invece, che era il battito del mio cuore!

Non c'erano note per il 28 e il 29 settembre. Potevo presumere che lo Squartatore fosse davvero entrato in quel 'sonno profondo' cui aveva alluso in precedenza? In quei giorni era a casa o forse in qualche fumeria d'oppio, in uno stato di totale intossicazione da quella sostanza? Il pensiero della fumeria d'oppio mi era sembrata una possibilità. Anche se non l'aveva menzionato nelle pagine del diario, pensai che, se non avesse ricevuto l'effetto palliativo che desiderava dal laudano in bottiglia, un'infusione diretta di oppio puro sarebbe forse stato il suo prossimo passo logico (!). Poi di nuovo, la mia ipotesi avrebbe potuto essere completamente sbagliata, e ancora una volta, c'era un unico modo per scoprirlo.

30 Settembre 1888

Come ho dormito! Non ho mai provato una sensazione simile, stavo dormendo ma non dormivo; e i sogni, oh tali sogni. Camminavo in campi coperti di cadaveri di puttane appesi agli alberi e grondanti sangue sull'erba verde che cresceva ai loro piedi. Il cielo era azzurro, ma si tingeva di rosso, le nuvole soffuse del sangue che si levava in una nebbia dall'erba e inghiottiva i cadaveri e mandava le dannate anime delle puttane a librarsi verso l'alto nelle loro contorte agonie, raggiungendo il Paradiso, solo per mandarli a schiantarsi verso il basso, a spirale mentre cadevano, urlando e scendendo all'Inferno. Ce ne sono troppe perché io da solo possa liberare il mondo dalla loro presenza, ma ne abbatterò più che posso e colpirò di nuovo stanotte! Le voci sono qui, mi sussurrano dolcemente all'orecchio, mi dicono che è il momento giusto, stanotte sarà la mia notte!

Quella era la prima volta da quando avevo iniziato la mia odissea nel diario che lo Squartatore aveva fatto quella che definii un'annotazione 'diurna', annunciando le sue intenzioni per la notte imminente, invece di una semplice interpretazione a posteriori delle sue azioni omicide. Non solo, ma le immagini grafiche evocate dalle sue parole che descrivevano il suo sogno erano estremamente orribili. Non si parlava di fumerie d'oppio, solo un'allusione a uno strano sonno, 'addormentato, ma non addormentato', lo aveva descritto. In altre parole, aveva le allucinazioni, probabilmente non dormiva veramente, ma in quello stato di allucinazione indotta dall'oppio che avevo ritenuto probabile. Aveva usato così poche parole, eppure era riuscito a rappresentare una scena di un tale orrore demoniaco che il mio senso di repulsione fu superato solo dal terrore che una scena del genere si riproducesse nella mia mente. La sua descrizione delle 'anime in ascesa' di quelle povere donne, che raggiungevano il Paradiso solo per essere poi gettate nelle profondità dell'Inferno, era simile a una scena dell'Inferno di Dante: un'immagine della discesa nell'Inferno, di anime strillanti e contorte in agonia. In qualche modo, la versione dello Squartatore, sebbene descritta esclusivamente a parole anziché in immagini, era servita a farmi inorridire e terrorizzare molto più di Dante.

Ciò che mi disturbò di più di quella rappresentazione era il fatto che potevo vedere l'intera scena nella mia mente come se fossi stato lì, uno spettatore della macabra panoplia che si stava rappresentando nella sua mente, come un grottesco film Blu-ray. Le parole sulla pagina avevano in qualche modo dato vita alla scena con vivida intensità e non riuscivo a scuotere le immagini dalla mia mente. Nessuna delle mie esperienze aveva mai avuto un effetto così profondo su di me come quella terribile raccolta demoniaca di parole, che erano in grado di evocare nella mia mente immagini e suoni. Se fosse stato possibile (il che ovviamente sarebbe assurdo), avrei detto che le parole stesse, l'inchiostro con cui erano state scritte, avevano assunto il carattere e l'anima di colui che le aveva scritte, che avevano assunto una qualità tridimensionale e che, tenendo in mano quelle pagine e leggendole, venivo risucchiato inesorabilmente in un mondo tra i mondi, dove il mio senso della realtà veniva gradualmente eroso, dove le parole uscivano dalla pagina per toccarmi, per invadere i miei pensieri, la mia mente, per infettare i miei pensieri come un virus avrebbe infettato il mio corpo.

Sebbene sapessi dai miei appunti di ricerca, che giacevano innocentemente e silenziosamente sulla scrivania davanti a me, che quella era la notte del duplice omicidio, sebbene sapessi che tutto quello era accaduto più di un secolo prima, ero in qualche modo preso da una paura che non riuscivo a spiegare. Volevo essere lì, camminare per quelle strade buie di Londra, sentire la pioggia caduta quella notte mentre mi schizzava il viso, sentire i rumori delle carrozze notturne mentre portavano a casa i loro ricchi passeggeri e poi verso le strade più tortuose, per sentire il semi-silenzio che scendeva sulle strade di Whitechapel, guardare le vittime dello Squartatore mentre camminavano verso il loro inevitabile destino, i tacchi dei loro stivali che sferragliavano sui ciottoli irregolari, i loro piedi che schizzavano nelle pozzanghere e, in qualche modo, volevo gridare, urlare, avvertirle del loro destino imminente, volevo salvarle, anche se non potevo.

Quelle donne erano morte e lo erano da oltre cento anni; erano una nota a piè di pagina nella storia, avendo raggiunto una fama nella morte, che non avrebbero mai potuto raggiungere in vita. Se non fossero state assassinate quella notte, rispettivamente in Berner Street e Mitre Square, Liz Stride e Catherine Eddowes sarebbero probabilmente passate nell'aldilà in modo anonimo tanto quanto avevano vissuto. Allora, perché ero così preoccupato, perché stavo reagendo in quel modo? La mia mente era piena d'incomprensioni mentre combattevo con i desideri illogici dentro di me e l'impossibile assalto ai miei sensi che aumentava di minuto in minuto.

La paura dell'ignoto è forse la più grande paura che possa perseguitare la mente dell'uomo. Sebbene lo fossi, e continuo a pensare a me stesso come un essere umano razionale, dovetti concludere che qualcosa al di là della mia comprensione stava avvenendo mentre ero seduto nella mia comoda sedia, circondato dagli ornamenti della mia confortevole esistenza; non ero più me stesso nel vero senso della parola, ero uno spettatore (non saprei spiegare come) e diventavo rapidamente un voluttuoso dei crimini di un 'pazzo' e rabbrividii quando mi resi conto che forse quella follia stava invadendo anche la mia mente. Stavo perdendo il controllo, stavo impazzendo? Continuerò questo racconto fino alla fine e allora forse potrai essere tu il giudice di quella domanda.

VENTITRÉ
L'ARRIVO DELLA NOTTE

Mentre allungavo le mie membra doloranti, mi resi conto che la giornata stava quasi terminando. Era tardo pomeriggio e l'oscurità stava cominciando a calare sul mondo, com'era successo tanto tempo prima sulle strade che erano state il terreno di caccia dello Squartatore. La mia intensa immersione in quell'argomento e la luce della mia lampada da tavolo, rimasta accesa sulla mia scrivania durante le ore diurne, avevano contribuito a mascherare l'oscurità che si addensava fuori dalla mia finestra.

Sentendo freddo ed essendo molto stanco, mi alzai dalla sedia e attraversai lo studio e, per la prima volta dopo molti mesi, accesi il camino a gas dal design antico, con effetto ceppo. Il suo calore istantaneo pervase la stanza, portando un certo grado di luce e allegria al mio ambiente di clausura autoimposto.

Cercai l'interruttore sul muro vicino alla porta, l'alzai fino a metà e le luci del soffitto si accesero. La stanza sembrava calda e invitante, anche se devo ammettere che, nonostante il calore e il bagliore del fuoco e l'illuminazione fornita dalle luci, mi sentivo ancora come se fossi invaso da una freddezza che si era ormai diffusa in tutto il mio corpo e le mie mani tremavano visibilmente e le mie gambe erano pesanti e di piombo.

Pensai di riprendere il mio posto alla scrivania e di continuare il mio strano viaggio per i corridoi della mente dello Squartatore, ma decisi invece, mentre ero in piedi, di dirigermi in cucina e prepararmi qualcosa da mangiare. Quindici minuti più tardi, dopo aver mangiato un misero pasto a base di formaggio e biscotti innaffiato con un bicchiere di acqua frizzante di sorgente (quasi tutto quello che riuscivo a digerire in quel momento), ero di nuovo sulla mia sedia.

Mentre stavo per riprendere il diario, il telefono prese vita. Era Sarah.

"Robert, mio caro, ho ricevuto il tuo messaggio, mi dispiace che fossimo fuori. Come stai? La signora Armitage mi ha telefonato pochi minuti fa e mi ha detto che è passata a vederti e che avevi un aspetto orribile! Cosa ti è successo? Onestamente! Non posso lasciarti qualche giorno senza che tu non ti lasci andare, vero? Cosa c'è Robert, cosa c'è che non va?"

Sarah si fermò per riprendere fiato e colsi l'occasione per rispondere.

"Sarah, calmati, per favore, non c'è niente che

non va, davvero. Sì, ero un po' agitato quando la signora Armitage è passata, ma era perché non avevo dormito molto bene. Ho esaminato altri documenti di papà e alcuni fascicoli che dovevano essere aggiornati e sono rimasto sveglio oltre mezzanotte, tutto qui", mentii a metà. "Se fossi malato mia cara, saresti la prima a saperlo, non preoccuparti! Allora, come sta il giovane Jack?" Chiesi, cercando di deviare la conversazione in una direzione più gestibile.

"Sta molto meglio, Robert, infatti, potrei tornare a casa tra due o tre giorni. Jennifer dice che non è giusto tenermi qui quando hai appena perso tuo padre e che dovrei essere a casa ad occuparmi di te".

"È meraviglioso", risposi, "non vedo l'ora di vederti, mia cara. Sai quanto ti amo, vero Sarah?"

"Certo che lo so, Robert caro. Ascolta, sei sicuro di stare bene, sembri un po' strano, sai?"

"Sarah, davvero, sto bene. Ora vai, goditi il tuo tempo con Jennifer e il piccolo Jack e non preoccuparti per me".

"Ma la signora Armitage ha detto ...".

"Sarah!" Quasi gridai al telefono. "So che è una vecchia anima gentile, ma può anche essere una vecchia ficcanaso che interferisce, che ovviamente legge troppo nelle cose. Per favore credimi, sto bene, davvero, e non vedo l'ora che tu torni a casa. Ora vai e salutami tua sorella e Tom e dai al bambino un bacio da suo zio. Ti chiamo più tardi per darti la buonanotte".

"Va bene, Robert, se lo dici tu, caro", rispose, "ma è meglio che mi chiami o chiamo la signora Armitage e la mando da te per assicurarmi che il mio splendido marito stia bene come dice di essere!"

"Ti chiamo. Lo prometto".

"OK, tesoro mio, ci sentiamo più tardi allora, ti amo moltissimo, Robert. Ciao amore mio".

"Ciao, Sarah, ti amo anch'io".

Il silenzio nella stanza era tangibile, dopo aver riattaccato con Sarah. Per un breve momento, rimasi in bilico tra solitudine e desolazione; volevo richiamare Sarah, dirle di tornare immediatamente a casa, dirle quanto mi sentivo disturbato, quanto avevo bisogno di stare con lei in quel momento, ma, proprio mentre le terribili emozioni minacciavano di sopraffarmi, presi un respiro molto profondo, guardai il diario dello Squartatore, gli appunti del bisnonno e la lettera di mio padre sulla scrivania e sapevo che l'unico modo per completare il mio viaggio attraverso quelle pagine di storia era restare soli. Non potevo esporre Sarah alle fatiche o alle emozioni contenute nelle pagine del diario dello Squartatore e, in quel momento, iniziai a capire perché il possesso di quel diabolico lavoro fosse stato tenuto così strettamente segreto dai miei antenati.

Fuori, le ultime tracce della luce del giorno erano quasi scomparse e una leggera brezza aveva cominciato a smuovere i rami degli alberi del giardino. Notai alcune macchie di pioggia che cominciarono ad apparire sulla finestra e un altro brivido involontario percorse tutto il mio corpo mentre il giorno lasciava il posto alla sera e la notte si avvicinava con la stessa inevitabilità dei crimini sanguinosi che sapevo sarebbero stati presto descritti nel diario. Quasi impercettibilmente, mi sentivo come se l'intera stanza fosse delicatamente soffusa di una debole tonalità rossa, come se la 'nebbia rossa' del sogno dello Squartatore stesse in qualche modo inondando il mio studio, conferendo al compito in cui ero impegnato un aspetto piuttosto buffo e cruento nella mia mente definendolo 'uno studio rosso sangue'. Quella considerazione mi venne in mente quando mi resi conto che il rossore nella stanza era semplicemente causato dal riflesso della finestra oscurata dalle fiamme danzanti del fuoco a gas; quel colore evidenziava la scarsa illuminazione che avevo impostato quando avevo acceso le luci. Almeno, quello era il modo in cui l'avevo razionalizzato in quel momento. Non poteva esserci altra spiegazione, no?

1° ottobre 1888

Due in una notte! Un doppio glorioso anche se non intenzionale. Ho rintracciato una puttana e l'ho tentata con l'uva. Quale puttana può permettersi l'uva? Non ha potuto resistere al mio dono e avrei dovuto divertirmi con la sua carcassa se non fossi stato interrotto. L'ho tagliata abbastanza facilmente, anche se al buio ho usato il coltello più corto, non così veloce o affilato, e ho visto il sangue sgorgare in un fiume abbondante dal suo collo. Poi, dannazione, non ho potuto iniziare a sventrare la puttana. Ho sentito suoni fuori dal cortile e passi di cavalli sulle pietre. Sono dovuto fuggire e velocemente, mi sono tenuto vicino al muro mentre un cavallo e un carro si avvicinavano e sono scivolato via prima che l'uomo desse l'allarme. Non avevo sangue su di me, così scivolai nel tunnel più vicino e rimasi invisibile, risalendo vicino a Mitre Square. Dio benedica il signor Bazalgette! Un'altra puttana si è presto resa disponibile per me e questa volta non ho sbagliato. Questa sanguinava come farebbe un maiale sgozzato e il sangue gorgogliò mentre lasciava la sua gola squarciata. Le ho squarciato il viso e l'ho sventrata come volevo. La strada era macchiata di rosso chiaro, anche al buio l'ho vista. Potrei giurare che si fosse mossa mentre le tagliavo le interiora, povera piccola puttana! Forse no. Non ci è voluto molto tempo e questa volta ho tagliato l'orecchio come promesso. Ho usato il grembiule della puttana per pulire il coltello, il suo sangue era troppo appiccicoso. Ho lasciato la puttana in mostra e me ne sono tornato a casa. Le voci erano così compiaciute di quello che avevamo fatto, ho dormito bene e mi sono svegliato come un uomo nuovo, anche se la mia testa mi pulsa di nuovo per il mal di testa; mi farò ancora una dose, dormirò di nuovo e il dolore si placherà.

Mi sono svegliato più tardi, mi sentivo meglio, ho inviato un biglietto al capo, volevo che sapesse che ero io ad averlo fatto come promesso. Mi riposerò un po' e dormirò di nuovo; i miei sforzi mi stancano.

Due donne, due omicidi, vili mutilazioni ed ecco il killer che descriveva i fatti in poche parole. Ammetto di essere rimasto sorpreso dalla mancanza di emozione dimostrata dallo Squartatore per il duplice omicidio. C'era una leggera euforia, sì, ma più un senso di frustrazione nelle sue parole. Pensavo che forse fosse arrabbiato per essere stato interrotto nel suo 'lavoro' su Liz Stride, e che si sentisse gravemente infastidito per aver dovuto cercare una seconda vittima, Catherine Eddowes. Forse, se un uomo di nome Louis Diemschűtz non fosse entrato nel cortile di Berner Street in quel momento, permettendo così allo Squartatore di eseguire le sue macabre mutilazioni su Liz Stride, allora la povera Catherine Eddowes non sarebbe mai diventata una vittima dello Squartatore. Tali erano i capricci del destino, pensai tra me.

Aveva effettivamente usato di nuovo le fogne, le belle creazioni di Bazalgette, per effettuare la sua fuga da Berner Street, ma quanto gli era stato vicino Diemschűtz mentre scivolava fuori da quel cortile, forse a pochi metri di distanza? Molti esperti avevano riflettuto, nel corso degli anni, su come lo Squartatore fosse riuscito ad arrivare da Berner Street a Mitre Square in modo così veloce, senza che nessuno lo vedesse. La risposta era sempre lì, che li fissava in faccia. Le fogne! Aveva potuto viaggiare sottoterra, in una serie di linee rette, senza dover ricorrere alle strade principali o alle secondarie di Whitechapel, accorciando probabilmente la distanza e il tempo di percorrenza. Era anche un dato di fatto che un pezzo del grembiule di Catherine Eddowes fosse stato trovato alle 2,50 del mattino sulla porta di Wentworth Model Dwellings, sotto il cosiddetto 'Goulston Street Graffito', il messaggio scarabocchiato con il gesso su un muro che aveva sconcertato molti criminologi del tempo, e che era stato rimosso senza essere fotografato per ordine di Sir Charles Warren, il Commissario della polizia metropolitana. A lungo si è pensato che la scritta sul muro non fosse, in effetti, opera dello Squartatore, e questo pensiero fu rafforzato nella mia mente dall'assenza di qualsiasi riferimento ad esso nel diario. Sentivo che, se lo Squartatore avesse davvero scritto il messaggio, avrebbe fatto qualche riferimento ad esso nel suo diario. Non l'aveva fatto, quindi ero sicuro che il graffito non fosse opera sua.

Il diario, tuttavia, aveva confermato l'orribile assalto a Eddowes, in particolare le orribili mutilazioni sul suo viso e la rottura dell'orecchio. Era così realistico riguardo alla meccanica dei suoi crimini che non si poteva fare a meno di rabbrividire per la pura barbarie delle sue azioni. Catherine Eddowes era stata infatti sottoposta all'assalto più feroce, fino a quel momento, e le sue ferite erano molte e varie. Il suo intestino era stato estratto e posto sopra la spalla destra, l'orecchio destro era stato quasi reciso, il viso era stato gravemente mutilato, la gola era stata tagliata, come in tutte le vittime, e l'addome della povera donna era stato aperto dallo sterno al pube. L'elenco delle sue ferite era in effetti molto più lungo e dettagliato, ma evito di elencare l'intera portata delle atrocità commesse sulla povera donna. Basterà dire che nessuno, polizia compresa, era mai stato testimone di tali orribili mutilazioni.

C'era anche un riferimento sul diario alla cartolina ricevuta dal Central News Agency, bollata 1° ottobre, scritta in rosso, che diceva:

> *Non stavo codificando, caro vecchio capo, quando vi ho dato quell'indizio. Sentirete parlare del lavoro dell'impertinente Jacky domani: doppio evento questa volta. La numero uno ha strillato un po' ma non sono riuscito a concludere, non ho avuto il tempo di ascoltare le soffiate della polizia. Grazie per aver tenuto l'ultima lettera nascosta fino a quando non ho avuto modo di lavorare di nuovo.*
>
> *Jack lo Squartatore*

Molti alti ufficiali di polizia avevano ritenuto che

la lettera precedente e la cartolina, che sembrava avere una grafia diversa, fossero bufale, ma pensai che se fosse stato così, come diavolo faceva il burlone a sapere cosa intendesse fare lo Squartatore, in particolare il taglio dell'orecchio della povera Cathy Eddowes? No, la loro rimozione era stata troppo rapida e troppo illogica. La questione della grafia era facilmente risolvibile. C'era una mente intelligente e subdola al lavoro e sarebbe stato semplice per lui mascherare la sua calligrafia o modificarla, come aveva fatto con la lettera e la cartolina. Sebbene ci fossero una serie di errori apparenti nella punteggiatura e nella grammatica, entrambe erano state ovviamente scritte da qualcuno con una buona conoscenza della lingua inglese, come evidenziato dalla corretta ortografia di parole come 'concludere' e 'strillato'. Una persona con un background non istruito avrebbe trovato difficile l'ortografia di tali parole e ci si sarebbe aspettato che facesse più errori di ortografia di quelli che compaiono nella lettera o nel biglietto. No, ero sicuro che fossero autentici e che lo Squartatore avesse applicato una certa dose di astuzia nei suoi abili inganni, con diverse grafie e le cosiddette imperfezioni grammaticali. Dedussi che il problema principale per gli investigatori di polizia dell'epoca era la loro completa mancanza di familiarità con le malattie mentali, o gli effetti che potevano avere su una personalità altrimenti normale e forse molto intelligente. Stavano semplicemente cercando 'un pazzo', un assassino spietato che aveva tagliato quelle povere donne per divertimento, 'solo per divertimento'. Sfortunatamente non avevano idea di chi o con cosa avevano a che fare. Jack lo Squartatore era, mi spiace dirlo, probabilmente molto più intelligente e subdolo, a causa della sua educazione e della sua malattia, di coloro il cui compito era tentare di arrestarlo.

All'improvviso, un'ondata di tristezza si riversò dentro di me. Provai un immenso dolore, in primo luogo per le povere sfortunate vittime dello Squartatore, assassinate, mutilate e lasciate a sanguinare nelle strade sporche e degradate di Whitechapel, e in secondo luogo, sorprendentemente forse, per lo Squartatore stesso, il povero individuo, distrutto da una malattia che non poteva controllare, non diagnosticata, senza alcun aiuto a sua disposizione e che stava rapidamente precipitando in una follia irrevocabile, un individuo che, nonostante i suoi crimini, era un essere umano malato e torturato. Mio malgrado, e contrariamente al mio miglior giudizio, mi ritrovai a pregare in silenzio per l'anima dello Squartatore e per le sue vittime, ciascuna per nome.

Quanto avrebbe potuto sopportare ancora il suo cervello, mi chiesi? La follia cresceva ogni giorno di più. Lo sapevo e immaginavo che sarebbe arrivato il momento in cui le note nel suo diario sarebbero diventate meno numerose e meno coerenti. Il diario stesso diventava sempre più sottile a ogni pagina che leggevo, e sapevo che mi stavo avvicinando sempre di più alla rivelazione / confessione finale del mio bisnonno, qualunque essa fosse. Avevo bisogno di sapere di più sulla sua connessione con lo Squartatore, quanto più vicino fosse stato coinvolto prima della fine della follia omicida dello Squartatore. Ancora non lo sapevo, ma presto l'avrei scoperto.

VENTIQUATTRO
"OMICIDIO, ORRIBILE OMICIDIO!"

Devo ammettere che il mio cervello a questo punto si sentiva vicino al sovraccarico, tanto che, nonostante il mio sempre crescente bisogno di continuare il mio strano viaggio nel diario, sentivo il bisogno di una pausa dalle raccapriccianti raffigurazioni che venivano riportate in vita per me, all'interno delle sue pagine. Fuori dalla mia finestra, la pioggia cominciò ad aumentare d'intensità, la brezza si era trasformata in un forte vento e l'oscurità era caduta come un manto sul mondo esterno. Nonostante le luci nello studio, era l'oscurità che mi attanagliava e attirava la mia attenzione, come se, a prescindere dall'illuminazione fornita dall'energia elettrica, il potere dell'oscurità esterna, della natura stessa, stesse sopraffacendo la luce e il potere della notte stava invadendo il mio caldo rifugio.

Lasciando il diario al centro della scrivania, decisi di fare qualche ricerca in più sul caso e ancora una volta effettuai l'accesso al sito web di *Casebook*. Volevo saperne di più sulle reazioni dei due omicidi e sulle lettere dello Squartatore, per avere un'idea di come Londra e i londinesi avessero ricevuto quelle notizie al momento dei suoi ultimi crimini.

Il sito web di *Casebook* conteneva una marea di fatti e informazioni generali sul caso e presto trovai riferimenti alle informazioni che cercavo. La lettera dello Squartatore 'Caro capo' era stata stampata nel Daily News del 1° ottobre e non passò molto tempo prima che le grida e i richiami dei venditori di giornali agli angoli delle strade annunciarono al mondo il nome di "Jack lo Squartatore".

"Omicidio, orribile omicidio, leggete tutto!" Potevo quasi sentire i toni striduli dei giovani ragazzi mentre gridavano eccitati ai passanti, supplicandoli di acquistare il giornale, di leggere gli ultimi rapporti sugli omicidi che stavano sconvolgendo l'intera Londra, ricca o povera. *"Jack lo Squartatore ne macella altre due"* e *"Jack lo Squartatore, Jack lo Squartatore, lo Squartatore prende in giro la polizia"*, erano solo alcuni di questi. Più tardi quel giorno la cartolina 'Impertinente Jacky' fu riprodotta su *The Star* aggiungendo ancora più benzina al fuoco dell'isteria, che stava iniziando a crescere sempre più rapidamente, ogni giorno che passava. Si potrebbe forse dire che le strade di Londra, e in particolare le aree di White-

chapel / Spitalfields, erano in fiamme, ma non dalle fiamme che avevano raso al suolo gran parte della città circa duecento anni prima, ma questa volta intrise di paura e incertezza, con i cittadini che si guardavano alle spalle mentre si avvicinava la notte, e con una rabbia crescente per l'apparente incapacità della polizia di mettere le mani sull'odioso e sanguinoso assassino che ora aveva un nome, con cui il pubblico si sarebbe identificato, un nome che ora, con la pubblicazione della lettera e della cartolina, annunciava al mondo la grande entrata del personaggio, il cui nome sarebbe stato per sempre sinonimo di omicidio e infamia. Jack lo Squartatore aveva fatto il suo grande ingresso e il suo pubblico ora conosceva il suo nome!

Con i venditori di giornali che gridavano il suo nome praticamente ad ogni angolo di strada, si poteva ragionevolmente supporre che c'erano pochissimi londinesi che non avevano sentito parlare di Jack lo Squartatore entro la fine di quel giorno. Quello che la polizia aveva pensato di quel nuovo sviluppo fu difficile da dire. Durante le indagini sullo Squartatore, ci fu molto disaccordo tra gli agenti inquirenti sul fatto che queste, o qualcuna delle altre innumerevoli comunicazioni ricevute, fossero effettivamente scritte dallo stesso Squartatore. Ovviamente non furono confermate, col senno di poi, dalla storia, né vennero a conoscenza delle parole del diario che ora giaceva sulla mia scrivania. Certamente, si diceva che i principali detective dell'epoca credessero che la pubblicazione della lettera e della cartolina avrebbe fatto ben poco per aiutare le loro indagini ed avrebbero semplicemente suscitato ancora più ansia e animosità pubblica nei confronti della polizia, che era stata chiaramente insultata dallo Squartatore. Ora c'erano vigilantes per le strade di Londra, bande di cosiddetti 'cittadini della pace' vagavano per Whitechapel di notte, spesso abusando brutalmente di chiunque ritenessero agisse in modo sospetto. Il più importante tra questi gruppi era il '*Comitato di vigilanza di Whitechapel', il* cui presidente era un uomo di nome George Akin Lusk, proprietario di un'azienda di costruzioni e manutenzione, specializzato nel restauro di sale da musica. Lusk era stato strettamente connesso con il caso, ad un certo momento, quindi per ora lo lascio da parte.

Il duplice omicidio aveva ovviamente provocato tumulti e sentimenti di risentimento verso la polizia; molti raduni rumorosi e ribelli ebbero luogo per le strade di Londra quel giorno, e in particolare a Whitechapel. Furono arruolati ufficiali aggiuntivi per mantenere la pace nel disordine pubblico generale, e questo di per sé, servì semplicemente a ostacolare gli sforzi della polizia nella loro necessità primaria di assicurare lo Squartatore alla giustizia. Le strade della città erano un continuo fermento di paura, agitazione, frustrazione e ansia e, stranamente, potevo sentire quei sentimenti riecheggiare nella mia mente, quando mi resi conto che, ancora una volta, mi sentivo come se potessi vedere le manifestazioni nelle strade, sentire gli appelli all'azione della polizia e, soprattutto, sentire le grida dei venditori di giornali che gridavano 'Omicidio, orribile omicidio'.

Più di ogni altra cosa, sapevo che era arrivato il momento di scappare dallo studio per un po'. Per la prima volta in più di ventiquattro ore mi avventurai in salotto, le gambe tremanti mentre camminavo e, senza pensarci troppo, accesi distrattamente la televisione e mi accasciai stancamente in un angolo del divano. Almeno la TV avrebbe fornito una piacevole distrazione per un po'. Sarei tornato presto al diario, ma avevo disperatamente bisogno di una tregua dalla sua intensità, dalla sua potenza, dalla strana presa che sembrava avere sulla mia mente.

Avevo scelto quel momento per sintonizzarmi sulle notizie e non passò molto tempo prima che fossi immerso in un ulteriore tumulto mentale. Dopo i resoconti di varie crisi internazionali e di un uragano nei Caraibi, il giornalista passò a questioni più locali.

Non uno, ma due omicidi a Guildford la notte precedente! La seconda vittima era stata trovata a meno di un miglio dalla prima ed era un'altra donna, anche lei barista e anche a lei era stata tagliata la gola ed era stata sottoposta a quella che il giornalista chiamava 'una serie di mutilazioni sfrenate e spaventose'. Il suo corpo non era stato ritrovato fino a quasi mezzogiorno, essendo stata scaricata in un cassonetto della spazzatura dietro un ristorante temporaneamente chiuso per lavori di ristrutturazione. Due operai avevano scoperto il corpo quando erano arrivati con il loro camion per rimuovere il cassone e svuotarlo in un sito di rifiuti locale. L'attacco contro di lei era stato così frenetico che il suo corpo, una volta ritrovato, era praticamente esangue, il contenuto del cassonetto era macchiato di un rosso intenso per lo sfogo delle numerose ferite inferte. Identificata come Angela Turner, 32 anni e madre di due bambini piccoli, la sua famiglia era 'sconvolta', un eufemismo se mai ne avessi sentito uno. La polizia non aveva sospetti in questo momento!

Ero incredulo! Due omicidi in una notte, la notizia del duplice omicidio era arrivata proprio mentre avevo letto il racconto dello Squartatore del suo doppio omicidio. La mia testa pulsava; riuscivo a malapena a sentire. Quella era una coincidenza che si estendeva troppo, sicuramente, eppure la realtà era lì, mi fissava in faccia, veniva riportata nelle fredde parole concrete di un giornalista che probabilmente aveva riferito su centinaia di omicidi simili nel corso della sua carriera. Da qualche parte nelle vicinanze di casa mia, a pochi chilometri al massimo, qualcuno stava uccidendo donne innocenti con tutti i segni distintivi dello Squartatore. Chi, al giorno d'oggi, sarebbe così insensibile da commettere atti del genere? Purtroppo, ci sono troppe persone disturbate nel mondo capaci di un omicidio così sfrenato e terribile.

Forse anche più che ai tempi dello Squartatore, gli assassini di oggi possono essere motivati dall'avidità, dalla lussuria, dalla dipendenza dalla droga o dall'alcol, o semplicemente da un bisognoso brivido di attirare l'attenzione. Qualunque sia la motivazione di questi ultimi omicidi, il risultato è famiglie distrutte, bambini senza madre e indicibili lutti e perdite. Spensi la TV; non potevo più guardare. Tutto il mio corpo si sentiva come se stesse tremando, forse non visibilmente, ma certamente nel profondo. Riuscivo a malapena a comprendere cosa mi stesse accadendo. Lo Squartatore era in qualche modo perpetrato negli anni, la sua anima incastonata nella psiche di un povero e triste individuo dell'età moderna, spinto dai suoi impulsi a commettere questi orribili crimini? Impossibile, almeno questo è quello che mi sono detto. Cercai di sforzarmi di essere razionale riguardo agli ultimi omicidi. Non potevano avere alcun collegamento con ciò che era accaduto nel 1888. Decisi che ovviamente, la lettura del diario dello Squartatore aveva orientato la mia percezione verso tali eventi. Tali notizie dovevano ovviamente essere un evento comune, non nel mio villaggio naturalmente, ma piuttosto nei notiziari nazionali e percepivo quegli eventi più facilmente di quanto avrei fatto normalmente, proprio come una donna incinta si accorge improvvisamente di tante donne con bambini, di tante altre donne incinte, non ce ne sono più di prima, ma lei lo percepisce così. Era solo una coincidenza orribile e raccapricciante, eppure, in fondo alla mia mente, una paura e un terrore assillante che ci fosse qualcosa di ultraterreno nell'intera situazione in cui mi trovavo, non sarebbe andata via in modo semplice. Dovevo chiedermi se stavo cercando di razionalizzare dove non c'erano spiegazioni o ragioni ma solo una mano fredda che si protendeva dalle nebbie torbide dei secoli passati. Non avevo risposte reali.

Potresti pensare che io sia pazzo, ma non riuscivo a liberarmi da quella sensazione e, mentre un silenzio freddo e tombale riempiva la stanza, e me con essa, sentii una sensazione fisica d'impotenza e terrore che si impadronivano di me. Mi sentivo come se stessi scivolando verso il basso, come un aereo fuori controllo che si tuffa a capofitto verso la terra prima di frantumarsi in mille pezzi, a causa dell'impatto distruttivo quando finalmente si scontra con il terreno solido. Sebbene non fossi ancora vicino a quell'impatto finale, sapevo che stavo cadendo e potevo sentire piccoli pezzi del mio io normale, il mio io sano e razionale, staccarsi mentre mi precipitavo verso un'inevitabilità sconosciuta.

Niente nella mia formazione di psichiatra avrebbe potuto prepararmi a quella situazione, principalmente perché nessuno aveva mai sperimentato una cosa del genere, tranne forse mio padre e il suo prima di lui e non avevo idea di come l'avevano affrontato o erano stati immuni agli effetti del diario; forse ero solo io così suscettibile alle parole dello

Squartatore - morto da tempo - ed ero caduto sotto il suo incantesimo? Dubito che ci fosse anche un nome soddisfacente da dare a quello che stavo subendo in quel momento; le mie esperienze precedenti non avevano mai identificato alcun fenomeno del genere. Tutto quello che sapevo, era che ero solo, spaventato e sempre più disturbato di ora in ora, poiché gli eventi di un secolo prima e quelli dei giorni nostri sembravano fondersi in un lungo incubo da sveglio!

Non riuscii più ad andare avanti, non quella notte, e, lasciando tutte le luci del piano di sotto accese e i documenti nello studio che giacevano esattamente dove erano, salii le scale, fermandomi abbastanza a lungo in bagno per prendere due sonniferi piuttosto forti che avevo prescritto per Sarah, qualche tempo prima e, con la mente in uno stato di esaurimento mentale quasi completo, scivolai nel letto e, forse a causa della brutta notte precedente, dormii a lungo, senza sognare.

Se avessi pensato che il sonno avrebbe curato ciò che mi affliggeva, che il mattino avrebbe portato una luce brillante e rinfrescante nel mio mondo appena disturbato, sarei rimasto gravemente deluso, ma almeno per alcune ore la mia mente e il mio corpo avrebbero riposato.

VENTICINQUE
LA MATTINA SEGUENTE

Non so per quanto tempo ho dormito quella notte; non avevo guardato l'orologio prima che la mia testa colpisse il cuscino e le compresse di sonnifero prendessero il sopravvento, mandandomi in quel lungo sonno senza sogni. So di aver guardato l'orologio quando mi sono svegliato ed erano le sette del mattino, più o meno. La mia prima sensazione al risveglio fu la mia lingua attaccata al palato, che a sua volta era secco come il deserto del Sahara. Mi faceva male la testa e provavo un senso di disorientamento simile a quello che accompagnava una grave sbornia, anche se giuro che non una goccia di alcol aveva toccato le mie labbra la notte precedente. Ovviamente era l'effetto dei sonniferi. Erano stati prescritti a Sarah qualche tempo prima, dopo che aveva sofferto di un forte mal di schiena causato da un infortunio, giocando a squash con il suo migliore amico Chris; il nostro medico di famiglia glieli aveva prescritti per aiutarla a riposarsi bene la notte. Ne aveva presi alcuni e poi aveva lasciato la bottiglia sullo scaffale. Avrei dovuto riconoscerli prima di prenderli, ma ormai era troppo tardi.

Ci volle un'eternità per alzarmi dal letto, andare in bagno e vestirmi, riuscendo finalmente a dirigermi in cucina, dove bevvi copiose tazze di caffè e quattro fette di pane tostato. Non ero particolarmente affamato, ma pensai che il cibo potesse aiutarmi a contrastare i postumi dei sonniferi.

Accesi la radio mentre mangiavo e aspettai di sentire il telegiornale delle otto. Quando arrivò il notiziario sugli omicidi locali, scoprii che la polizia aveva effettuato un arresto! 'Agendo in base alle informazioni ricevute', un uomo di venticinque anni era stato arrestato a casa sua la sera prima, probabilmente mentre dormivo. Ero contento che almeno le strade di Guildford e dei villaggi circostanti, compreso il mio, fossero al sicuro per il momento, presumendo ovviamente che la polizia avesse trovato l'uomo giusto. Forse le mie stesse emozioni disturbate si sarebbero placate; niente più omicidi nella mia città avrebbe significato sicuramente non più macabre coincidenze.

Quando la notizia giunse al termine, fui disturbato da un forte colpo alla porta d'ingresso. Sentendomi ancora piuttosto intontito per i postumi dei sonniferi, camminai lentamente dalla cucina alla porta e sbirciai attraverso lo spioncino di sicurezza. Fuori c'erano un poliziotto in uniforme e un altro uomo vestito con un abito blu. Chiedendomi cosa diavolo stesse facendo la polizia a casa mia, aprii la chiave e la porta.

"Dottor Cavendish?"

"Sì?" Risposi, interrogativamente.

"Sono l'ispettore Bell; questo è l'agente Tenant, polizia del Surrey. Possiamo entrare per qualche minuto, per favore?"

"Di cosa si tratta, ispettore?" Chiesi.

"Preferisco discuterne dentro, se possiamo dottore".

"Giusto, beh, fareste meglio a entrare, vero?" Risposi piuttosto sgarbatamente. La mia testa continuava a pulsare e la mia lingua pelosa aveva a malapena ripreso le sue normali funzioni all'interno della mia bocca ultra secca. L'ultima cosa di cui avevo bisogno era una visita inaspettata della polizia locale.

Condussi i due ufficiali in cucina e li invitai a sedersi.

"Ora, ispettore, di cosa si tratta?"

"Allora dottore, forse ha sentito dei due omicidi avvenuti in città due notti fa?"

I peli sulla parte posteriore del collo si misero improvvisamente sull'attenti.

"Sì, certo, ma cosa c'entrano con me?"

"Beh, signore, forse avete anche sentito che ieri

sera abbiamo preso un sospettato. Succede che lui affermi di essere uno dei suoi pazienti".

A quel punto, il mio cuore quasi incespicò e posso giurare, ancora oggi, che la mia frequenza cardiaca è praticamente raddoppiata. Certamente, i colpi alla testa stavano aumentando, pensavo che i poliziotti stessero sicuramente vedendo il pulsare della mia tempia, anche se ovviamente non potevano.

"Vada avanti, ispettore", deglutii.

"Si chiama John Terence Ross. Sua madre ci ha chiamato quando ha visto del sangue sulle sue scarpe e sugli orli dei pantaloni dopo che era andato a letto la notte scorsa. Sembra che abbia una storia di disturbi psichiatrici da un po' di tempo e, come ho detto, lui e sua madre affermano che lei è il suo psichiatra".

"È vero che l'ho visto un paio di volte. Sua madre ha pagato perché lo vedessi, poiché i medici dell'ospedale di Farnham Road sembravano incapaci di fare molti progressi con lui".

"Cosa ci può dire della sua malattia, dottore?" Chiese l'ispettore.

"Vede ispettore", risposi, "sa che non posso violare la riservatezza medico / paziente".

"La conosco dottore, naturalmente, ma ho pensato che forse potrebbe venire alla stazione di Margaret Road, magari parlargli, vedere se riesce a convincerlo a parlare con noi. Finora è rimasto praticamente in silenzio".

“Vi ha detto qualcosa?” Chiesi.

“Solo che l’ha fatto e che meritavano di morire. Se ha bisogno di aiuto psichiatrico, dobbiamo sapere esattamente con cosa abbiamo a che fare”.

“Va bene ispettore”, sospirai. ”Datemi un’ora e andrò in città a trovarlo. Va bene?”

“Va bene, signore. Sarò alla stazione ad aspettarla. Chieda di me alla reception”.

Non poteva succedere! Eppure così era. Dopo che gli agenti di polizia erano usciti di casa, mi sedetti nella poltrona accanto al caminetto in cucina, con la mente che correva, la testa che pulsava e le mani, in realtà tutto il mio corpo, tremanti come una foglia. L’immagine speculare con la situazione del mio bisnonno mi fissava con cupa realtà. Come poteva una tale serie di eventi accadere proprio in un momento simile? Come il bisnonno, eccomi qui convocato per esaminare un uomo che conoscevo, che poteva benissimo essere l’assassino di due donne innocenti. A differenza del mio antenato, tuttavia, questa volta l’uomo era in custodia, anche se questo non mi aiutava ad alleviare la sensazione di coincidenza impossibile che riempiva la mia mente. John Ross era davvero un individuo disturbato, anche se non lo avrei creduto capace di un tale odioso doppio crimine. I suoi farmaci avrebbero dovuto servire a mantenerlo psicologicamente stabile, se li avesse presi come prescritto, cosa che forse non aveva fatto!

Non solo, ma un pensiero strano e inquietante mi

balzò all'improvviso nel cervello, colpendomi a casa come un fulmine. Il suo nome, beh, non tanto il suo nome quanto le sue iniziali. Non avevano mai significato niente per me prima, perché avrebbero dovuto? All'improvviso però John Trevor Ross divenne JTR, facilmente tradotto in 'Jack The Ripper' (n.d.t. Jack lo Squartatore).

Il viaggio fino alla stazione di polizia richiese circa mezz'ora, ma mi sembrarono ore mentre guidavo in uno stato di disorientamento, a malapena consapevole di chi fossi o di cosa stessi facendo. Di certo non avevo idea di cosa avrei ottenuto parlando con John Ross, se non per confondere e disturbare ulteriormente la mia presa sempre più fragile sulla realtà. Ma non potevo dirlo alla polizia, vero?

Parcheggiai nella sezione visitatori del parcheggio della stazione di polizia, entrai nella stazione e mi presentai alla reception. Mi identificai e chiesi dell'ispettore Bell, che arrivò un minuto dopo e mi condusse attraverso una porta, lungo un corridoio e in una stanza dei colloqui, dove mi trovai faccia a faccia con John Trevor Ross.

VENTISEI
"BENTORNATO A CASA, ROBERT"

John Ross sembrava una creatura piuttosto penosa mentre sedeva al tavolo nella stanza dei colloqui. Il suo avvocato, Miles Burrows, assunto quella mattina da sua madre, sedeva accanto a lui, con l'ispettore Bell che mi invitava a sedermi accanto a lui sul lato opposto del tavolo. Nella stanza era presente anche un agente della polizia, per azionare il registratore che doveva essere utilizzato per registrare l'interrogatorio, una procedura standard della polizia.

I vestiti di Ross erano stati portati via per sottoporli ad accertamenti da parte della scientifica ed era vestito con un semplice indumento monopezzo, tipo tuta da lavoro, fornito dalla polizia. Era l'uomo più piccolo nella stanza, anche se le sue dimensioni nascondevano una forza muscolosa, acquisita da molte ore trascorse ad allenarsi nella palestra locale. Avevo avuto quattro consultazioni con lui negli ultimi mesi e gli avevo diagnosticato una lieve schizofrenia, con una tendenza latente al comportamento violento, nonostante il farmaco che gli avevo prescritto, che sua madre aveva promesso di controllare che lui assumesse regolarmente, e che avrebbe dovuto regolare il suo comportamento e consentirgli di vivere una vita ragionevolmente normale. Ovviamente le cose non erano andate secondo i piani e la malattia di Ross era molto più grave di quanto forse avessi percepito. Sfortunatamente, gli schizofrenici possono essere molto abili nel nascondere i loro sintomi al loro medico e sembrava che John Ross non facesse eccezione.

Anche se in quella fase non avrei rivelato nessuno dei dettagli medici del mio paziente alla polizia, feci del mio meglio per incoraggiare Ross a parlare con l'ispettore, per cercare di spiegargli perché aveva fatto quello che aveva fatto. Non ebbi più successo di quanto lo avesse avuto la polizia stessa. Nonostante gli avessi assicurato che io e la polizia volevamo aiutarlo - l'aiuto era ciò di cui aveva senza dubbio bisogno - si rifiutò di collaborare con i suoi interlocutori. Sapevo che, quando il suo caso sarebbe arrivato in tribunale, avrebbe probabilmente affrontato una condanna a vita, da scontare in un istituto sicuro, ma avrei potuto provare un po' di simpatia per lui, solo se si fosse aperto con qualcuno. Anche una spiegazione illogica e folle delle sue azioni sarebbe stata preferibile al suo cupo silenzio. Forse col tempo, con il progredire dell'interrogatorio, si sarebbe sentito meno intimidito e avrebbe cominciato a parlare con la polizia o con la batteria di psichiatri che ora sarebbero stati chiamati per interrogarlo ed esaminarlo.

Lasciai la stazione di polizia dopo quasi due ore, le ore più deprimenti della mia vita. Lo sguardo rigido di Ross, il suo silenzio e la sensazione che la polizia potesse in qualche modo vedere, direttamente attraverso di me, i miei disturbi interiori, mi fecero venire voglia di scappare da quel posto come se fossi io il criminale, al contrario dell'uomo con la tuta bianca.

Arrivato a casa, aprii la porta d'ingresso, entrai nel corridoio, richiusi rapidamente e mi accasciai contro la porta, appoggiando la schiena contro i suoi pannelli di quercia massiccia. La casa era fredda e io rabbrividii. Forse tremavo piuttosto che rabbrividivo, ormai era diventato difficile distinguere l'uno dall'altro.

Mi diressi allo studio, avevo perso tempo prezioso alla stazione di polizia e volevo completare la mia esplorazione del mondo dello Squartatore prima che Sarah fosse tornata, tra un giorno o due. Non era necessario che io la esponessi allo strano fenomeno che era il diario stesso o che lei mi vedesse in quello stato d'intensa ansia, al limite del panico.

Aprii la porta dello studio (non ricordavo di averla chiusa quando me ne ero andato) e sbirciai, attraverso la stanza, verso la mia scrivania. Il diario giaceva esattamente, dove l'avevo lasciato, ma, mentre lo guardavo, avrei giurato di aver sentito un mormorio sommesso dall'interno della stanza e che le pagine stesse si stavano muovendo, alzandosi e vacillando delicatamente, come se fosse intriso di vita e respirasse dolcemente sulla scrivania. Non aveva senso, mi dissi rapidamente, il movimento era ovviamente causato dalla corrente d'aria che avevo causato aprendo la porta e il suono era creato solo dalla mia immaginazione. Le stanze non sussurravano né i diari respiravano, vero?

Nonostante l'ora mattiniera, mi versai un whisky, sentivo di meritarlo. Mi sedetti di nuovo sulla sedia e allungai la mano per prendere il diario. Ci volle uno sforzo enorme per evitare che le mie mani tremassero mentre lo facevo, ma le pagine calde della confessione segreta dello Squartatore furono presto di nuovo nelle mie mani.

Aveva omesso di trascrivere note per tre giorni, dal 1° ottobre, e la voce successiva, datata 5 ottobre, era sorprendente, nella sua scrittura e nel messaggio rivelatore agghiacciante che traspariva. Scritta come la precedente lettera alla stampa in inchiostro rosso, con ortografia e punteggiatura perfette, diceva:

5 ottobre 1888

Sangue, bello, denso, ricco, rosso, sangue venoso.

Il suo colore riempie i miei occhi, il suo profumo assale le mie narici,

Il suo sapore pende dolcemente sulle mie labbra.

La scorsa notte ancora una volta le voci mi hanno chiamato

E io mi sono avventurato, per loro richiesta, per la loro scellerata ricerca d'impresa.

Attraverso strade meschine, luci a gas e avvolte dalla nebbia, vagai nella notte, selezionando, colpendo, con lama lampeggiante,

E oh, come scorreva il sangue, riversandosi sulla strada, inzuppando le fessure acciottolate, zampillando, come una fontana di rosso puro.

I visceri che colavano dal budello rosso strappato, i miei vestiti assumevano l'odore della carne appena macellata. Le squallide ombre scure della strada mi chiamavano e sotto le grondaie scure e sporgenti, come uno spettro sono scomparso ancora una volta nella notte allegra,

La sete di sangue delle voci è stata nuovamente soddisfatta, per un po' ...

Chiameranno di nuovo, e ancora una volta mi aggirerò per le strade nella notte,

Il sangue scorrerà di nuovo come un fiume.

Attenti a tutti coloro che si opporranno alla chiamata,

Non sarò fermato o preso, no, non io.

Dormi bella città, finché puoi, mentre le voci dentro sono immobili,

Sto riposando, ma il mio momento verrà di nuovo. Risorgerò in una gloriosa festa di sangue,

Gusterò di nuovo la paura mentre la lama taglia bruscamente nella carne,

quando le voci solleveranno il clamore e verrà di nuovo il mio momento.

Quindi ripeto, buoni cittadini, dormite, perché ci sarà una prossima volta ...

Ogni dubbio, che potevo nutrire sul fatto che lo Squartatore fosse un uomo istruito, fu dissipato da questa nota orrendamente gongolante. Aveva descritto in modo quasi poetico i suoi crimini e quella nota, forse più di ogni altra fino a quel momento, mi diede una vivida e terribile intuizione, sulla mentalità del famigerato assassino di Whitechapel. Presumevo che l'avesse scritta subito dopo la notte del duplice omicidio (anche se immaginavo che avrebbe potuto essere scritta dopo uno qualsiasi degli omicidi) e l'avesse trasferita sul suo diario più tardi. Il suo riferimento al fatto di scappare '*sotto grondaie scure e sporgenti*' mi fece tuttavia venire in mente un'immagine del cortile in Berner Street, da cui era sfuggito prima di essere scoperto. La sua malattia era ormai evidente, la sua mente probabilmente cominciava a cedere sotto il peso dei suoi spaventosi crimini. Avendo ucciso due donne in una notte, con le mutilazioni e le atrocità sui corpi delle sue vittime che crescevano in ferocia ad ogni omicidio, sapevo che si stava avvicinando a un punto in cui, anche tenendo conto del suo stato d'animo disturbato, la pura immensità e l'orrore per il proprio male sarebbe traboccato e avrebbe portato ad una grave crisi. Anche se mancavano più di tre settimane, sapevo nel mio cuore e nella mia mente che l'omicidio di Mary Kelly, probabilmente il più feroce e visivamente orribile degli omicidi dello Squartatore, lo aveva probabilmente 'mandato oltre il limite' e che qualunque cosa fosse avvenuta dopo, sperando che lo avesse poi spiegato in una nota del mio bisnonno, avrebbe provato quel deterioramento finale senza ombra di dubbio e avrebbe rivelato il motivo della scomparsa dello Squartatore dopo la data dell'omicidio di Kelly. Dopotutto, non c'erano stati arresti, né voci di un forte sospettato e l'assassino era semplicemente svanito, di nuovo nell'oscurità da cui era venuto, per non essere mai più nominato. Perché? Il diario si stava assottigliando, sapevo che le risposte finali non potevano essere lontane e, mentre leggevo e rileggevo l'ultima terribile annotazione, fui nuovamente preso da una tensione inspiegabile e dalla paura di non essere preparato per quello che stavo per conoscere.

In quell'ultima nota poetica aveva detto che stava 'riposando'. Era uno stratagemma consapevole e deliberato da parte sua, sparire dalla vista, sfuggire alle attenzioni del pubblico prima di perpetrare la sua ultima e più raccapricciante uccisione? Aveva scritto che le voci stesse lo avevano abbandonato per il momento, che anche loro erano a riposo. Era chiaro che le voci erano la motivazione per i suoi omicidi, '*la sete di sangue delle voci è stata nuovamente soddisfatta*", il controllo sulle sue azioni, a quel punto, era gravemente diminuito e la sua mente era vicina alla sua discesa finale nella follia; lui aveva bisogno di tempo per recuperare, riguadagnare un certo grado di normalità, in modo che potesse pianificare ed eseguire la sua prossima e infine ultima apparizione per le strade di Whitechapel.

Quando poggiai il diario sulla scrivania, mi ritrovai a chiedermi quando il mio bisnonno avrebbe fatto un'altra 'apparizione' nel diario. Ci sarebbero stati altri appunti inseriti nelle pagine delle parole dello Squartatore o avrei dovuto aspettare fino alla fine per decifrare qualunque segreto fosse stato tenuto così strettamente nascosto all'interno della famiglia, per così tanto tempo? Sicuramente l'identità dello Squartatore era lì, in attesa di essere rivelata a me quando avrei raggiunto l'ultima pagina, l'ultima nota. Non solo, ma il coinvolgimento della mia famiglia, per quanto piccolo, doveva essere presente da qualche parte. Come riuscii a resistere alla tentazione di andare direttamente alla fine, arrivato a quel punto, non lo so spiegare, ma qualcosa mi impedì di farlo. Dovevo continuare come stavo facendo, pagina per pagina, leggendo e 'vedendo' gli orrori degli omicidi man mano che si manifestavano, prima che mi fosse permesso di assistere alle rivelazioni finali del diario.

La mia testa aveva ricominciato a pulsare, quando mi resi conto che lo Squartatore non aveva fatto riferimento al laudano nell'ultima nota. Si era disintossicato da solo? Sicuramente no. Forse era ormai così abituato a prenderlo, che riteneva irrilevante includerlo nel suo diario. Più probabilmente, la sua dipendenza era tale che sapeva a malapena di prendere il farmaco; era diventata una parte della sua vita quotidiana, una parte di lui! Il mal di testa si era fermato? Forse l'avrei scoperto nella nota successiva. Sicuramente doveva essere stato abbastanza lucido e padrone di sé per scrivere quell'ultima nota macabra. Ero così pieno di domande e privo di risposte che i miei sensi stavano vacillando.

Mi sentii come se una folata di vento avesse improvvisamente spazzato la stanza e mi voltai per vedere da dove potesse provenire. Non c'era niente, nessuna finestra aperta e nessuna porta che potesse aver generato una simile raffica. Con l'irrazionale paura di essere solo, ma non del tutto, che cresceva d'intensità nella mia mente sovraccarica, mi alzai dalla sedia, uscii dallo studio e iniziai una perquisizione della casa. So che mi considererai pazzo, e forse lo ero, ma pensai che, per quanto il pensiero potesse sembrare illogico e impossibile, non sarebbe stato male controllare, vero?

Non c'era nessuno, ovviamente non c'era, la casa era vuota, a parte me, e mi rimproverai per la mia stupidità. Tornai nello studio e, entrando dalla porta, giurai che, ancora una volta, quelle dannate pagine si stessero alzando e abbassando e che la stanza mi stesse sussurrando un benvenuto, mentre mi sedevo sulla comoda poltrona di pelle, prendendo il diario.

VENTISETTE
ROULETTE RUSSA

La luce del giorno stava già svanendo, il cielo stava diventando di un grigio sporco autunnale mentre giravo la pagina successiva. Al posto della mano dello Squartatore, la cosa successiva che vidi fu un'altra nota del mio bisnonno, ancora una volta ordinatamente nascosta tra due pagine del diario. Forse ora, pensai, l'intera faccenda avrebbe iniziato avere un senso. Quella nota non era datata, sebbene il suo contenuto fosse abbastanza chiaro. Lo Squartatore aveva subito un'altra crisi di amnesia!

Il bisnonno aveva aggiunto una nota sulla parte superiore del foglio, scritta da una penna diversa, con inchiostro più scuro, ovviamente scritta in una data successiva rispetto ai suoi scritti originali. La nota diceva:

Se avessi saputo in seguito la vera natura di ciò che ora so, garantisco a chiunque legga questo diario che le mie azioni sarebbero state completamente diverse. Mi scuso per la mia miopia, la mia stupidità, la mia rara incapacità di vedere ciò che avevo davanti agli occhi.

Nota del dottor Burton Cleveland Cavendish, novembre 1888.

Ancora una volta sono stato chiamato a occuparmi di questo giovane, triste e patetico. Ha permesso che la sua vita venisse distrutta non solo da una, ma da due sfortunate dipendenze! Nonostante abbia avuto un'educazione decente, timorata di Dio, con molti dei vantaggi negati a tanti nella nostra società, ha condotto un'esistenza dissoluta. Sembra che fosse dedito a far visita a quelle povere disgraziate che abitano le strade buie della nostra metropoli e soffre di quella vile malattia così spesso associata agli uomini che frequentano tali donne. È nella fase terminale della malattia e la pazzia non è lontana, temo, anche se per ora ritengo che possa vivere, come fa adesso, da solo in casa, senza ricorrere al ricovero. Inoltre, temo che possa aver preso il mio precedente consiglio troppo alla lettera e aver sviluppato una dipendenza per il laudano, che gli avevo suggerito di prendere per alleviare i sintomi del suo mal di testa, anche se al momento di aver dato tale consiglio non ero a conoscenza dei suoi problemi più profondi.

Langue ancora una volta nel reparto diurno dell'ospedale di Charing Cross, essendo stato mandato lì ancora una volta, dopo essere stato trovato in uno stato confusionale per strada. Sembra non sapere nulla di come sia arrivato lì ed era contento di vedermi. Ringraziai Malcolm per avermi mandato a chiamare ancora una volta, perché non avrei voluto che un estraneo richiedesse la sua reclusione in manicomio, perché sicuramente non sarebbe mai uscito da un posto del genere, una volta ammesso. Sua madre sicuramente non avrebbe mai voluto vederlo in quella situazione, le avrebbe spezzato il cuore, come se l'avesse dovuto vedere nello stato pietoso in cui si trova ora.

Non ha alcun ricordo del suo precedente sequestro, o della sua insana 'confessione' di un omicidio di cui nessuno è a conoscenza. Tuttavia, questa volta confessa di odiare la donna che l'ha infettato con la sifilide e tutta la sua specie e ha affermato che non si riposerà finché tutta la sua specie non sarà scomparsa dalla terra. È fissato con la necessità di sradicare la prostituzione dalle strade di Londra, sebbene il suo linguaggio sia piuttosto rozzo ogni volta che si riferisce a questo argomento.

Nella mia seconda visita, ancora una volta ha 'confessato' di aver liberato il mondo da quella che chiama 'la pestilenza delle puttane', ma credo che queste siano le divagazioni della sua demenza. Senza dubbio ha letto gli orribili racconti degli atroci crimini attualmente commessi a Whitechapel e immagino che nel suo stato delirante possa credere di essere lui l'assassino che tutta Londra ora chiama Jack lo Squartatore! Temo che, se non riuscirà a mostrare miglioramenti in breve tempo, il dottor Malcolm possa raccomandarlo per il ricovero in manicomio e, in verità, poiché non sono in realtà il suo medico, non sarò in grado di impedire che tali misure vengano eseguite.

Gli ho consigliato in un'altra visita di cessare le sue invettive, di credere che abbia allucinazioni a causa di un'eccessiva assunzione di laudano e di accettare farmaci per alleviare i peggiori sintomi dell'altra sua malattia, sulla premessa che così facendo potrebbe ottenere la dimissione dall'ospedale e poter tornare alla sua vita normale, anche se temo per il tempo che gli resta, prima che la sifilide inizi a divorare il suo corpo, come sta già facendo nella sua mente.

Credo che abbia ascoltato le mie suppliche e il dottor Malcolm si dichiara molto soddisfatto dei suoi progressi. Anch'io l'ho trovato molto migliorato, anche se non particolarmente loquace; sebbene io credessi che fosse una parte del suo desiderio di riprendersi dalla sua malattia, astenendosi dai suoi precedenti insulti senza senso. Malcolm suggerisce che, se tali progressi rimangono evidenti, al paziente potrà essere consentito di tornare a casa in due giorni, suggerimento al quale ho acconsentito e mi sono offerto di tenerlo d'occhio dopo la dimissione, gesto benevolo che è stato molto apprezzato da Malcolm, e, sembrava, anche dal paziente.

Successivamente è stato dimesso dall'ospedale dopo una degenza di quasi due settimane, a mio avviso piuttosto lungo. Io feci il possibile per effettuare visite occasionali a casa sua e gli ho chiesto di venire nel mio studio su base settimanale e lui ha accettato.

Seguiva un'altra nota aggiunta, sempre con inchiostro più scuro:

Oh, che stupido sono stato a non riconoscere la verità nelle sue parole. Sarò dannato per sempre e il mio nome sarebbe sicuramente disprezzato da tutta la professione di medici, se dovessi confessare la mia trasgressione. Credetemi, chiunque lo legga, questo diario è arrivato nelle mie mani troppo tardi; se avessi saputo la verità, avrei agito prima, anche se questo non ha importanza né aiuta nessuno ora. Qualunque sia il sangue sulle sue mani è senza dubbio condiviso dalle mie, sono complice della mia vergogna e mi sento fatto a pezzi, dalla forza della conoscenza che devo portare nella mia tomba. La mia miserabile anima brucerà sicuramente all'Inferno, indiscutibilmente come la sua, se questa è una consolazione.

Ho posato il diario sulla scrivania con mani tremanti. Il mio cuore era appesantito dal dolore diretto verso il mio bisnonno. Qualunque cosa fosse, ero sicuro che non fosse uno sciocco, eppure sembrava che avesse permesso allo Squartatore di uscire dall'ospedale, dopo averlo sentito confessare non una, ma due volte, dalla sua bocca. Ero sicuro che il suo istinto umanitario e la sua convinzione, nel fatto che l'uomo fosse semplicemente delirante, avevano offuscato il suo giudizio. A ciò si aggiungeva la connessione ancora non rivelata tra lui e la madre dello Squartatore. Qualunque sia stata la connessione, ne ero certo, gli avrebbe anche dato un ulteriore incentivo a tentare di curare l'uomo in ospedale, piuttosto che vederlo ricoverato in un manicomio, sicuramente un destino terribile per qualsiasi persona in quei giorni bui.

Eppure non potevo sfuggire al pensiero che il mio antenato avrebbe potuto almeno discutere quelle strane 'confessioni' con il dottor Malcolm, o addirittura con la polizia, tenendo presente che lo Squartatore non era effettivamente un suo paziente. Almeno se lo avesse fatto e le autorità gli avessero creduto, come aveva fatto lui - che le confessioni fossero semplici allucinazioni - sarebbe stato almeno assolto dal terribile fardello della colpa di cui ovviamente era caduto preda nello scoprire la verità. Potevo vedere che aveva fatto quelle che oggi sarebbero considerate omissioni evidenti, sia nel suo ruolo di medico, sia come cittadino, ma non potevo fare a meno di simpatizzare con lui.

Dopotutto, non ero io stesso ad essere gravemente colpito dalla mia esposizione alle parole dello Squartatore, semplicemente dalla lettura del suo diario? Non era sempre più difficile mantenere il controllo sulla realtà? In effetti, stavo sperimentando la terrificante sensazione di essere in qualche modo trascinato nel mondo da incubo della mente di Jack lo Squartatore semplicemente maneggiando i suoi scritti infernali. Non era quindi possibile che il mio povero bisnonno, esposto com'era a una sorta di relazione personale con l'uomo, potesse essere completamente preso dalle sue parole, dalla sua voce, che, sebbene io non sentissi, ma in qualche modo immaginavo di essere tranquillo, sommesso e ipnotico, per niente minaccioso e mostruoso come qualcuno potrebbe immaginare che fosse stata la voce dello Squartatore? No, ero certo che la sua voce sarebbe stata morbida e invitante, capace di ammaliare le sue povere vittime nell'orribile, ultimo abbraccio della morte. Se la sola sensazione del suo diario nelle mie mani poteva suscitare una tale risposta di paura e terrore così a lungo dopo la sua morte, quali qualità seducenti e carismatiche doveva aver posseduto nella vita?

Il mio bisnonno poteva non essere stato uno sciocco, ma sapevo bene cosa avevo già imparato dalla mia esposizione al diario, che poteva benissimo essere *stato* ingannato. Lo Squartatore era ben informato e intelligente; non avevo dubbi su questo punto, quindi le sue confessioni potevano essere state uno stratagemma intelligente. Confessando in quel modo, facendosi passare per matto o allucinato, avrebbe avuto il piacere di ammettere apertamente i suoi crimini, vantandosene appunto, sicuro nella consapevolezza che i medici non gli avrebbero creduto, quindi concedendogli un contorto, deformato senso di soddisfazione e, soprattutto, superiorità su quegli stessi medici che credevano di conoscere la loro professione e che, in una certa misura, gli concedeva il potere della vita e della morte su di lui. Non potevo sfuggire alla sensazione che Jack lo Squartatore stesse giocando una specie di roulette russa con i suoi medici, e stava vincendo!

Provando un senso di grande dolore e simpatia per il dilemma che lo aveva afferrato e che forse il mio bisnonno aveva assunto troppo come senso di colpa (anche se ovviamente non ero ancora consapevole del suo coinvolgimento con lo Squartatore), allungai le mie membra doloranti e guardai in alto per un momento per vedere che era buio fuori dalla mia finestra. Stava piovendo di nuovo e, sentendo ancora una volta che non ero del tutto solo nello studio e con un senso di crescente trepidazione, una paura irrazionale di ciò che stava per accadere, tornai lentamente alla pagina successiva ...

VENTOTTO
PENSIERI CONFUSI

26 ottobre 1888

Jack è tornato! Quali stupidi, quali stupidi sbagli ad avermi lì e poi a lasciarmi andare? Non sanno niente. Persino quel pazzo cieco di Cavendish, gli ho detto della mia causa, della mia grande missione, e lui ancora mi considera pazzo! Quindi ho le allucinazioni, vero? Glielo mostrerò. Lo mostrerò a tutti! Le mie voci mi parlano di sangue, fiumi di sangue che scorrono e carne lacerata sul pavimento. Supererò me stesso la prossima volta. Il prossimo lavoro sarà quello più grande. Non mi prenderanno mai, perché indosserò ancora una volta il mio mantello dell'invisibilità e sparirò con la stessa rapidità con cui appaio sulle strade sporche dove camminano le puttane. Sono maledetto per sempre dalla cosa dentro di me che anche adesso mi divora. Mi fa male la testa ma ora il mio corpo si infuria mentre respiro e devo stare attento a non essere visto. La pestilenza che le puttane hanno provocato mi ha reso un mostro, quindi sceglierò il più giovane e grazioso pezzetto di carne di puttana che riesco a trovare, e strapperò, sventrerò e sfiletterò la troia mentre giace distesa davanti a me. Questa sarà scelta accuratamente. Le strade sono piene di me, il mio nome pronunciato e gridato ad ogni angolo. Le notizie hanno un buon profumo e ne riceveranno ancora di più. La gente mi teme; si radunano in ogni pub e tremano nelle loro baracche mentre sussurrano il mio nome. Presto urleranno il mio nome a voce più alta e io afferrerò i loro cuori in un vizio gelido e tutto il mondo lo saprà fin troppo presto, Jack è tornato!

La minaccia contenuta in quell'ultima nota mi fece venire i brividi. Anche se forse non così oscuro e irritante come le sue note precedenti, quella era in qualche modo ancora più agghiacciante. C'era una premeditazione in quelle parole che mi fece credere che lo Squartatore sapeva senza ombra di dubbio che i suoi giorni erano contati. C'era ovviamente la solita presa in giro della professione medica, che, incluso il mio bisnonno, nella ricerca di aiutarlo e capire la sua malattia, aveva di fatto liberato il mostro nel mondo, dando alla volpe la strada libera verso il pollaio.

Adesso mi era chiaro perché Mary Jane Kelly era stata la sua ultima vittima. Stava cominciando a soffrire di alcuni dei peggiori effetti della sua sifilide. Sebbene non riuscisse a descriverli nel dettaglio, sapevo che ormai avrebbe avuto lesioni visibili sul viso e sul corpo, che alla fine sarebbero diventate piaghe aperte e suppuranti, facendolo apparire come il mostro, in cui si vedeva. Le persone si sarebbero allontanate da lui per strada, avrebbero attraversato la strada per evitarlo e, solo indossando una sciarpa o qualche altro indumento sul viso, poteva sperare di nascondere il suo aspetto doloroso al mondo. I miei pensieri tornarono al mio sogno orribile, quando mi era apparso con indosso proprio una sciarpa del genere e i brividi scossero di nuovo le mie mani, il panico mi strinse il cuore e mi sentii come se fossi stato davvero visitato in quella notte disturbata - solo due sere prima, anche se sembrava passato un secolo - dall'anima turbata dello Squartatore stesso. Era come se non fosse in grado di trovare riposo, anche nella morte e che, in qualche modo, fosse in grado di protendersi dall'oltretomba, attraverso gli anni e penetrare nei miei pensieri, nei miei sogni e nella mia vita.

Tornando ai miei pensieri su Mary Kelly, sentivo che era stata scelta esclusivamente perché era giovane e attraente, non la solita descrizione di una puttana di Whitechapel di quell'epoca. La maggior parte delle povere sfortunate cadute nel mondo oscuro e vittime della prostituzione erano vecchie, a quel tempo, spesso crivellate di malattie, con i loro anni migliori e il loro aspetto scomparso da tempo. Kelly era diversa: aveva ancora una bellezza giovanile ed era descritta come vibrante, attraente e piena di gioia di vivere. Il suo incontro con Jack lo Squartatore avrebbe posto fine a quella vita e avrebbe lasciato un'impressione duratura su tutti coloro che avevano avuto la sfortuna di assistere alla scena della sua ultima e più raccapricciante uccisione. Lo Squartatore ora sembrava desideroso di fama, mentre la follia che accompagnava la sua fase terminale stava ora cominciando a prendere una presa più salda su di lui. Le sue voci erano più forti, la sua testa probabilmente si sentiva come se fosse sul punto di esplodere e la sua mente era piena dell'immagine di '*fiumi di sangue e costole di carne sul pavimento*'. Pensai che, anche tenendo conto del suo stato d'animo, tali immagini di per sé sarebbero servite a snervare anche la sua mente disturbata e a condurlo più in là lungo il percorso verso il crollo totale. I cadaveri in ascesa delle donne morte dal suo precedente sogno allucinatorio balenarono nella mia mente e mi ritrovai a chiedermi come un essere umano potesse far fronte a tali immagini mentali *senza* diventare totalmente pazzo. La mia mente era in un tale fermento mentre cercavo di assimilare le informazioni che avevo ricevuto negli ultimi due giorni e che sapevo che mi stavo innervosendo, quindi che dire dello Squartatore stesso? Aveva effettivamente sperimentato e vissuto quei terribili attacchi mentali, aveva perpetrato alcuni dei crimini più feroci e raccapriccianti mai registrati nella lunga e sanguinosa storia di Londra, doveva essere così squilibrato e confuso che a malapena avrebbe riconosciuto se stesso, gli era stata data l'opportunità di tornare in qualche modo al suo stato mentale originale, prima che tutto quello fosse iniziato. Avrebbe condannato se stesso nella sua discesa personale nell'Inferno, il suo cammino verso l'oblio?

I miei pensieri stavano vacillando, stavo cercando di dare un senso a tutto quello, mentre, senza essere indotto dalla mia mente cosciente, il mio bisnonno e il suo coinvolgimento nella vita dello Squartatore vennero alla ribalta nella mia coscienza. Lo Squartatore aveva solo un altro omicidio (di cui ero a conoscenza) da commettere. Quanto altro sarebbe stato rivelato dagli ulteriori appunti del bisnonno, supponendo che fossero nascosti altrove nella pila di pagine, in continua diminuzione, che componeva il diario? Qual era il suo legame con l'assassino? Quella domanda era ancora pericolosamente impressa nella mia mente, fino a quel momento senza una spiegazione soddisfacente. Non potevo sfuggire al pensiero che l'assassino selvaggiamente squilibrato e degenerato di donne, il cui nome perseguita ancora oggi i ricercatori del crimine, potesse essere un mio parente, per quanto lontano. Perché altrimenti il mio bisnonno si sarebbe preso tanta pena, non solo di aiutarlo nella sua malattia, ma fare tutto quello che era stato in suo potere per impedirgli di essere ricoverato in un manicomio, dove, sebbene il suo trattamento potesse essere stato brutale per gli standard odierni, gli sarebbe stato almeno impedito di commettere ulteriori atrocità sulle donne di Whitechapel? Ma ovviamente, il mio bisnonno credeva che lo Squartatore stesse semplicemente immaginando gli omicidi, vedendolo come uno che aveva allucinazioni a causa della sua dipendenza dal laudano, mescolato alla sifilide e a quello che oggi sarebbe definito un odio patologico per le prostitute. Oh, come avrei voluto che il mio antenato avesse approfondito un po' la mente di quell'uomo, o semplicemente credesse che la sua storia potesse essere la verità e l'avesse portata all'attenzione della polizia. Ovviamente non lo fece e il risultato fu l'omicidio spaventosamente raccapricciante di un'altra donna. Anche se rifiutavo ancora di biasimarlo per le sue azioni, avrei solo voluto che avesse fatto le cose in modo diverso.

E che dire di me? Ero davvero in grado di giudicare dopo tutti quegli anni? Dopotutto avevo il dono del senno di poi e sostenuto dalla conoscenza e dall'esperienza che la formazione psichiatrica moderna offriva alla professione medica. Nonostante ciò, stavo cominciando a credere alle teorie più folli immaginabili; vedevo cose che sapevo essere impossibili e percepivo la presenza di un'entità che sapevo essere irreale e una fantasia della mente. Avevo iniziato a manifestare sintomi (fisici) somatici di quelle allucinazioni (e quella era l'unica parola appropriata), come i tremori alle mani e al corpo, la paura irrazionale che cresceva d'intensità ogni ora che passava, e i sogni spaventosamente lucidi e molto reali che mi avevano trasportato in una dimensione da incubo, molto simile a quella dello Squartatore stesso. In breve, stavo cadendo sotto l'incantesimo del diario, se d'incantesimo si poteva parlare e, nonostante il mio miglior giudizio, nonostante tutti i miei sensi di logica e ragione, non riuscivo a fermarmi. Stavo in fase discendente, tanto quanto era successo allo Squartatore, tranne per il fatto che non uscivo di notte a uccidere donne innocenti, vero?

Stavo perdendo la cognizione del tempo e mi resi conto che la sera aveva lasciato il posto alla notte. Stavo male dappertutto, sentivo freddo ed ero irrigidito per essere rimasto seduto sulla sedia per così tanto tempo e la fame aveva cominciato a mordermi lo stomaco. Il mio mal di testa si era intensificato a tal punto che le mie tempie sembravano pulsare e i muscoli nella parte posteriore del collo erano duri e contratti, per il troppo tempo trascorso in una posizione rigida e immobile. Avevo bisogno di riposare, mangiare, ritrovare forza e compostezza. Il diario sarebbe stato ancora lì dopo che mi fossi rinfrescato, lo sapevo, e tuttavia, mentre lo guardavo ancora una volta mentre giaceva sulla scrivania, non potevo fare a meno di sentire come se una malvagità di proporzioni terrificanti stesse lentamente evaporando dalle sue pagine e, come un virus invidioso contro il quale non avevo controllo, si stava lentamente infiltrando in ogni mio pensiero e azione. Stavo diventando dipendente dalle sue parole, dal suo raccapricciante racconto e dovevo costringere fisicamente i miei occhi a distogliere lo sguardo da quella cosa infernale, costringermi ad alzarmi e lasciare la stanza, come se mi stesse continuamente tirando indietro, rifiutando di lasciarmi andare.

Prima che me ne rendessi conto, ero uscito dallo studio e rimasi in piedi tremando in modo incontrollabile, appoggiato con la schiena contro la porta della cucina, come se la sua solidità potesse tenere a bada la cosa demoniaca che sentivo fosse contenuta nelle pagine del diario. Mi trasferii davanti al caminetto di Sarah, con l'intenzione di sedermi e rilassarmi per cinque minuti, prima di prendere qualcosa da mangiare, ma tale era lo stato di esaurimento nervoso in cui era precipitata la mia mente, caddi invece in un sonno profondo. Erano passate quasi tre ore, prima che mi svegliassi al suono stridulo e implorante del telefono che squillava.

VENTINOVE

UN TEMPO PER SVEGLIARSI, UN TEMPO PER DORMIRE

Il suono del telefono che squillava nel mio cervello mi fece uscire dal mio sonno con un sussulto. Avevo quella sensazione di disorientamento che si prova a volte in quelle occasioni, non sapendo bene dove fossi o nemmeno che giorno della settimana fosse. Caddi letteralmente dalla sedia, mi avvicinai al muro e sollevai il telefono dalla base come se fosse una cosa in fiamme. Tenendolo solo con la punta delle dita, lo tenni cautamente vicino all'orecchio.

"Robert caro, ci sei? Stai bene tesoro mio, hai impiegato una vita per rispondere? Pensavo stessi dormendo".

"Ciao, Sarah, mio splendido tesoro, sì, in realtà, mi ero appena sdraiato", mentii, non volendo che Sarah conoscesse le circostanze esatte, che circondavano la mia ultima visita in quel profondo sonno oscuro senza sogni.

"Ti sento distrutto, mi dispiace di averti svegliato. Perché non abbassi di nuovo la testa e cerchi di riaddormentarti? Ti ho chiamato solo per dirti che ho avuto una notte infernale anche io. Il piccolo Jack ha svegliato me e Jennifer; era piuttosto irritabile, poveretto. Suppongo che si senta ancora un po' male, ma l'abbiamo appena fatto addormentare, quindi abbiamo pensato di riposarci un po' finché possiamo".

"Buona idea", risposi. "Fallo, e sì, io credo che farò lo stesso".

"Va bene, tesoro".

"Sarah?"

"Sì, Robert?"

"Mi manchi cara".

"Oh, Robert, mi manchi anche tu, ovviamente. Mi dispiace! Devi sentirti solo lì".

Cercai di sembrare più ottimista e allegro che potevo.

"Non preoccuparti tesoro, come ho detto prima, sono solo stanco, ecco tutto; starò molto meglio dopo una buona notte di sonno".

"Certo! Ora, vai, e ricorda quanto ti amo. Non passerà molto tempo prima che io torni a casa e allora potremo recuperare il tempo perso".

"Anch'io ti amo, Sarah, più di quanto tu sappia. Dormi bene, tesoro mio, ti chiamerò domattina".

Ci salutammo e rimasi seduto sulla sedia per due

minuti buoni prima di alzarmi e riposizionare il telefono sulla base. La stanchezza nel mio corpo era totale, non sembrava esserci un muscolo o un'articolazione che non facesse male. Mi sentivo male, anche se non erano solo gli effetti della stanchezza. Mi sentivo in colpa al pensiero di aver indotto mia moglie a pensare che stavo perfettamente bene, mentre in realtà ero tutt'altro. Cercai di consolarmi al pensiero che in qualche modo la stavo proteggendo, anche se da cosa non ne ero sicuro. Semplicemente non volevo che si preoccupasse per me e allo stesso tempo ero contento che fosse da Jennifer e non vicina neanche lontanamente all'influenza del diario, qualunque cosa potesse essere. Il diario stava sicuramente avendo un'influenza su di me, lo sapevo, non avevo mai provato sentimenti simili prima d'ora. Se fossi stato un mio paziente, in quel momento, avrei pensato che stavo andando verso una sorta di esaurimento nervoso e probabilmente avrei prescritto un forte sedativo e un ciclo di antidepressivi.

Avevo bisogno di tenere Sarah lontana da quello che mi stava accadendo, almeno fino a quando non avessi avuto delle risposte e questo significava completare la mia lettura del diario. Non avrebbe capito bene di cosa si trattasse e non volevo che ci provasse. Sarah e io ci eravamo conosciuti alla facoltà di medicina, anche se lei aveva abbandonato gli studi al terzo anno. A quel tempo, eravamo follemente innamorati e ci sposammo un anno dopo che mi ero abilitato come medico. Sarah aveva continuato a costruire la sua carriera di successo come designer d'interni e suppongo fosse dovuto alla natura del suo lavoro, che lei tendesse a vedere le cose in modo più chiaro e lineare di me. Le complessità della mente umana erano qualcosa che non riusciva a cogliere del tutto e spesso esprimeva stupore per la mia scelta della psichiatria come percorso professionale. Se potesse vedermi ora, lontano dal suo mondo di misure esatte e angoli, immerso in una ricerca empia per scoprire alcuni segreti di famiglia, fino a quel momento sconosciuti, legati agli omicidi di Jack lo Squartatore di oltre cento anni fa, probabilmente mi avrebbe creduto piuttosto pazzo, cosa che, all'epoca, forse lo ero!

Cos'è esattamente la pazzia? È uno stato mentale permanente, causato da una combinazione di forze interne ed esterne? Può essere temporaneo o è interno al malato, sempre presente, anche se forse non sempre si manifesta esteriormente? Esiste davvero la follia? Solo perché un altro essere umano non riesce a vivere secondo ciò che la maggior parte di noi percepisce come 'normale' dovrebbe essere necessariamente classificato come 'pazzo'? Forse in qualche modo siamo tutti un po' 'pazzi', in grado di essere influenzati da vari eventi e pressioni sul comportamento in modi ritenuti anormali per i nostri simili. Qualunque sia la risposta, ed è ovviamente una domanda estremamente complessa, aperta a molte interpretazioni e teorie, dovevo andare avanti, completare il mio strano viaggio nelle parole contenute nelle pagine del diario dello Squartatore e rivelare il segreto, tenuto nascosto per così tanto tempo dai miei vari antenati, prima che potessi nutrire qualche speranza di ritrovare la pace mentale, che era stata mia poco tempo prima. Fino ad allora, ero intrappolato in quella strana distorsione temporale, un minuto prima ero seduto comodamente nel mio studio, sorseggiando un buon whisky di malto, facendo ricerche su accadimenti di molto tempo prima; il minuto successivo mi sembrava di essere portato via in un mondo abitato dai fantasmi di quei tempi, in cui potevo quasi vedere e sentire i panorami e i suoni di un'epoca passata, annusare il profumo delle fogne vittoriane, il profumo a buon mercato delle signore della notte e sentire la morsa della nebbia del fiume mentre vagava verso terra dalle sponde del Tamigi. Forse peggio di tutto, ero totalmente convinto che, in qualche modo, fossi guidato dalle parole dello Squartatore, come un genitore guida un figlio, ad essere un testimone dei suoi raccapriccianti crimini, a farne parte; i miei occhi si riempirono improvvisamente di lacrime, mentre i volti di quelle vittime morte da tempo si precipitavano dal nulla per riempire la mia mente di tristezza e malinconia.

Quelle facce (avevo visto solo le fotografie mortuarie, a parte Annie Chapman), mi giravano nella testa, come se facessero parte di una grottesca giostra e, da qualche parte nei recessi più profondi della mia mente, un'altra figura apparve all'improvviso, dapprima scura e ombrosa, diventando più chiara man mano che si avvicinava, finché la figura di un uomo ammantato e semimascherato si sovrappose al montaggio grottesco nella mia testa. Mentre la figura si avvicinava alla parte posteriore dei miei occhi (è così che mi sentivo nel mio cervello), nonostante la maschera, potevo vedere gli occhi e riconoscere quegli occhi, mi raggelò fino alle ossa e mi scioccò nel profondo della mia anima. Urlai nella stanza, ero solo, ma non del tutto, mi sentivo come se qualcuno mi stesse guardando e ridendo da qualche parte lontano mentre quello sguardo mi colpiva come una lancia nel cuore. Quegli occhi ardevano luminosi, con un'intensità di risoluta determinazione e da loro emanava un odio fiammeggiante, diretto a tutto e tutti, ma la cosa più spaventosa della terribile apparizione che quasi mi sopraffece, in mezzo a quel sogno ad occhi aperti spaventoso, era che quegli occhi, quegli occhi terribili, pieni di odio, assassini, non erano gli occhi di uno sconosciuto, erano i miei!

TRENTA
E COSÌ NEL LETTO

NON SONO sicuro di quanto tempo rimasi seduto in silenzio attonito. Alla fine, una sorta di calma si depositò sulle mie membra tremanti, la mia mente si schiarì come se stessi scappando dalla morsa di una nebbia gelida e lentamente riacquistai un minimo di compostezza. Quando la realtà sostituì la fantasia e le immagini oniriche svanirono dalla prima linea della mia mente, rabbrividii al ricordo di quella terribile immagine, quegli occhi che scrutavano nel profondo della mia anima, i miei occhi! Perché i miei occhi avrebbero dovuto manifestarsi in quelli dello Squartatore? Non avevo ucciso nessuno, non avevo mai avuto un pensiero violento nei confronti di nessuno in vita mia, eppure non si poteva negare che, mentre avevo visto quella terribile visione dello Squartatore, la faccia dietro la sciarpa era stata la mia!

Era solo un sogno o poteva essere che, nel mio stato disturbato, avevo iniziato ad avere allucinazioni? Stavo, in qualche modo, vedendo ciò che lo Squartatore voleva che vedessi, sentendo cose che venivano impiantate nella mia mente da un potere che andava ben oltre la mia immaginazione? Era una sciocchezza, e lo sapevo! Lo Squartatore era morto un centinaio di anni prima o più e non c'era modo per proiettare la sua anima nel XX secolo, per terrorizzare una nuova generazione, dopo la sua scomparsa.

Sentendomi debole e profondamente turbato, mi alzai dalla sedia e camminai, quasi come un vecchio, curvo e stanco, in cucina. Mi versai un whisky doppio e caddi sulla poltrona accanto al caminetto. Sorseggiai lentamente il liquido dorato, assaporando il sapore sulla mia lingua e il calore ardente mentre mi colpiva la gola mentre si dirigeva verso il mio stomaco vuoto. Per quanto sapessi che avrei dovuto, non riuscivo a convincermi a mangiare. Provai una strana sensazione di distacco, come se mi stessi guardando dall'alto in basso da un altro posto, vedendo la mia crescente lotta per far fronte ai contenuti del diario come se guardassi qualche grottesco spettacolo teatrale, con me stesso come unico membro del cast. Certamente, entrando nel diario infernale dello Squartatore, avevo cominciato a sentirmi come se fossi qualcun altro, una specie di guardone che scruta attraverso una finestra nel tempo per assistere alle gesta dello scrittore. C'era una triste realtà nelle immagini che il diario aveva sovrapposto alla mia mente razionale, combinata con una sensazione innaturale a tutto ciò che mi stava accadendo, nel rifugio della mia casa. Ricordo di aver desiderato di non aver mai messo gli occhi sul diario, anche se ormai era troppo tardi per simili pensieri.

Quando un barlume di lucida riflessione mi tornò in mente, avevo la fastidiosa sensazione che mancasse qualcosa dal diario, qualcosa di significativo nella storia del crimine. Lo Squartatore aveva omesso di registrare qualche dettaglio degno di nota nei suoi scritti e, in caso affermativo, quale era? Con una nuova aria di determinazione nel cuore, decisi di tornare nello studio e approfondire i miei appunti stampati per cercare di identificare qualunque cosa mi disturbasse.

Un brivido involontario mi percorse il corpo quando rientrai nello studio, come se la temperatura fosse scesa di una decina di gradi solo passando da una stanza all'altra. C'era un'aria decisamente oppressiva nella stanza e mi ci volle uno sforzo enorme per costringermi ad avvicinarmi di nuovo alla mia scrivania. Il diario giaceva ancora lì, inondato dalla luce della mia lampada da scrivania, e sembrava chiamarmi, desiderando che lo prendessi, di leggere la prossima nota nella sua storia di omicidi e sangue, malevoli e folli ... Mi ci volle un'enorme quantità di forza di volontà per resistere alla sua tentazione ultraterrena, ma mi sforzai di non guardare direttamente le sue pagine terribili e invitanti e invece allungai la mano per prendere la pila di note che giaceva a pochi centimetri da essa.

Dopo la nota del 5 ottobre, lo Squartatore non aveva più scritto fino al 26; concentrai quindi la mia ricerca tra le due date. Se qualcosa di significativo fosse accaduto mentre lo Squartatore era in ospedale, avrebbe potuto aiutare a dimostrare o confutare alcune delle teorie che abbondavano in relazione agli omicidi. Mi ci vollero meno di cinque minuti per trovare quello che stavo cercando. Era il rene!

Il 16 ottobre 1888, il signor George Lusk, il presidente del Comitato di vigilanza di Whitechapel aveva ricevuto per posta un rene umano in una scatola di cartone quadrato, accompagnato da una lettera, presumibilmente dello Squartatore, dove informava che apparteneva a Catherine Eddowes. La lettera, che riproduco qui, indicava che lo scrittore aveva fritto e mangiato parte del rene, e, quando questa notizia era arrivata al pubblico, le notizie del giorno si rincorsero a pubblicare in grandi striscioni, *"Cannibale a Londra"*, *"Jack lo Squartatore mangia il rene della vittima"* e così via.

L'opinione medica dell'epoca era divisa nel verdetto sul rene. Nonostante il fatto che il dottor Openshaw, curatore del Museo di patologia del London Hospital avesse dichiarato che si trattava del rene "pieno di gin" di una donna di 45 anni, affetta dal morbo di Bright, il dottor Sedgwick Saunders, il patologo della città aveva dichiarato alla stampa che l'età e il sesso del portatore di quel rene umano non potevano essere determinati, in assenza del resto del corpo, e così la discussione continuò. Da un ulteriore esame degli appunti e dalle opinioni di molti dei principali medici dell'epoca, tendevo a concordare con la maggioranza di essi, che quello non era il rene di Eddowes ed era molto probabilmente una bufala, forse perpetrata da uno studente di medicina, o qualcuno con un senso dell'umorismo macabro gravemente perverso.

La lettera recitava come segue:

Dall'Inferno

Signor Lusk

Signore

Vi mando metà del rene che ho preso da una donna

Preservato per voi, il pezzo che ho fritto e mangiato era molto

Saporito. Potrei mandarvi il coltello insanguinato che l'ha tolto, se sapete

aspettare un po' più a lungo

Mi prenda quando

Può

Signor Lusk

Sicuramente nessuno avrebbe potuto prendere sul serio quella lettera. Era un falso così ovvio e con un accento irlandese così mal camuffato quasi 'impostato' costruito sulle parole. Le lettere inviate dallo scrittore del diario erano camuffate, sì, ma in modo intelligente e calcolato. Quello era solo un miscuglio di deliberati errori di ortografia ed era abbastanza ridicolo nella sua quasi infantile mancanza di costruzione della frase. Le prime lettere dello Squartatore mostravano un tono calcolatore e beffardo nei confronti del lettore, tuttavia questa era semplicemente il lavoro di uno spaccone, un cercatore di attenzione e, a mio avviso, un vero inganno! Come per il vero proprietario del rene, a quei tempi c'erano molti modi per uno studente di medicina o per chiunque fosse impiegato in un ospedale per procurarsi organi umani e poi conservarli, come questo, prima della spedizione a Lusk. Conclusi che probabilmente proveniva da una povera anima morta tra le mura di un ospedale e che il rene era stato rimosso per un esame e poi portato via dall'autore della bufala.

Di una cosa era certo. Lo scrittore del diario, Jack lo Squartatore, non avrebbe potuto né scrivere la lettera né spedire il rene a Lusk. Al momento della consegna, lui si trovava in ospedale e quindi non poteva essere il mittente. Inoltre, il fatto che non facesse riferimento al rene nel diario tendeva a confermare la mia convinzione che, al momento della sua ultima nota, non ne sapesse nulla, non avendo forse avuto il tempo di leggere i giornali durante il suo ricovero in ospedale, ammesso che fosse addirittura disposto a fare una cosa del genere. Più probabilmente si preoccupava semplicemente dell'*'adesso'* e sarebbe stato semplicemente soddisfatto del fatto che il suo nome fosse stato ancora sulla bocca di quasi tutti i cittadini della città di Londra. Mentre si preparava per il suo successivo e più raccapricciante omicidio, dubitavo molto che Jack lo Squartatore avrebbe avuto il tempo di 'recuperare i giornali'.

Almeno adesso ero soddisfatto di aver accantonato quel pensiero insignificante nella mia mente; sapevo che c'era stato qualcosa e ora sapevo cosa fosse. Non solo, ma avevo risolto, almeno con mia soddisfazione, uno degli enigmi persistenti, associati al caso dello Squartatore. Mi chiedevo solo, non per la prima volta, se sarei mai stato in grado di rivelare tutto ciò che avevo imparato, forse di essere ricordato come l'uomo che aveva risolto gli omicidi dello Squartatore dopo tutti quegli anni. Poi di nuovo, mio padre e mio nonno avevano avuto la possibilità di fare la stessa cosa, no? Qualcosa, e ancora non sapevo cosa, aveva impedito loro di farlo. Avrei anche scoperto che la segretezza era la strada prudente da seguire?

La stanchezza ora mi stava avvolgendo come una fitta nebbia. Sentivo come se le mie palpebre fossero appesantite dalle rocce, tale era stato lo sforzo necessario per cercare di tenere gli occhi aperti. Le mie braccia e le mie gambe erano di piombo, la mia testa troppo pesante per essere sostenuta dal collo e sentii uno strano sfarfallio nel petto e un tremito profondo che si diffuse in tutto il mio essere. Ero esausto, sia mentalmente sia fisicamente, nonostante non avessi fatto esercizio fisico, a parte una passeggiata al villaggio e ritorno quel giorno. Sebbene sentissi il bisogno di tornare al diario, di far leva sui segreti dalle sue pagine, il bisogno di dormire si rivelò maggiore nella mia mente confusa e, lasciando le luci accese e tutto ciò che era al piano di sotto, salii stancamente le scale, quasi barcollando nella stanza da letto, e mi lasciai cadere, completamente vestito, sul letto, dove mi addormentai in pochi secondi.

TRENTUNO

E COSÌ DORMIRE, FORSE SOGNARE

Mentre dormivo quella notte, fui nuovamente trasportato in quel mondo da incubo d'immagini terrificanti e orrori indicibili. La faccia che mi aveva perseguitato nello studio era tornata, schernendomi e terrorizzandomi, andando alla deriva dentro e fuori la messa a fuoco, una caricatura da incubo composta in parte da me, in parte dall'apparizione, il suo mantello nero che turbinava e trascinava come un'ala di pipistrello gigante nella sua scia, mentre correva verso di me in un orizzonte avvolto dalla nebbia indistinta. Ogni volta che la figura si allontanava, veniva immediatamente sostituita dalle immagini delle vittime, questa volta apparendo come figure a mala pena corporee simili a spettri, fluttuanti su una brezza invisibile, come catturate in un turbine costante, volteggiando in una spirale perpetua, le loro bocche

che si aprivano in un grido di silenziosa tortura, urlando silenziosamente al vento e, dal punto in cui finivano le vesti diafane che coprivano i loro corpi mutilati, una pioggia costante di sangue rosso scuro gocciolava verso il terreno invisibile, finché il flusso di rosso dai cadaveri torturati cancellava la luce dietro di loro e il cielo si oscurò per abbinarsi al rosso del sangue gocciolante. Da qualche parte, tra queste terribili immagini mi apparve il volto di John Ross, il suo volto era una maschera contorta di odio, la bocca aperta in un sorriso demoniaco, mostrando denti canini profondamente incisi, che gocciolavano anche con il sangue delle sue vittime, e là dietro di lui, trascinate da una catena tenuta nella mano destra, c'erano le due giovani donne appena massacrate, che si contorcevano nelle agonie di una morte violenta, le loro urla, come quelle delle vittime dello Squartatore, silenziose e rapidamente spazzate via da un vento crescente, che continuava a spazzare l'intero serraglio della morte in un panorama di dolore e sofferenza continuamente mutevole, mentre le anime tormentate delle assassinate e degli assassini eseguivano il loro orribile balletto della morte, nel profondo della mia mente assopita.

L'immaginario surreale dell'incubo lasciò il posto a un nuovo paesaggio onirico che, sebbene pacifico al confronto, era altrettanto terrificante. Adesso mi sembrava di galleggiare anch'io sopra il terreno, attraversando lentamente un cimitero deserto e ricoperto di vegetazione. Mentre la cosa che ero io si librava sempre più vicino al suolo, vidi le lapidi: file su file di memoriali dei morti logori e fatiscenti vennero gradualmente messe a fuoco. Lì, in netto rilievo, c'erano i nomi di Mary Ann Nichols, Annie Chapman, Elizabeth Stride, Catherine Eddowes e Mary Jane Kelly e, sotto ciascuno dei loro nomi, a caratteri cubitali, l'unica parola, PUTTANA. Mentre fissavo con orrore il panorama spregevole ed empio sotto di me, vidi una figura ammantata e leggermente curva che si avvicinava alla fila di tombe. Portava una vanga, una vecchia vanga con manico di legno, una di quelle che sembravano attaccate al manico di una scopa, senza impugnatura. La figura si mosse lentamente lungo la linea delle tombe e poi, con mio orrore, fece oscillare la vanga come un'arma e non udii il clangore del metallo sulla pietra quando colpì la prima lapide, invece ci fu un tonfo sordo, piuttosto come se la vanga fosse entrata in contatto con una testa umana, e poi, con mio estremo orrore, la lapide di Mary Ann Nichols iniziò a sanguinare!

Il rivolo di sangue dalla pietra divenne rapidamente un diluvio, finché l'erba che circondava la pietra fu presto macchiata di rosso dal fiume che sgorgava dalla pietra. Mentre guardavo, distaccato, ma sentendomi abbastanza vicino da allungare la mano e toccare la figura in nero, si muoveva lungo la fila di lapidi, compiendo lo stesso atto di vandalismo su ciascuna, con lo stesso risultato. Quando il sangue dell'ultima lapide si unì a quello delle altre, il terreno intorno alle tombe sembrò aprirsi, e con un suono terribile, come mille anime angosciate che si alzano nella tormenta, il relitto contorto e mutilato del defunto si alzò da sotto il tappeto erboso intriso di sangue e in una cupa e spaventosa resurrezione, ognuno gemendo come nella loro agonia finale, mi circondarono mentre fluttuavo sopra la scena raccapricciante, allungando la mano, cercando di toccarmi mentre cercavo di girarmi inondato dal terrore. Dovevo scappare, perché se mi avessero toccato, mi avrebbero contaminato per sempre, ecco come mi sentivo. Lanciai calci e tentai di allontanarmi dall'ululante discordia dei morti; poi, all'improvviso, ero solo, in una parte tranquilla del cimitero, a fissare ancora una volta, questa volta una sola tomba, con una pietra non marcata. Non una sola parola adornava quella solitaria pietra piuttosto singolare, tuttavia, mentre fluttuavo sempre più vicino, vidi, proprio in fondo alla pietra, quasi ricoperta dall'erba che gli era spuntata intorno, un breve insieme di parole che, abbastanza innocenti di per sé, mi trasmisero un brivido, anche nel mio dormiveglia. Le parole che si leggevano erano molto semplici: *"Puttana sconosciuta, Edimburgo, 1888"*. Anche nel bel mezzo del mio incubo, la povera ragazza scozzese non era stata riconosciuta, nessun ricordo. La figura tornò, agitò ancora una volta la vanga e la lapide esplose in un vulcano come un'eruzione di sangue, questa volta zampillò verso l'alto in un arco terrificante, finché, incapace di sfuggire alla forza della marea che si precipitava verso di me, fui colpito da quella che sembrava un'onda di sangue vitale caldo, appiccicoso, e poi, appena prima che la follia mi sopraffece, nel mezzo di quella terribile parodia da incubo di un cimitero, il mio corpo tremò e io mi svegliai all'improvviso!

Avevo freddo, ancora completamente vestito e steso sul letto, dove ero crollato, in quel sonno infestato da un incubo profondo. La mia testa era ancora piena delle immagini violente e orribili da cui ero appena scappato svegliandomi; mi guardai intorno nell'oscurità, certo di essere ancora circondato da quelle apparizioni da incubo. Non c'era nessuno e niente nella stanza, ovviamente, a parte un esemplare tremante e leggermente indebolito di umanità, sdraiato in posizione fetale sul letto. Mentre la mia mente si allontanava ulteriormente dagli orrori indotti dall'incubo e il tremito nel mio corpo e le palpitazioni nel mio cuore lentamente si dissipavano, guardai l'orologio digitale sul comodino. Segnava le 4.15. Quanto tempo avevo dormito non sapevo dirlo, ero crollato sul letto troppo esausto per accorgermi del tempo, potevo aver dormito per due ore, tre, quattro, non lo sapevo. In ogni caso, l'esaurimento che mi aveva accompagnato su per le scale verso la stanza da letto era stato solo aggravato dall'incubo finale che avevo appena avuto e, lungi dal sentirmi riposato da qualunque sonno fossi riuscito a ottenere, mi sentivo peggio di come stavo prima di salire le scale.

Fuori era ancora buio e il vento era diventato più intenso mentre dormivo. Udii il mormorio delle foglie sugli alberi del giardino, come se le voci delle mie figure oniriche fossero entrate nel mondo reale e mi prendessero in giro attraverso il coro di quelle foglie fruscianti e impetuose. Mentre giacevo immobile sul letto, i suoni dall'esterno della mia ombra erano senza dubbio i suoni più tristi che avessi mai sentito. Era come se la natura stessa piangesse le anime di quelle povere donne disgraziate, o era la voce dello Squartatore che si prendeva gioco di quelle anime, si dilettava nel loro tormento e sussurrava il suo trionfo al vento?

La mia mente era in subbuglio. Sapevo che dovevo muovermi, lasciare la stanza da letto, farmi tornare a una parvenza di realtà e lasciarmi l'incubo alle spalle per sempre. Mi ci volle una quantità incredibile di forza di volontà solo per muovere le gambe da quella posizione sicura e nascosta. Ero come una creatura appena nata dal grembo materno mentre allungavo lentamente le gambe, mi costrinsi a sollevarmi su un gomito e gradualmente mi dondolai oltre il bordo del letto finché i miei piedi toccarono il pavimento.

Dieci minuti dopo, ero in cucina, con tutte le luci ancora accese perché le avevo lasciate prima ed ero già sulla mia seconda tazza di caffè bollente. Mi sono spesso chiesto come Sarah potesse bere un tè o un caffè così caldo: ridendo le dicevo che aveva un palato d'amianto, ma quella notte ammetto di essere riuscito a ingoiare il caffè più caldo che avessi mai assaggiato senza sentirne il calore. Penso che fosse una misura di quanto sarei diventato insensibile, sia fisicamente sia mentalmente.

Non potevo tornare in stanza da letto. Avevo paura che se mi fossi riaddormentato sul letto, l'incubo sarebbe tornato. Avrei potuto prendere altri sonniferi di Sarah, ovviamente, ma decisi di non farlo. Volevo evitare quella sensazione di sbornia che inducevano e sapevo che avrei dovuto concludere il mio studio del diario entro il giorno successivo o giù di lì, prima che lei fosse tornata; volevo essere il più vigile che potevo, nonostante la mancanza di sonno e l'adrenalina che stava minando la mia sanità mentale, che stavo cominciando a sperimentare.

Invece della stanza da letto, optai per il salotto, portandomi come compagnia un bricco di caffè caldo. Accesi il fuoco a gas e sentii il suo calore iniziare a pervadere la stanza e anche me stesso. Fino a quel momento, non mi ero reso conto di quanto mi fossi infreddolito, ma il fuoco subito mi portò un briciolo di torpore alle mie ossa doloranti e alla mia mente confusa. Resistetti all'impulso di attivare il notiziario 24 ore su 24 sulla TV. A giudicare dagli eventi degli ultimi due giorni, non ero sicuro di cosa sarebbe stato rivelato se l'avessi fatto e ne avevo avuto abbastanza per quel giorno!

Tirai lo sgabello rivestito di dralon che Sarah di solito usava per riposare le gambe di sera, sollevai i piedi e mi misi comodo, sorseggiando il mio caffè. Dopo altri due tazze della bibita rivitalizzante, mi sentii un po' più rilassato e mi ripromisi di provare a completare la mia lettura del diario e degli appunti del bisnonno nelle successive ventiquattr'ore. Penso che sia stato l'ultimo pensiero coerente che ebbi prima che la mia testa ciondolasse di lato contro lo schienale della poltrona profonda e confortevole, e poi, con il dolce sibilo del fuoco a gas per compagnia, e il calore della sua fiamma che gettava un bagliore confortevole nella mia mente e sul mio corpo, stanco e dolorante, mi addormentai ancora una volta, e questa volta non ci furono sogni.

Mi svegliai di nuovo alle 7.30, più riposato di quanto forse avrei avuto il diritto di sentire. Il vento era calato, il sole del primo mattino filtrava attraverso gli ampi vetri delle porte del patio (non avevo chiuso le tende la sera prima) e la stanza era meravigliosamente calda, grazie al fuoco che aveva provveduto a questo. Emetteva ancora quel sibilo amichevole mentre irradiava il suo calore attraverso la stanza e tutto faceva sentire un po' meglio ora che era arrivata la luce del giorno.

Mi diressi prima in bagno, dove il riflesso che mi guardava dallo specchio mi scioccò per il suo aspetto. Ero pallido, spettinato e i miei occhi sembravano come se fossero affondati nelle loro orbite. Un lungo bagno caldo sotto la doccia e una buona rasatura influirono subito sul mio aspetto mentre non lo fece sul mio inconscio. Successivamente, andai in cucina, dove una colazione a base di pane tostato e marmellata, seguita da un paio di uova sode e ancora altro caffè, servì per affrontare la seconda parte del problema, e, sebbene, debba ammetterlo, la mia mente sentiva come se venissi trascinato controvoglia in qualcosa che non capivo minimamente, mi sentivo meglio, sì, decisamente meglio. Il problema con le malattie mentali di qualsiasi tipo era che esse potevano insinuarsi nel malato senza che se ne accorgesse e tutto poteva sembrare normale quando in realtà non lo era.

Forse fu per questo che, per la prima volta negli ultimi tre giorni, mi sentii un po' ottimista, forse al pensiero di finire il diario, completare il viaggio, forse mettere finalmente a tacere lo Squartatore e la sua triste storia omicida. Ovviamente, questo dimostra quanto ingenuo possa essere anche un uomo con la mia istruzione e con la cosiddetta intelligenza. Le cose non sarebbero mai state così semplici, vero?

TRENTADUE
MILLER'S COURT

DOPO AVER RIPULITO i resti delle mie cose della colazione, tornai al mio studio, pieno del mio ritrovato ottimismo. Ammetto che provai una certa trepidazione mentre mi apprestavo ad entrare nella stanza, ma mi dissi che tutto quello che era successo negli ultimi due giorni fosse stato semplicemente uno stato mentale temporaneo, probabilmente indotto dalla recente perdita di mio padre, la solitudine che provavo, separato da Sarah e da un'immaginazione iperattiva.

Anche così, spinsi la porta molto lentamente e mi guardai intorno prima di entrare, come se avessi paura di disturbare qualcuno, o qualcosa, nella stanza. Quel luogo era esattamente come l'avevo lasciato la sera prima, almeno, credevo. Mentre mi avvicinavo alla scrivania, il mio senso di benessere svanì rapidamente quando notai lo schermo del computer. Ero sicuro di aver spento il computer appena uscito dalla stanza, ma la spia di standby sul monitor era verde e quando toccai il mouse, il salvaschermo prese vita. Sulla barra delle applicazioni in fondo allo schermo c'era il nome di *Casebook* e, sentendomi privo del controllo delle mie emozioni, cliccai sul pulsante. La pagina che mi apparve non era l'ultima che ricordavo di aver consultato. Quella pagina conteneva i rapporti sull'omicidio di Mary Jane Kelly, con alcune descrizioni piuttosto dettagliate delle sue ferite. Come diavolo era arrivata lì? Sicuramente non riuscivo a ricordare di aver avuto accesso a quella particolare pagina, eppure eccola lì. Ero sconcertato e l'equilibrio che avevo recuperato con tanta cura nell'ultima ora svanì, poiché sentii ancora una volta, di non essere solo in casa, come pensavo. Sapevo di dover tornare al diario. Era come se fossi guidato inesorabilmente verso le sue ultime pagine, come se avesse fretta di rivelarmi i suoi ultimi segreti, ma prima di allora, volevo saperne di più su Mary Jane Kelly. Sapevo che lo Squartatore avrebbe probabilmente scritto la sua versione macabra e sinistra della sua morte, molto probabilmente nella pagina successiva cui ero arrivato, ma prima volevo leggere i fatti registrati all'epoca.

Non riuscii a sfuggire alla terribile sensazione che qualcuno mi stesse osservando, come se sbirciasse al di sopra delle mie spalle e mi voltai più velocemente che potei. Ovviamente non c'era nessuno: era solo la mia stupida mente.

Quando cominciai a leggere il triste racconto della morte di Mary Kelly, rimasi subito colpito dalla mia stessa stupidità. Lei era stata uccisa la notte del 9 novembre, ma l'ultima nota che avevo letto nel diario era datata 26 ottobre. Mancava ancora più di una settimana alla cronologia del diario, prima che avesse colpito di nuovo. Perché avevo pensato che l'omicidio sarebbe avvenuto nei due giorni successivi? Come avevo potuto leggere così male le note della mia precedente scansione? Perché mai il computer mi aveva in qualche modo portato di nuovo agli appunti? Qualcuno, o qualcosa, stava cercando di assicurarmi che seguissi correttamente la storia degli omicidi e non facessi errori lungo la strada? Era una sensazione inquietante sapere che la pagina che stavo leggendo era apparsa come per magia, posta lì come da una mano invisibile, come se sapesse che mi stavo allontanando dal vero corso degli eventi e volesse che concentrassi la mia mente ancora una volta sulla verità delle parole scritte sulle pagine del folle diario.

I fatti che circondavano l'ultima vittima canonica dello Squartatore erano raccapriccianti e orribili, come penso che un cervello umano possa immaginare. Per quanto terribili fossero state le ferite della povera ragazza, penso che sia appropriato annotarne le peggiori in modo che tu, lettore, possa forse apprezzare la gravità e la distruzione sfrenata delle azioni dello Squartatore in quella terribile notte.

La storia di Mary Jane Kelly è avvolta nel mistero: i suoi primi anni di vita sono stati registrati in modo puramente aneddotico dalle storie che lei stessa raccontò ai suoi amici a Londra durante il suo soggiorno. Sembra che fosse nata a Limerick e si fosse trasferita in Galles da bambina quando suo padre aveva trovato un lavoro lì in una fonderia. Era la settima o l'ottava figlia, di cui una sorella, gli altri fratelli. Aveva sposato un minatore di nome Davis nel 1879, che si dice fosse morto in un incidente in una cava, due o tre anni dopo. A quanto pare era diventata una prostituta mentre viveva da un cugino a Cardiff e in seguito si era trasferita a Londra, dove aveva lavorato, per un certo periodo, in un bordello di alta classe, non a caso grazie alla sua giovinezza e all'apparente bell'aspetto. Sfortunatamente non c'erano documenti a sostegno di quanto sopra, poiché quel resoconto era semplicemente ciò che Kelly stessa aveva riferito ai suoi conoscenti. In ogni caso, alla fine era finita nel pozzo nero dell'umanità, che componeva la vasta popolazione in movimento dell'East End di Londra e aveva vissuto, per un certo periodo, con un uomo, Joseph Barnett, con il quale aveva goduto di un'esistenza relativamente prospera fino a quando lui perse il lavoro e lei era tornata di nuovo in strada per guadagnarsi da vivere, vendendo il suo corpo. Man mano che la relazione diventava sempre più instabile, lei e

Barnett si separarono e lei continuò a risiedere in una minuscola stanza al 13 di Miller's Court, Dorset Street, una delle strade più malandate e di cattiva reputazione di Whitechapel. Fu in quella piccola stanza che il suo corpo fu scoperto la mattina del 9 novembre 1888, dove Mary Kelly era stata vista viva intorno alle 02:00.

Il dottor Thomas Bond, chirurgo di polizia della divisione 'A' (Westminster), riferì quanto segue:

Posizione del corpo

Il corpo giaceva nudo al centro del letto, le spalle piatte, ma l'asse del corpo era inclinato verso il lato sinistro del letto. La testa era girata sulla guancia sinistra. Il braccio sinistro era vicino al corpo con l'avambraccio flesso ad angolo retto e disteso sull'addome. Il braccio destro era stato leggermente allontanato dal corpo e poggiava sul materasso, il gomito piegato e l'avambraccio supino con le dita serrate. Le gambe erano divaricate, la coscia sinistra ad angolo retto rispetto al tronco e la destra formava un angolo ottuso con il pube.

L'intera superficie dell'addome e delle cosce era stata rimossa e la cavità addominale era stata svuotata dei suoi visceri. I seni erano stati tagliati, le braccia mutilate da diverse ferite frastagliate e il viso inciso, rendendola irriconoscibile. I tessuti del collo erano stati recisi tutt'intorno all'osso.

Le viscere erano state disposte in altre zone: l'utero e i reni con un seno sotto la testa, l'altro seno sul piede destro, il fegato tra i piedi, l'intestino sul lato destro e la milza sul lato sinistro del corpo. I lembi rimossi dall'addome e dalle cosce erano su un tavolo.

La biancheria del letto, nell'angolo destro, era satura di sangue e sul pavimento sottostante c'era una pozza di sangue che copriva circa due piedi quadrati. Il muro sul lato destro del letto e in linea con il collo era segnato dal sangue che lo aveva colpito in una serie di schizzi separati.

Esame post mortem

Il viso era stato squarciato in tutte le direzioni: il naso, le guance, le sopracciglia e le orecchie erano state parzialmente rimosse. Le labbra erano sbiancate e tagliate da numerose incisioni che scendevano obliquamente fino al mento e numerosi tagli si estendevano irregolarmente sui suoi lineamenti.

Il collo era stato tagliato attraverso la pelle e altri tessuti fino alle vertebre 5a e 6a, erano profondamente intagliati. I tagli della pelle nella parte anteriore del collo mostravano ecchimosi distinte.

Il passaggio dell'aria era stato tagliato nella parte inferiore della laringe attraverso la cartilagine cricoide.

Entrambi i seni erano stati rimossi da incisioni più o meno circolari, i muscoli fino alle costole erano attaccati al seno. Gli intercostali tra la 4a, 5a e 6a costola erano stati tagliati e il contenuto del torace era visibile attraverso le aperture.

La pelle e i tessuti dell'addome dall'arco costale al pube erano stati rimossi in tre grandi lembi. La coscia destra era denudata fino all'osso e al lembo di pelle, compresi gli organi esterni riproduttivi e parte della natica destra. La coscia sinistra era priva di pelle, fascia e muscoli fino al ginocchio.

Il polpaccio sinistro mostrava un lungo squarcio attraverso la pelle e il tessuto ai muscoli profondi e che si estendeva dal ginocchio a 5 pollici sopra la caviglia.

Sia le braccia sia gli avambracci presentavano ferite estese e frastagliate.

Il pollice destro mostrava una piccola incisione superficiale lunga circa 1 pollice, con stravaso di sangue nella pelle e inoltre c'erano diverse abrasioni sul dorso della mano che mostravano la stessa condizione.

Aprendo il torace fu riscontrato che il polmone destro mostrava delle aderenze. La parte inferiore del polmone era stata rotta e strappata.

Il polmone sinistro era intatto: era aderente all'apice e c'erano alcune aderenze sul lato. Nelle sostanze del polmone c'erano diversi noduli di consolidamento.

Il pericardio era aperto e il cuore era assente.

Nella cavità addominale era stato trovato del cibo parzialmente digerito di pesce e patate e cibo simile era stato trovato nei resti dello stomaco attaccati all'intestino.

Quindi Mary Kelly non era stata solo assassinata ma era stata massacrata! La povera donna era stata uccisa e poi sistematicamente massacrata dallo Squartatore. Sebbene questa fosse la prima volta nel mio racconto che raccontavo l'intera portata delle ferite di una delle vittime, l'avevo fatto per stabilire al di là di ogni dubbio l'estrema depravazione dell'autore della terribile serie di omicidi. Inoltre, per la prima volta in uno qualsiasi degli omicidi, il medico aveva identificato ferite difensive sulle mani della povera ragazza. Di fronte al più feroce assassino mai registrato fino a quel momento a Londra, l'ultima vittima conosciuta dello Squartatore aveva combattuto per difendersi; aveva combattuto per la sua vita. Quali erano stati i suoi ultimi pensieri, mi chiedevo, mentre cercava invano di respingere il suo aggressore? Doveva essere invasa dalla paura, quella più spaventosa e, contrariamente agli omicidi precedenti, quella non era stata un'uccisione rapida, nessuno squarcio alla gola per porre fine all'agonia della vittima in modo rapido e sicuro. Un'ulteriore ricerca tra i miei appunti rivelò che non era stato trovato alcun segno del cuore di Kelly. Cosa ne aveva fatto lo Squartatore? Era diventato un trofeo raccapricciante, da esibire nell'intimità di casa sua, per gongolare come un cupo ricordo del suo momento più grande? Tremai, sia di paura sia di rabbia così forte che avrei potuto essere lì in quel momento, testimone di quelle spaventose crudeltà e dell'assoluta brutalità delle mutilazioni. Mi ci vollero alcuni minuti per ritrovare un po' di calma, per pensare di nuovo razionalmente.

Ero rimasto sconvolto dall'insensibilità e dalla barbarie del massacro perpetrato alla povera Mary Kelly. La descrizione del suo corpo era incredibile e lo Squartatore doveva aver impiegato parecchio tempo. Certo, in quell'occasione aveva avuto tutto il tempo: era il suo primo omicidio al chiuso e aveva avuto l'opportunità di sbizzarrirsi, di fornire al mondo l'esempio perfetto della misura in cui il suo 'lavoro' poteva evolversi.

Non c'era da stupirsi che non si fosse sentito più nulla sullo Squartatore dopo quello spaventoso crimine: non riuscivo proprio a concepire che lui fosse stato in grado di mantenere una presa sul più piccolo granello di sanità mentale, dopo aver commesso un atto del genere, e, come se l'avessi capito fin dall'inizio come avrei dovuto, senza pensarci, misi da parte i miei appunti e presi automaticamente il diario, voltando la pagina per rivelare la nota successiva di quel racconto infernale della dannazione di un uomo.

Le parole successive che mi salutarono dall'interno del diario non furono però quelle dello Squartatore. Nascosto saldamente tra le pagine scritte dalla mano che aveva perpetrato mutilazioni così orribili e selvagge, vidi ancora una volta un appunto del mio bisnonno. C'era un'altra nota lì che mi aspettava, forse per spiegare più dettagliatamente il suo coinvolgimento con lo Squartatore.

Con mani tremanti e con il cuore che si appesantiva di tristezza e il mio cervello sempre più turbato dalle immagini selvagge che ora si facevano strada nella mia mente, cominciai a leggere ...

TRENTATRÉ
UNA CONFESSIONE

Giuro in nome di Dio Onnipotente che non sapevo nulla di questo terribile diario durante il periodo degli omicidi a Whitechapel, né fino a dopo l'omicidio di Mary Kelly. Metto qui questa nota perché mi sembra appropriato, alla luce di quanto lui ha scritto nella pagina seguente. Quando l'ho visto, a casa sua, era più o meno lucido, anche se era evidente che quell'uomo non stava bene. Le sue fantasie, come le credevo allora, stavano diventando più oscure e violente, ma giuro che le ritenevo nient'altro che il prodotto della sua mente febbricitante. Lo pensavo semplicemente incapace di essere la bestia che stava perseguitando le strade della nostra capitale da tante settimane. Forse la mia capacità di giudizio era stata compromessa dalla mia conoscenza di sua madre, della sua famiglia e dalla mia triste condotta nella sua storia.

Tu, figlio mio, leggendo questo dopo la mia morte, rimarrai scioccato nell'apprendere queste cose, ma devo dare libero sfogo alla mia coscienza davanti al Creatore e gettare la mia memoria alla tua misericordia.

Era l'estate del '56 e fui invitato in campagna da un amico e collega. Là fui invitato a casa di un medico locale che aveva una casa alla periferia di quella bellissima cittadina di campagna. Aveva una moglie, una bellezza per gli standard di qualsiasi uomo, e io, non essendo ancora sposato con tua madre, mi sentivo stranamente attratto da lei. Era la donna più bella che avessi mai visto, con i suoi lunghi capelli scuri, una vita sottile e gli occhi che sembravano ardere di un fuoco nascosto, una passione per la vita che sembrava aver bisogno di un risveglio, come se fossero in una sorta di trance. C'era qualcosa di zingaresco nel suo aspetto, una passione selvaggia, focosa e nascosta nel suo carattere. Il loro matrimonio non era felice, così credetti, anche se in apparenza sembravano devoti l'uno all'altro. Era piuttosto preso, tuttavia, dall'attenzione che le prestavo in piccole cose, come portarle un fiore colto dal giardino o scherzare leggermente con lei mentre camminavamo negli ampi giardini della sua casa, sempre ovviamente mentre il marito era assente. Mi sentivo un po' in colpa in quei giorni, poiché suo marito era un brav'uomo e un eccezionale medico locale e in numerose occasioni mi aveva dato il benvenuto a casa sua.

Tuttavia, non riuscii a trattenermi e presto mi innamorai della signora. Sebbene si sforzasse di evitare l'ovvio e si sforzò di attenersi ai suoi voti matrimoniali, arrivò un giorno in cui non potemmo più controllare le passioni nascoste che bruciavano in entrambi i nostri fragili corpi e cedemmo ai desideri della carne. In seguito, sconvolta dalla sua debolezza e timorosa della furia di suo marito se avesse scoperto la sua infedeltà, mi proibì di farle nuovamente visita e mi pregò di tornare a Londra al più presto possibile. Non avevo altra scelta che lasciare la contea e tornare, come lei voleva, a casa mia e fare pratica in città.

Qualche tempo dopo, ricevetti una sua lettera in cui mi diceva che era incinta e mi implorava di non visitare mai più quella città. Non l'ho mai fatto e non lo feci fino a quando l'uomo che ora ho in cura, l'uomo che è l'autore di queste pagine infernali, un giorno è venuto a casa mia, armato di una lettera di presentazione di sua madre. La lettera era stata scritta alcuni anni prima e lui l'aveva portata con sé, fino a quando non aveva voluto annunciarmi la sua presenza. Sua madre, mi disse, era caduta in un profondo malessere ed era stata rinchiusa in un manicomio, con la mente completamente sconvolta, fino alla morte. Il dottore, che aveva sempre considerato suo padre, era morto ed era solo al mondo. Non mi serbava rancore, così disse, e desiderava solo fare la mia conoscenza, poiché era ovvio per lui che sua madre era stata molto affezionata a me, e io a lei.

Te lo dico adesso: solo con uno sguardo ai suoi occhi lo riconobbi. Erano gli occhi di sua madre, lei che avevo amato e perso, prima che la tua povera madre entrasse nella mia vita. Feci del mio meglio. Lo presentai al mio club, gli diedi tutta l'assistenza che potevo e lottai per tenerlo sulla retta via, nonostante i suoi recenti problemi. Ti chiederai, come avrei potuto credere che il figlio di una donna del genere, e mi vergogno di dire, anche mio, potesse essere il mostro conosciuto in tutto il paese come Jack lo Squartatore?

Ti dico queste cose affinché possa comprendere la fragilità e la follia che avevano rovinato la mia vita e portato tanta miseria e morte agli altri. Anche se non oso chiederti perdono, ora che le mie ossa giacciono sbiancate nella terra, ti chiedo di cercare di capire perché ho agito come ho fatto e di cercare di perdonarmi per le cose che ho fatto per mantenere segreta la verità di ciò che è accaduto. Se puoi capire e puoi perdonare, allora ti prego di mantenere per sempre questo segreto nella mia memoria, e se hai bisogno di confessarlo, come avrei dovuto fare, allora fallo solo in questa maniera. Ti prego figlio mio di rivelare questo terribile segreto solo dopo la morte e anche allora solo ai tuoi parenti più stretti, e quindi di supplicarli che mantengano questo segreto allo stesso modo, per sempre, perché non c'è niente che si possa ottenere da ulteriori rivelazioni.

Ora, mentre leggi ciò che sta per accadere, spero che mi concederai un po' di comprensione e possa al-

meno trovare una parvenza di pace in quella conoscenza, anche se la mia anima torturata brucerà per sempre, di questo sono sicuro.

Come ho detto, in quell'occasione, quando sono andato a trovarlo, era abbastanza lucido, per niente squilibrato, e pensai che stesse migliorando, che i farmaci che gli avevo prescritto lo stavano aiutando in qualche modo. Sperai che avrebbe potuto desistere dall'uso del laudano, ma disse che il suo mal di testa stava peggiorando e che il laudano era l'unica cosa che lo aiutava. Sapevo allora che era dipendente da quella roba e che probabilmente aveva abusato anche di oppio. Tuttavia, riuscì a conversare abbastanza bene per alcuni minuti e la sua istruzione era abbastanza evidente in tutto il suo modo e portamento. Non potevo fare a meno di guardare i suoi occhi, così simili a quelli di sua madre ed espressi la mia tristezza per il fatto che fosse finita in quel modo, morendo in un manicomio, lontana dalle persone care. Mentre parlavo di lei, tuttavia, il suo comportamento cambiò e i suoi occhi sembrarono infiammarsi di uno sguardo minaccioso e malevolo. Pensai che fosse alle prese con un'altra crisi cerebrale e ne fui convinto quando improvvisamente annunciò che Jack lo Squartatore non aveva ancora finito, che avrebbe colpito di nuovo presto e che tutti avrebbero presto saputo del suo più grande crimine. Sentivo che era troppo drammatico e sensazionalista e liquidai quello sproloquio, come un altro esempio del suo stato febbrile, come se stesse fissando tutto il suo odio represso per il suo stato pietoso sullo Squartatore, identificandosi con lui nella sua follia, credendo che fosse davvero quell'uomo. Quanto mi sbagliavo, quanto mi sbagliavo. Vorrei poter vivere di nuovo la mia vita e fare le cose in modo diverso, ma non posso, e ora conosci la verità, o, soprattutto, non sono ancora pronto a rivelare la fine di questa triste storia. Forse quando avrai letto il resto del suo diario, capirai il mio tormento e perché ho fatto quello che ho fatto e perché il silenzio deve essere totale, per sempre.

Tuo padre
Burton Cleveland Cavendish

La nota non era datata, anche se sapevo che doveva essere stata scritta un po' di tempo dopo che il mio bisnonno aveva letto l'intero diario e ora lo sapevo, finalmente! Jack lo Squartatore *era* un mio lontano parente. Era il figlio illegittimo del mio bisnonno, il risultato di una relazione con una donna, di cui il mio antenato si era evidentemente infatuato da giovane. In effetti, dalle parole del mio bisnonno e da quanto avevo letto nelle informazioni fornite da *Casebook*, ora avevo un'idea abbastanza chiara dell'identità dello Squartatore, anche se in qualche modo il suo nome era diventato improvvisamente irrilevante per me. Provai a risolverlo: se fosse stato il figlio del mio bisnonno, allora sarebbe stato il mio prozio, pensai. Doveva essere il fratellastro di mio nonno, anche se il nonno ovviamente non sapeva nulla della sua esistenza fino a quando non aveva ricevuto questa nota con il diario tanti anni prima. Potei solo immaginare il suo shock e il suo orrore nel fare una simile scoperta. Come, mi chiesi, aveva preso la notizia di essere così strettamente imparentato con quell'assassino? Più precisamente, com'era riuscito a tenerlo nascosto per così tanto tempo, rivelando la verità solo sotto forma di diario, lasciato a mio padre dopo la sua morte, così come mi era stato lasciato in eredità? La risposta era chiara, ovviamente. Era lì, nelle mani del mio bisnonno, una supplica dalla tomba, chiedendo che il segreto fosse mantenuto in famiglia per sempre. Avendo letto la sua triste e rivelatrice confessione a suo figlio, mio nonno, ne capii il motivo.

Naturalmente c'era di più, doveva esserci. C'era qualcosa che il mio bisnonno non stava rivelando, almeno non ancora. Sapevo che era qualcosa di terribile, forse peggio della rivelazione dell'identità dello Squartatore e del suo coinvolgimento con la famiglia. Era una sensazione che cresceva sempre più dentro di me, la sensazione che l'orrore finale dell'associazione del mio antenato con Jack lo Squartatore non fosse del tutto concluso. Dovevo andare avanti, completare il diario e sperare di trovare la verità lungo la strada.

Ero stato lontano dalle parole dello Squartatore

per troppo tempo, era tempo di voltare un'altra pagina, per avvicinarmi sempre di più alla notte dell'omicidio di Mary Jane Kelly, la notte in cui il regno del terrore di Jack lo Squartatore aveva raggiunto il suo crescendo definitivo e sanguinoso.

TRENTAQUATTRO
MARY, MARY, DOLCE PICCOLA MARY

Sono stato contento di aver dedicato del tempo a studiare i fatti del caso di Mary Kelly. Sentivo che, in qualche modo, ero riuscito ad armarmi, contro qualunque cosa lo stesso Squartatore avrebbe successivamente aggiunto al diario. Niente avrebbe potuto essere più orribile della verità e le preoccupazioni del dottore, che aveva eseguito l'autopsia sulla povera ragazza, erano state tanto più agghiaccianti nella loro fredda presentazione professionale. Il mio bisnonno aveva rivelato abbastanza nelle sue parole per armarmi ulteriormente nel mio continuo viaggio attraverso quelle che sarebbero state le ultime pagine del diario. Mio padre mi aveva sempre detto di ascoltare la verità così come si presentava e che ogni successiva menzogna o esagerazione non mi avrebbe quindi causato alcun danno. L'avevo fatto, come meglio potevo, e ora ripresi il diario e mi girai il biglietto del mio bisnonno, per vedere ancora una volta la calligrafia di Jack lo Squartatore.

Dato che in quel momento stava diventando sempre più confuso, aveva mancato un certo numero di giorni tra le note, la successiva nota arrivò tre giorni dopo l'ultimo.

29 ottobre 1888

Il tempo stringe, le voci si fanno sempre più forti nella mia testa, il dolore è peggiorato e il laudano non riesce ad alleviarmi. Ne prendo sempre di più eppure tutto quello che fa è farmi star male e sono una maschera di febbre. Devo colpire di nuovo, e presto; le puttane stanno diventando troppo sicure, pensano che me ne sia andato, che abbia abbandonato l'oscurità, ma no, ho dormito, aspettato, riposato e renderò di nuovo le strade rosse di sangue di puttana. L'ho vista, quella che farò a pezzi a breve. Una tipa carina che potrebbe essere una cameriera, ma non lo è; è una sporca puttana pestilente e morirà. Ho parlato due volte con la puttana in una birreria in Commercial Street. Ha un'alta stima di se stessa ed è degna dei miei migliori sforzi, la taglierò bene e lascerò un segno che tutti possano vedere.

Questa breve annotazione mi dimostrò che era all'apice della sua follia. Le voci che si facevano più forti, la malattia, la febbre, tutti segni dell'ultima digressione dello Squartatore. Il laudano, lungi dal portare sollievo ai suoi sintomi, era ormai diventato di per sé un problema aggiuntivo, soffriva dell'eccessivo avvelenamento da oppio, e il suo corpo, anzi il suo cervello, non poteva certo sopportare molto di più.

La sua descrizione dei suoi incontri con Mary Kelly (perché sicuramente era lei che stava descrivendo) mi mostrò che, in questo ultimo e più raccapricciante omicidio, lo Squartatore aveva deliberatamente perseguitato la sua vittima, l'aveva incontrata, parlato con lei, aveva passato del tempo con lei. Dal suo riferimento a Commercial Street e dal controllo con i miei appunti, pensai che probabilmente si riferisse a una taverna chiamata Queen's Head, che era un comune ritrovo di prostitute su quella strada. Sarebbe stato perfettamente ragionevole aspettarsi che avesse incontrato la sua vittima lì. Il suo ulteriore commento secondo cui '*aveva un'alta stima di se stessa*' supportò ulteriormente la mia convinzione che quella fosse Mary Kelly, che era nota per essere una specie di spaccona e tessitrice di fantasie, che credeva di avere una posizione sociale più alta di molte delle sfortunate donne nella sua professione. C'era un brivido per il suo commento finale '*la taglierò bene*'. Mary Kelly non ne aveva avuto idea all'epoca, eppure era stata designata a morire molto prima della sua effettiva scomparsa. Quell'atto finale dello Squartatore non era stato un atto casuale, ma un attacco calcolato predeterminato su una vittima selezionata. Anche adesso, dopo tutto quello che avevo letto negli ultimi due giorni, era riuscito a sorprendermi per la selezione brutalmente insensibile della vittima del suo ultimo omicidio più sanguinario. Era carina, aveva detto, l'aveva fatto arrabbiare? Era così geloso di coloro che non erano affetti dalla malattia di cui lui soffriva e l'aveva scelta per il suo bell'aspetto? Sarebbe vero affermare che nessuna delle sue precedenti vittime era stata giovane o particolarmente ben dotata in fatto di bellezza ma ora eccolo qui, apparentemente alla ricerca e alla selezione della prostituta più carina che poteva trovare per soddisfare il suo ultimissimo bisogno di sangue. C'era una freddezza nelle sue parole che mi riempì di un brivido che raggiunse la mia anima. A Mary Kelly, a quel punto nel suo diario, le era rimasta poco più di una settimana di vita e lo Squartatore stava facendo il conto alla rovescia fino al momento in cui avrebbe placato la sua sete di sangue nell'esempio più atroce e orribile del suo lavoro programmato. Come poteva sapere che l'uomo con cui aveva bevuto in almeno due occasioni, per sua stessa ammissione, quello che l'intera polizia londinese cercava per gli omicidi delle sue compagne prostitute, o con cui stava parlando, forse anche ridendo, era l'uomo che presto le avrebbe conferito il dubbio 'onore' di essere l'ultima vittima acclarata di Jack lo Squartatore?

Un'altra nota era stata registrata in fondo alla pagina, breve, ma era una vera e propria condanna!

30 ottobre 1888
Mary, Mary, dolce piccola Mary, conosco il tuo nome e dove abiti,
Mary, Mary, sporca puttana Mary, presto sarai all'Inferno.
Hahahaha

Conosceva il suo nome, stava impostando un gioco nella sua mente e la povera ragazza veniva usata come pedina inconsapevole nella sua ultima e più diabolica ostentazione di malvagità agghiacciante. I suoi versi beffardi mi fecero rabbrividire e potevo solo immaginare la gioia perversa che doveva aver provato mentre scriveva quelle poche parole. La sua mente era ormai quasi sull'orlo del collasso, di questo ero sicuro; stava scendendo sempre più a fondo nelle profondità della sua follia finale e la sfortunata Mary Kelly era stata presa di mira nel modo in cui un gatto insegue un uccello nel giardino; la stava guardando, aspettando il momento di colpire, mentre lei, per tutto il tempo, continuava a gestire i suoi affari come al solito, del tutto inconsapevole dell'improvvisa e brutale fine che aveva programmato per lei.

Voltai pagina e trovai versi più brevi e contorti in attesa per me.

31 ottobre 1888

Mary, Mary, puttana, puttana, puttana, presto sarai morta,

Mary, Mary, puttana, puttana, puttana, potrei tagliarti la testa.

1 novembre 1888

Affetterò e sventrerò Mary la puttana,
Finché non rimarrà più niente di Mary.

2 novembre 1888

Ho visitato di nuovo Queen's Head. Ho bevuto con la puttana e le ho dato i soldi. Uno scellino per comprare da bere. Imparerà a fidarsi del suo amico gentiluomo e poi farò a modo mio.

3 novembre 1888

Mi fa male la testa: non posso aspettare ancora a lungo. Le voci mi diranno quando, ma deve essere presto. Sento il bisogno di versare il sangue della puttana. Deve morire presto ed io devo riposare, il lavoro è duro e soffro per la malattia dentro di me. Cavendish è venuto a trovarmi, povero sciocco. Crede ancora che abbia le allucinazioni, vuole che rinunci al laudano. Ha cercato di aiutarmi in qualche modo, suppongo. Come posso fermarmi adesso? Ho provato a dirglielo, volevo che lui capisse, lui tra tutte le persone, avevo bisogno che lui sapesse, che si rendesse conto dell'importanza del mio lavoro. Perché non mi crede? So che seguirò la via della mia povera mamma, è già iniziata, è sempre più difficile pensare, concentrare i miei pensieri su ciò che devo fare e così tanto dolore che riesco a malapena a sopportarlo; vorrei che Cavendish potesse aiutarmi, ma non può, non lo farà, perché non capisce, né mi crede. Domani andrò al parco. Lancerò le briciole alle anatre del lago.

Quindi, aveva pianificato quello che probabilmente era stato l'omicidio più raccapricciante, conosciuto fino a quel momento nella storia di Londra e poi aveva deciso di andare a dare da mangiare alle anatre nel parco! Ero sicuro che la follia dello Squartatore fosse ormai completa. Quella capacità di passare dal folle al banale nello spazio di un secondo di pensiero mi aveva convinto di ciò. Ricordo di aver pensato che probabilmente pensava più a quelle anatre sul lago ornamentale che alle vite di quelle donne che aveva ucciso così brutalmente. Aveva almeno riconosciuto i tentativi del mio bisnonno di aiutarlo, sebbene li avesse altrettanto rapidamente respinti, preferendo vedere suo padre come nient'altro che un 'povero sciocco', per non credere ai suoi racconti di essere lo Squartatore. Provai ad immaginare come doveva essersi sentito il mio bisnonno di fronte alle 'confessioni' dello Squartatore. Quale padre, dopotutto, vorrebbe ammettere apertamente che suo figlio era l'assassino più malvagio e odioso di tutti i tempi? Forse il mio antenato aveva trovato più facile credere, conoscendo la storia recente dello Squartatore, che stava semplicemente confessando i crimini di un altro, nel tentativo di ottenere una sorta di attenzione. So che se avessi un figlio, farei qualsiasi cosa piuttosto che ammettere una tale possibilità e a quel punto provai simpatia per il mio bisnonno.

Nonostante mi fossi seduto e avessi studiato in dettaglio il caso Kelly prima di tornare al diario, rimasi ancora scioccato da gran parte di ciò che stavo leggendo. Sebbene non avessi ancora raggiunto la notte dell'omicidio sul diario, le note che stavo leggendo disturbavano in modo agghiacciante la mia mente sempre più fragile.

Prima di tutto, era diventato abbondantemente chiaro che non era una vittima casuale, come le altre e, in secondo luogo, il fatto che lo Squartatore si fosse preso il tempo per creare una sorta di relazione con lei mi causò grande dolore e disagio, perché era chiaro che Mary Kelly era stata 'destinata' all'omicidio. L'autocontrollo dello Squartatore stava scivolando via in ogni nuova nota del diario, piccole rime malate, il passaggio dalla morte alle anatre e l'ultima, la più inquietante nota di sempre, quando arrivai alla fine di quella pagina.

4 novembre 1888

Ucciderò e sventrerò la puttana,

Allora Jack vivrà per sempre.
Perché mentre il suo sangue scorre sul pavimento,
Varcherò la porta della storia.
Hahaha

Ero preso da un terrore che, ancora oggi, non riesco a spiegare adeguatamente. Che cosa voleva dire? 'Jack vivrà per sempre?' Pensava che stesse per ottenere una qualche forma d'immortalità? Che cosa intendeva con 'varcare la porta della storia'? Attraversare la porta per dove? Il presente? Nel punto in cui ora ero seduto, tremando al pensiero, per quanto illogico e poco pratico, che avesse in qualche modo trovato un modo per vivere oltre la tomba, che gli omicidi fossero una qualche forma di rito che gli avesse concesso un passaggio nel tempo e nello spazio, che gli dava la capacità di ingannare la morte? A quel punto ero più che terrorizzato; ero pietrificato oltre ogni immaginazione. Ebbi l'improvviso pensiero che il diario stesso potesse in qualche modo essere la porta di cui aveva scritto, un portale, un mezzo per fornirgli una finestra sul suo futuro e consentirgli di rivisitare i suoi crimini in perpetuo di secolo in secolo. Cercai rapidamente di dire a me stesso che tali pensieri erano del tutto assurdi, nient'altro che sfoghi della mia mente, provocati dalla natura inquietante del diario e dai suoi contenuti cruenti. Mi sforzai davvero di convincermi di quello, ma la sensazione non sarebbe andata via.

Con una forza di volontà suprema, mi alzai dalla sedia e attraversai lo studio per dirigermi in cucina. Avevo bisogno di caffè, tè, qualsiasi cosa andava bene, in quel momento, per distogliere la mia mente da quei pensieri che erano talmente terribili, che nessuno su questa Terra avrebbe potuto immaginare nemmeno per un momento come mi sentivo in quel momento. Mentre uscii dallo studio, chiusi la porta dietro di me e, mentre lo facevo, avrei giurato di aver sentito il suono di una risata sommessa provenire dall'interno della stanza. Ero troppo impaurito per guardarmi indietro o per aprire la porta.

TRENTACINQUE
SCADENZA

La cucina era calda e invitante, dopo il freddo che mi era caduto addosso nello studio. Forse quella era un'illusione creata dalla mia mente, come risultato dell'essere circondata dall'ordinarietà del bollitore, del frigorifero e degli elettrodomestici della vita quotidiana. Mentre ero seduto sulla poltrona accanto al caminetto, abbracciando una tazza di caffè fumante (guarnita con un goccio di whisky) al petto, cercai di razionalizzare gli ultimi minuti nello studio, per riportarmi al senso della realtà e scappare dai terrori surreali e immaginari che si stavano impossessando della mia mente cosciente.

Per l'ennesima volta, mi dissi che Jack lo Squartatore era morto da circa cento anni e che era impossibile che la sua anima, o il suo spirito, chiamatelo come volete, fosse sopravvissuto in qualche modo investendo le pagine di un vecchio diario sgualcito e stanco. L'avevo ripetuto più e più volte, cercando di convincere la mia mente che ero totalmente irrazionale e molto, molto stupido. Perché allora, nonostante la mia cosiddetta mente logica e intelligente, non riuscivo a credere totalmente a me stesso?

Di certo, non credevo nella reincarnazione o nel mondo degli spiriti. I fantasmi non avevano mai avuto alcun ruolo nella mia vita. Erano invenzioni dell'immaginazione iperattiva delle persone, utili ad autori e dirigenti televisivi per produrre racconti di fantasia, che intrattenevano e terrorizzavano i creduloni del pubblico. Allora perché non potevo scrollarmi di dosso la sensazione che mi stesse accadendo qualcosa di straordinario, qui, nell'apparente sicurezza e protezione della mia stessa casa?

Mi faceva male la testa e ogni muscolo del mio corpo si era irrigidito, così che improvvisamente mi resi conto di essere seduto, in modo rigido come una tavola. Provai a rilassarmi, a rallentare il respiro. Chiusi gli occhi, sperando di lasciare che un po' di quella tensione si dissipasse dalla mia mente. Invece, tutto quello che vidi nella mia mente, erano quelle immagini terribili dei miei incubi, gli spiriti simili a spettri e le anime torturate delle vittime dello Squartatore, contorte nella loro agonia e gridando aiuto, per liberarsi dal loro tormento eterno. Aprii di nuovo gli occhi e mi alzai dalla sedia. Trascinai le mie membra stanche verso il lavello della cucina e mi spruzzai copiose quantità di acqua fredda sul viso, cercando di scuotermi nel mondo reale, per cercare di scacciare i sentimenti di paura e presentimento dalla mia mente.

Non importa quanto mi sforzassi di convincermi del contrario, non potevo sfuggire alla presa che il diario e il suo autore avevano esercitato su di me. Era come se fossi intrappolato in una specie di limbo, a metà strada tra la realtà della mia vita precedente (era solo un paio di giorni fa) e la strana semivita in cui mi sembrava di esistere mentre viaggiavo nelle pagine intrise di sangue del diario. Il pensiero preoccupante che stava crescendo nella mia mente era 'cosa mi sarebbe successo quando avessi raggiunto la fine del diario'? Sarei stato in grado di mettere via semplicemente le pagine e tornare alla vita che avevo condotto prima di sapere della sua esistenza, o in qualche modo sarei stato condannato a vivere il resto della mia vita ossessionato dalla conoscenza contenuta in quelle pagine, vivere per sempre all'ombra dello Squartatore?

Mi sentivo come se davanti a me si fosse aperto un abisso e che qualcosa oltre i confini della realtà quotidiana mi stesse inesorabilmente tirando sempre più vicino al suo limite. Ci sarebbe voluta una forza di volontà suprema per mantenere la mia presa su ciò che era reale e ciò che non lo era, poiché nella mia mente cresceva il pericolo di scivolare in un altro tempo, in un altro luogo. Perché altrimenti avrei ricevuto immagini così reali e visive delle vittime dello

Squartatore, dei suoi crimini e perché anch'io mi sentivo come se stessi iniziando a capirlo così bene, come se stessi sbirciando attraverso una finestra nella sua mente?

Mentre questi e altri pensieri ed emozioni inquietanti riempivano la mia testa, fui trascinato indietro da quel luogo buio, dal suono improvviso, acuto e benvoluto del telefono che squillava. Volendo che fosse Sarah, praticamente balzai dalla sedia e attraversai di corsa la stanza, dove il telefono della cucina era appeso al muro, strappandolo dalla base, come se la mia vita o almeno la mia sanità mentale dipendesse dal parlare con mia moglie. Era la signora Armitage!

"Robert, state bene? Ho parlato con Sarah e lei è preoccupata per voi, pensa che vi stiate ammalando, quindi le ho detto che vi avrei controllato".

La mia risposta fu concisa e forse un po' ingiusta, poiché la mia vicina aveva a cuore solo i miei migliori interessi.

"Signora Armitage, sto bene, l'ho detto a Sarah e ora lo dico anche a lei. Perché non può lasciarmi solo? Sono terribilmente occupato, adesso mi lascia in pace per favore?"

"Bene, va bene Robert, se siete sicuro, ma non c'è bisogno di essere cattivo lo sapete. Sto solo cercando di aiutare".

"Arrivederci signora Armitage!" Scattai, sgarbatamente, e riattaccai alla povera donna. Mi pentii subito di averla offesa e pensai di richiamarla per scusarmi, ma ci ripensai. Sapevo che doveva essere rimasta inorridita nel sentire il dottor Cavendish, di solito mite, che le parlava in modo così duro e superficiale, ma avevo tanto desiderato che fosse Sarah al telefono ed ero rimasto profondamente deluso, quando avevo messo giù alla nostra vicina, perché ero letteralmente "andato fuori di testa". Pensai che fosse meglio lasciarla perdere, cosa che ero sicuro che avrebbe fatto anche lei in poco tempo.

Presi il telefono e composi il numero di mia cognata. Se Sarah non voleva chiamarmi, allora l'avrei chiamata io. Jennifer rispose al secondo squillo e, non appena iniziai a parlare, capì che non andava tutto bene.

"Robert, mi sembri orribile! Che cosa stai facendo a te stesso laggiù in quella casa da solo? Sembri così stanco e sembri in te. Aspetta, chiamo Sarah".

Era proprio come diceva Jennifer. Aveva centrato il punto e poi, senza aspettare che rispondesse, aveva agito. Aveva semplicemente lasciato cadere il telefono ed era andata a chiamare sua sorella, mia moglie, e non ci mise molto. In pochi secondi, Sarah fu in linea. Mi ci vollero dieci minuti per convincere mia moglie che stavo bene e per impedirle di saltare in macchina all'istante, per tornare a casa per stare con me. Per quanto mi mancasse e avessi bisogno di lei, non volevo Sarah da nessuna parte vicino a casa, finché non avessi completato il mio terribile viaggio nel diario dello Squartatore. Sentivo solo che, in qualche modo, non sarebbe stato sicuro per lei stare con me, fino a quando non fossi riuscito a sigillare nuovamente il pacchetto e mettere di nuovo il diario fuori dalla vista del mondo.

Alla fine cedette, ma lei disse che sarebbe sicuramente tornata a casa la sera successiva, il che mi lasciava poco più di ventiquattr'ore per finire il diario e gli appunti del mio bisnonno. Ci scambiammo un "Ti amo" e riappesi il telefono al muro, preparai un'altra tazza di caffè e, con un senso di cupa determinazione e il desiderio di provare a finire la cosa entro il mattino successivo, tornai nello studio.

Era lì, proprio dove l'avevo lasciato. Il diario, la cosa che mi aveva completamente riempito la mente, nel giro di un giorno, mi aspettava per raccontarmi i suoi segreti e fui attratto alla scrivania come mai prima, sapendo che il mio prozio aspettava di raccontarmi il resto della sua storia. Non potevo sfuggire a quel fatto. Lui era il mio prozio, nonostante la sua illegittimità, era stato il figlio del mio bisnonno e qualcosa di lui doveva quindi esistere in me.

Questo era ciò che mi spaventava così tanto, il fatto che la linea di sangue del mio bisnonno scorreva tanto nelle vene dello Squartatore quanto nelle mie. Certo, sua madre e la mia bisnonna erano persone diverse, ma avevamo ancora il mio bisnonno che ci univa ed eravamo uniti, in qualche modo, in un modo che non riuscivo a capire. Il diario era il collegamento, la cosa che ci aveva uniti e ora ci teneva intrappolati in uno strano mondo infernale, non proprio del suo tempo o del mio. In qualche modo dovevo liberarmi, sfuggire alla presa del diario e ricollocarmi saldamente nella realtà del XX secolo e sapevo che dovevo farlo prima che Sarah fosse tornata a casa. Il diario non poteva essere lasciato a vista al suo ritorno, qualcosa me lo diceva; una voce nel profondo della mia mente, un avvertimento e, ora che avevo quella scadenza su cui lavorare, la necessità di completare la mia lettura del diario diventava più grande ogni secondo che passava.

Attraversai lo studio, i miei occhi non si staccarono dal diario per un secondo mentre lo facevo e mi sedetti ancora una volta sulla mia comoda sedia da ufficio in pelle e allungai la mano verso quelle pagine, sentendo lo strano calore della carta consumata, mentre le mie mani tremanti si chiudevano su di loro e iniziai la fase finale del mio straordinario viaggio in un altro tempo e luogo, accompagnato dalle parole, dai pensieri e dalle gesta di Jack lo Squartatore.

TRENTASEI
UN MOVENTE PER LO SQUARTATORE?

Il tempo stava per scadere, per me, lo Squartatore e per Mary Jane Kelly. Era strano sentirmi così. Dopotutto, lo Squartatore e la sua vittima erano morti entrambi da molti anni e non c'era motivo per cui dovessi pensarci in tempo reale, come se tutto stesse accadendo nel presente. Qualcosa nel diario, tuttavia, aveva avvolto i miei sensi al punto che era impossibile pensare a quello che stavo leggendo come un documento puramente storico. Stava decisamente avendo l'effetto di trascinarmi nel suo mondo macabro di follia e morte violenta.

Se fossi stato in grado di vedere la mia situazione dall'esterno, come un medico che guarda un paziente, sarei stato seriamente preoccupato per lo stato d'animo di quel paziente. Così com'era, ovviamente, non potevo vedere cosa mi stesse succedendo, sebbene fossi consapevole di qualche cambiamento in atto nel mio normale modo razionale di pensare. Tutto quello che sapevo era che a Mary Kelly era rimasta meno di una settimana di vita e che non c'era niente che potessi fare per alterare quel fatto. Il mio bisnonno aveva conosciuto lo Squartatore, era stato testimone della sua specie di confessione e non era riuscito a credere che fosse l'assassino. Era successo qualcosa che gli aveva fatto cambiare idea ma qualunque cosa fosse non era stata ancora rivelata. Adesso mi sentivo come se conoscessi anch'io l'assassino, quasi quanto il mio antenato. Il suo nome era diventato irrilevante, avevo una chiara idea di chi fosse confrontando la storia di mio nonno con i fatti noti sui sospettati nei miei appunti, ma non importava più. Naturalmente, c'era chi avrebbe dato qualunque cosa per conoscere quel nome, per risolvere una volta per tutte il mistero dell'identità di Jack lo Squartatore, ma più venivo trascinato nello strano vortice di parole ipnotiche create in quelle pagine, più mi rendevo conto del motivo per cui mio padre e mio nonno avevano continuato a mantenere il segreto. Avevo iniziato a rendermi conto che si trattava di una questione privata, di famiglia e che c'era dell'altro in arrivo, che sentivo avrebbe confermato le loro decisioni di tacere, come la cosa giusta da fare.

Mi preparai mentalmente per la successiva intrusione nella storia dello Squartatore e, quando la luce fuori dalla mia finestra iniziò a svanire con l'inizio del crepuscolo, ricominciai a leggere.

5 novembre 1888

Il dolore alla testa peggiora di ora in ora. Sono condannato a questa sofferenza. Le voci urlano così forte, ma non oso ancora avventurarmi fuori, i miei occhi sono annebbiati, c'è oscurità ovunque. Il mondo può aspettare ancora un po', la puttana morirà quando sarò pronto, lascio che si creda al sicuro, piccola puttana intelligente!

6 novembre 1888

I giornali sono ancora pieni di Jack. Mi vedono ovunque e da nessuna parte. Quanti arresti hanno fatto i poliziotti? Ricevono tante lettere, ma non sono mie. Sapranno abbastanza presto chi è reale e chi no. I poliziotti sono quasi inutili, parlano di cose strane che mi riguardano, di messaggi che ho lasciato, quando ho taciuto per tanto tempo. Sono così disperati che inventano cose su di me? O sono stupidi? Sì.

Non possono prendermi.

Sono Jack lo Squartatore, corro ancora libero.

Hehehe

La pagina finiva lì e non vidi altro che un'ulteriore degenerazione nella mente dello scrittore. Stava scivolando in un mondo lontano dalla realtà e le sue parole erano meno lucide, più distaccate, come se stesse perdendo la capacità di formare frasi complete. Il suo recente uso di brevi rime, sempre con toni beffardi, mi suggeriva che stava arrivando a un punto della sua malattia in cui alcune delle sue funzioni cerebrali si stavano deteriorando e stava perdendo la capacità di comunicare in modo coerente. Le 'voci urlanti' nella sua testa stavano cominciando a prendere il sopravvento completamente e presto non sarebbe stato altro che uno strumento della sua stessa follia.

I mal di testa erano peggiorati; ora soffriva di quello che poteva essere stato un dolore assolutamente intollerabile. Il laudano ora gli sarebbe stato di scarsa utilità, almeno per attutire il dolore. Tutto ciò che avrebbe fatto, era alimentare il suo stato allucinatorio, facendolo sudare e tremare e, in breve, peggiorare il mal di testa.

Tornai alla pagina successiva, le mie mani tremavano più che mai. Sapevo che il tempo era breve, non solo per me, se volevo completare la mia strana odissea letteraria prima del ritorno di Sarah, ma anche per lo Squartatore, che ora era solo a un paio di giorni dal commettere il suo atto di violenza più raccapricciante e 'memorabile'. Che strano pensare che, in quel momento, sentissi che gli eventi del diario stavano realmente accadendo mentre li leggevo: ero un viaggiatore nel tempo, in un viaggio sul quale non avevo alcun controllo. Solo arrivando alla fine potevo sperare di scendere dal tetro tapis roulant della morte e delle mutilazioni perpetrate dal mio stesso antenato, il quale mi stava dando (così pensai) una visita guidata bizzarra e surreale.

8 novembre 1888

Ieri è stato orribile. Niente cibo, poco sonno e tanto dolore. Devo colpire presto e questa volta avranno qualcosa mai avuto prima. Non avranno scuse per dimenticare il mio lavoro. Quanto a Cavendish, questa volta deve credermi, gli scriverò prima dell'atto e dovrà credermi e saprà che sono riuscito nel compito che mi è stato assegnato.

Oggi va meglio, ho di nuovo raccolto i miei pensieri e le voci ora sono più chiare. Non dovrò aspettare ancora a lungo; so di essere pronto a tornare in strada, a liberare il fiume di sangue che deve scorrere, a incutere terrore nei cuori di ogni dannata puttana che osa inquinare le strade di Londra con la sua sporcizia.

Mary, Mary, piccola Mary, così rosso il tuo sangue scorrerà.

Mary, Mary, sporca puttana Mary, la tua ora è quasi arrivata.

Farò visita alla piccola Mary questa notte stessa, anche se non ho più grembiuli di pelle, non importa, non ne avrò bisogno, perché i miei piani sono ben definiti e questa notte lavorerò indisturbato in pace. I condotti del signor

Bazalgette mi condurranno là e mi riporteranno a casa e nessuno verrà mai a conoscenza del mio andirivieni. Ora, una lettera a Cavendish, poi dormire, perché avrò bisogno delle mie energie quando calerà l'oscurità.

Così, era giunto il momento, il 7 novembre era stato licenziato in poche parole: l'uomo era malato, troppo malato per mangiare o dormire. Non era certo che quel giorno si fosse avventurato fuori, non ne aveva parlato, e sarei rimasto sbalordito se avesse osato mostrarsi in pubblico nello stato in cui si trovava. No, lo avrebbe fatto: era rimasto a letto, raccogliendo le sue forze per quella notte a venire, quando avrebbe lasciato un segno così forte nella storia che il suo crimine sarebbe risuonato non solo intorno a Londra, ma, a causa della ferocia e della gravità dell'assalto a Mary Kelly, nell'intero mondo civilizzato.

Lo Squartatore non aveva perso nulla della sua astuzia, di questo ne ero certo. Ciò era dimostrato dal suo desiderio di scrivere al mio bisnonno, suo padre, e informarlo delle sue intenzioni. Ovviamente, inviandolo il giorno prima dell'omicidio non avrebbe dato a Burton Cavendish il tempo di impedirgli di compiere l'omicidio, ma sembrava che avesse uno strano, contorto bisogno che suo padre provasse forse un senso di 'orgoglio' o ammirazione per il suo 'lavoro'. Dopotutto, pensava di fare la cosa giusta, non vedeva alcun crimine in quello che stava facendo, perché era in missione!

Per un attimo mi chiesi se il mio bisnonno avesse messo la lettera dello Squartatore da qualche parte all'interno delle pagine del diario, poiché aveva i suoi appunti. Lo avrei scoperto presto, non erano rimaste molte pagine e stavo diventando sempre più impaziente di arrivare alla fine di quello strano e terrificante viaggio nel passato. Era imperativo che finissi prima che mia moglie tornasse a casa. Dovevo rimuovere ogni traccia di quelle pagine infernali ammuffite e ingiallite, intrise com'erano dell'anima dell'assassino e grondanti degli orrori delle sue azioni, prima che Sarah varcasse la porta.

Mi presi una breve pausa, giusto il tempo necessario per andare il bagno, dove, ad uno sguardo allo specchio, mi dissi che Sarah non sarebbe stata contenta di vedermi in tale stato, seguita da una visita in cucina per preparare un bricco di caffè, che portai con me mentre tornavo nello studio.

Quando mi sedetti ancora una volta alla mia scrivania, mi resi conto che c'era stato un cambiamento nell'atmosfera della stanza. Il pomeriggio si era avvicinato alla fine e si stava facendo buio. Non solo, ma sentii che i rumori delle macchine occasionali che passavano alla fine del mio vialetto erano attutiti, come se le loro ruote fossero state munite di un qualche tipo d'imbottitura. Guardai attraverso la finestra e vidi che un denso banco di nebbia era sceso, portando quella strana quiete ultraterrena fuori da casa mia. Tutto era fermo, non c'erano richiami di uccelli nel giardino, i rami degli alberi gocciolavano per le precipitazioni causate dall'aria umida e, nel mio stato d'animo sempre più fantasioso, immaginai che sudassero per la paura dell'attesa gli orrori a venire quella stessa notte. Lo sapevo, lo stavo facendo di nuovo, pensando al diario in tempo reale: stavo leggendo quella storia, non vi stavo partecipando, eppure ...

Avendo già studiato i fatti del caso Mary Kelly, sentivo che ora ero abbastanza preparato per la versione degli eventi descritti dallo Squartatore. Presi il diario e ricominciai da dove avevo interrotto.

9 novembre 1888

La sera volge al termine, cala il buio e sono stanco. Ho raggiunto quasi la perfezione. La puttana Kelly è stata così sciocca da invitarmi a casa sua, quel tugurio a Miller's Court. L'ho incantata così bene che non ha sospettato nulla, anche se ha lottato all'inizio. Sono stato costretto a strangolare la sporca puttana prima di poterla tagliare. Ha gridato una volta, ho pensato che potesse essere stata sentita e il gioco potesse finire, ma le urla sono così comuni tra la sua gente che nessuno si è avvicinato. Mi sono spogliato e ho tagliato la puttana in tanti pezzi, il sangue era ovunque, era uno spettacolo. Ho smontato il suo corpo sporco, le ho tirato fuori le viscere e ho tagliato via completamente i seni della sua sporca puttana. L'ho distesa e l'ho svuotata bene; sembrava una bella immagine, dovrei dire. Le pareti sono diventate rosse per tutto quel sangue. Oh che spettacolo! E le voci mi urlavano e mi applaudivano come se fossi un purosangue che si avvicinava al traguardo a Derby. La stampa mi ha reso orgoglioso, sono su tutti i titoli a Londra, ma l'hanno trovata velocemente. Ora Cavendish mi crederà e saprà chi e cosa sono!

Non più Mary, al contrario, hai perso il tuo cuore di prostituta.

Mary è morta, è qui il suo cuore? Andato nel carro di uno scuoiatore.

Ecco qua, come aveva descritto l'omicidio più raccapricciante perpetrato dallo Squartatore. Non aveva fatto alcun tentativo di gongolarsi o elaborare nel dettaglio le mutilazioni che aveva inflitto al corpo della povera ragazza, rispetto ai riferimenti che aveva fatto ad alcuni dei precedenti omicidi; era una nota era abbastanza docile, come se l'atto reale dell'omicidio avesse cessato di eccitarlo come poteva aver fatto all'inizio.

La povera Mary Jane Kelly era stata invogliata dal suo fascino a portare il suo assassino nei suoi alloggi, dove si era spogliato per evitare di sporcarsi troppo i vestiti prima di intraprendere le spaventose mutilazioni che avrebbero stordito e inorridito anche gli agenti di polizia più incalliti, che avevano visionato la scena del suo assassinio, alla scoperta del suo corpo. Tale fu l'effetto di quel crimine su di loro che, nella convinzione che gli occhi di una vittima potessero registrare l'ultima cosa che avevano visto, Sir Charles Warren ordinò che gli occhi della ragazza fossero fotografati con una lente speciale nella speranza che l'immagine del suo assassino potesse esservi registrato. Ovviamente non ci fu trovata nessuna immagine del genere.

Mentre ero seduto alla scrivania, con l'oscurità del giorno chiusa intorno alla casa e la nebbia che vorticava sempre più vicino alla finestra, un pensiero improvviso e agghiacciante mi colpì. Forse, solo forse, mi ero imbattuto nel movente degli omicidi dello Squartatore. Avevo già accennato alla possibilità che stesse cercando una sorta di riconoscimento da Burton Cavendish. E se fosse stato così semplice? Nella sua mente malata e contorta, avendo scoperto solo di recente la verità della sua eredità, con sua madre morta e sepolta dopo essere stata dichiarata pazza, avrebbe potuto davvero credere di dover compiere quella strana e crescente serie di sanguinosi omicidi per guadagnare il rispetto di suo padre e la certezza che fosse a conoscenza dell'abilità del figlio illegittimo nella 'professione' scelta? Nella mia modesta opinione professionale, dovetti pensare che era un'ipotesi plausibile. L'intera serie degli omicidi di Jack lo Squartatore avrebbe potuto essere nient'altro che un grido di attenzione da parte di un figlio illegittimo, in cerca di riconoscimento da parte di suo padre. Nella sua mente malata e tormentata, questo avrebbe potuto facilmente essere il caso e il suo desiderio di essere notato da suo padre, di essere visto come una persona dotata di notevole potere e competenza (come faceva il mio bisnonno nella sua professione) avrebbe davvero potuto portarlo a commettere gli omicidi. Dopotutto, non aveva costantemente 'confessato' al mio bisnonno, nonostante non gli avesse mai creduto e ritenuto un fantasista, qualcuno che cercava di attaccarsi alle code del cappotto dello Squartatore nel desiderio di attenzione? Allo stesso modo, dopo ogni rifiuto delle sue confessioni, la gravità dei suoi crimini, il grado di mutilazione delle vittime cresceva e cresceva, fino a quando la sua furia esplose come un vulcano in eruzione con l'orrenda distruzione della persona di Mary Jane Kelly. A quel punto aveva senso per me. Se il mio bisnonno non gli credeva, lui usciva e faceva qualcosa di ancora più rivoltante e ripugnante nel tentativo di sorprendere o di farsi notare da 'Cavendish'. Alla fine aveva scritto una lettera, anche se in quel momento non avevo idea di cosa contenesse, informando il mio bisnonno delle sue intenzioni. Sentivo che era tutto lì, nell'ultima riga prima della sciocca rima, *'Adesso Cavendish mi crederà'*. Questo era quello che avrebbe voluto: il riconoscimento di suo padre!

Per quanto riguarda la rima, era vero che il cuore di Kelly mancava quando il suo corpo era stato esaminato. Ora, anche quel mistero era stato spiegato. All'epoca c'erano state molte teorie: lo Squartatore l'aveva mangiato, oppure, se l'era portato a casa e l'aveva tenuto come trofeo, l'elenco poteva continuare all'infinito. Invece, l'aveva tagliato e, a un certo punto, durante il giorno, sospettai, invece di tornare a casa, l'aveva semplicemente gettato nel carro di uno scuoiatore, insieme ai resti di un numero qualsiasi di cavalli morti in procinto di essere bruciati. Sì, per me aveva senso, l'avrebbe vista come una fine appropriata per il cuore di una puttana, quindi il suo cuore e la sua anima sarebbero stati per sempre avvolti dalle fiamme dell'inferno.

Sentii un improvviso terrore e un brivido percorrere il mio corpo, mentre un pensiero mi arrivava in prima linea nel cervello. In quegli ultimi secondi, mentre mi ero reso conto dei suoi pensieri, mi ero sentito improvvisamente come se sapessi esattamente cosa stava pensando quando aveva gettato il cuore di Mary Kelly in quel carrello. Per alcuni brevi secondi, ho effettivamente percepito i pensieri che avevano attraversato la mente di Jack lo Squartatore.

Non poteva essere vero, no? Almeno, questo fu quello che mi dissi, ero solo fantasioso, stanco e più che un po' turbato dall'effetto che il diario aveva esercitato su di me, in questi ultimi due giorni, ecco tutto.

Dopotutto, nessuno poteva percepire o sentire i pensieri di un uomo morto, no?

Alzai lo sguardo dalla scrivania; ormai fuori era quasi buio, la nebbia era come una nuvola impenetrabile e mi accorsi che ero quasi seduto nell'oscurità nello studio. Mi alzai, accesi completamente le luci e tornai alla scrivania. Non potevo fermarmi adesso, dovevo andare avanti, dovevo.

TRENTASETTE
UNA FINE IN VISTA

ORA MI SENTIVO VICINO alla conclusione della terribile saga nella quale ero stato coinvolto improvvisamente dal mio stesso padre morto. Continuavo a farmi la stessa domanda. Era davvero possibile che Jack lo Squartatore fosse nato dal folle desiderio di un uomo di avere il riconoscimento dal proprio padre, che non aveva mai conosciuto? Più riflettevo sulla domanda, più la risposta diventava più chiara. Era possibile ed io sapevo, come psichiatra, che la mente malata e disturbata di un individuo può facilmente afferrare un'idea e distorcerla, finché, metterla in pratica, diventa totalmente logica per lui o lei.

La sua mancanza di dettagli nel descrivere l'omicidio di Mary Kelly, o la scena di totale devastazione che aveva lasciato sotto forma di resti macellati, mi aveva convinto che l'omicidio in sé fosse quasi superfluo a confutare il vero motivo. La gravità crescente di ogni crimine assumeva ora una prospettiva diversa, come se solo aumentando la portata della brutalità e della mutilazione potesse sperare di 'impressionare' suo padre.

In effetti, la scena, che era comparsa a coloro che avevano assistito alle conseguenze del suo 'lavoro' al 13 di Miller's Court, fu così orrenda che gli uomini adulti piansero, altri si sentirono fisicamente male e, in seguito, molti riferirono che la vista del suo cadavere macellato sarebbe vissuta per sempre nelle loro menti. I suoi vestiti erano stati sistemati ordinatamente su una sedia accanto al letto, lasciandola nuda ed esposta. La stanza stessa era come un ossario, con sangue sulle pareti, sul pavimento e su quasi tutti gli oggetti. Macellazione era una parola quasi troppo educata per quello che lo Squartatore aveva fatto al corpo della povera ragazza. Come avevo descritto in precedenza nella mia relazione sull'esame *post mortem*, l'aveva letteralmente fatta a pezzi. Parti del corpo erano sparse per la stanza, anche se non c'era nulla di casuale nella loro distribuzione. Aveva sistemato con molta attenzione ogni pezzo di carne o arto smembrato in punti precisi, non c'erano prove che fossero stati lanciati in modo frenetico o casuale. Forse la cosa, che aveva causato più costernazione nelle menti dei poliziotti che avevano assistito alla scena quella mattina, era stata la spaventosa mutilazione del viso della ragazza, non ne era rimasto quasi nulla e appena abbastanza per identificare la sfortunata vittima, anche se non vi erano dubbi che fosse Mary Jane Kelly. La parte superiore delle gambe era stata quasi totalmente spogliata di carne e il suo cuore mancava, forse il taglio più crudele di tutti.

Perché allora, lo Squartatore aveva scelto di menzionare così poco di quell'omicidio nel suo diario, se non per il fatto che significasse così poco per lui? Ero sicuro che quella fosse la ragione, semplicemente non gli importava più e le sue voci, probabilmente, gli avevano detto che aveva fatto tutto ciò che gli avevano chiesto, per giustificare se stesso con suo padre.

Perché mi sentivo come se sapessi già queste cose? Ancora una volta mi sentivo come se i suoi pensieri fossero diventati i miei, come se la sua mente fosse entrata in qualche modo in un'esistenza parallela alla mia, permettendomi, a una distanza di oltre cento anni, di vedere con perfetta chiarezza i pensieri e le macchinazioni della sua mente malata e delusa. Poteva esserci una semplice connessione di sangue tra di noi per poter causare una cosa del genere? La risposta ovviamente fu no! Stavo diventando anch'io irrazionale e ansioso, di questo ero sicuro, anche se sembrava che non potessi fare molto per impedirmi di pensare e sentire quei pensieri terribili e mi ritrovai a diventare sempre più apprensivo, a pensare a dove il diario mi avrebbe portato alla fine, psicologicamente parlando. Sapevo che non sarei mai più stato lo stesso, ma speravo che mi sarei ripreso abbastanza da quel tortuoso compito di leggere il diario, prima che Sarah fosse tornata a casa la sera successiva.

Per prima cosa, ovviamente, dovevo finirlo. Avevo bisogno di arrivare alla fine dell'ultima pagina e scoprire quali oscuri segreti potevano ancora aspettarmi nelle parole dello Squartatore e del mio bisnonno.

La stanchezza si stava insinuando in ogni muscolo, in ogni tendine, e per quanto volessi completare la mia strana spedizione nel passato, al più presto, sapevo di aver bisogno di una pausa. Uscii dallo studio e invece di dirigermi in cucina, mi diressi in corridoio e aprii la porta d'ingresso, con l'intenzione di rinfrescarmi nella fresca aria notturna. La notte era ormai completamente calata, l'oscurità fusa con la nebbia che aleggiava intorno a casa mia come un sudario. L'effetto della nebbia di smorzare i suoni dava una sensazione inquietante alla notte e, mentre stavo guardando fuori dalla soglia della casa, avrei potuto giurare di vedere strane forme eteree che si contorcevano e si muovevano in mezzo a quell'oscura nuvola grigio-bianca. Ci fu un fruscio nell'oscurità, come se qualcosa fosse volato silenziosamente attraverso il banco di nebbia, poi mi resi conto che era solo il ronzio silenziato di un motore di un'auto costosa, quando un veicolo passò davanti all'ingresso del vialetto. La nebbia aveva portato un freddo intenso nella notte e rimasi lì a tremare per cinque minuti buoni mentre cercavo di raccogliere i miei pensieri prima di tornare nello studio. Mi resi conto che i miei vestiti si stavano inumidendo e la mia maglietta si stava aderendo alla schiena e così decisi di lasciare la nebbia, la notte e qualunque suono e apparizione desiderassero evocare. Chiusi la porta e mi appoggiai ai pannelli di quercia, senza muovermi finché non cominciai a sentire un briciolo di calore tornare nel mio corpo.

Mi dissi che avrei dovuto mangiare ed effettivamente entrai in cucina con quell'intenzione prima di decidere che era tardi per mangiare, almeno per quella sera. Mi versai un whisky doppio e portai con me la bottiglia e il bicchiere, mentre tornavo alla mia sedia nello studio, la mia finestra sul mondo dello Squartatore. Non volendo morire di fame completamente, m'infilai sotto il braccio anche un grosso pacchetto di biscotti al formaggio, nel caso in cui la necessità di mangiare fosse tornata ad un certo punto della sera. Fu così che mi rimisi a mio agio ancora una volta e attesi, con un misto di trepidazione e anticipazione, la mia terza notte in compagnia di Jack lo Squartatore. Mi avrebbe fornito risposte soddisfacenti alle domande nella mia mente? Solo il tempo l'avrebbe detto e il tempo ovviamente era una merce che stava iniziando a scarseggiare; dopo quella notte, avevo meno di ventiquattro ore prima che Sarah tornasse e dovevo finire per allora, la mia stessa voce interiore me lo diceva, forte e chiaro.

Ammetto che non ero del tutto sicuro del perché, quale effetto avrebbe avuto su di lei se avesse saputo la verità sul diario, o anche della sua esistenza, ma sapevo che in nessuna circostanza Sarah avrebbe mai dovuto vedere o sapere del diario. L'avrebbe messa in pericolo, e di nuovo, non avevo idea del perché, lo sapevo. Che cosa avrei fatto con il diario una volta finito? Dovevo distruggerlo? Dovevo richiuderlo e chiuderlo in una cassaforte, o depositarlo presso un avvocato come aveva fatto mio padre? Sarah ed io non avevamo figli, quindi a chi lo avrei lasciato se lo avessi mantenuto intatto e avessi deciso di mantenere il segreto e la tradizione di famiglia? Non appena mi posi la domanda, seppi già la risposta e per quanto mi rattristasse caricare le generazioni future con questo fardello, sapevo esattamente cosa dovevo fare.

Decidendo che sarebbe stato inutile esitare ancora, decisi di continuare e cercare di affondare le ultime pagine del diario il più rapidamente possibile. Mi versai un altro whisky e fui rapidamente riscaldato dal liquido ambrato mentre mi scivolava facilmente in gola. Allungai le braccia il più possibile e piegai i piedi per cercare di mantenere un livello decente di circolazione sanguigna, poiché intendevo rimanere sulla sedia finché non avessi completato il compito che mi ero prefissato.

La triste e allo stesso tempo mostruosa storia della vita di Jack lo Squartatore mi era stata quasi imposta dalla mano di mio padre morto, mettendomi in una situazione in cui non potevo fare altro che sedermi e leggere le auto-confessioni della progenie, morta da tempo, del mio bisnonno. Ora, avevo intenzione di leggere il diario fino alla sua conclusione, di leggere tutta la notte se necessario, e infine di allontanare il fantasma, che sembrava aver perseguitato ogni generazione della mia famiglia dall'epoca vittoriana ai giorni nostri. Se l'anima di Jack lo Squartatore era davvero in qualche modo rinchiusa nelle pagine del suo famigerato e orribile diario, impressa dalle parole scritte con la sua stessa mano assassina, allora ero determinato a essere quello che finalmente avrebbe posto fine all'influenza del diario sulla mia famiglia. Una nuova determinazione sorse dentro di me, un senso di audacia e spavalderia che avrei potuto superare in astuzia l'anima malvagia del mio antenato illegittimo e assicurarmi che la sua influenza sulla nostra famiglia fosse sepolta per sempre insieme al suo cuore nero, ovunque fosse. Se fossi stato in grado di vedere ciò che era scritto nelle pagine conclusive del diario, forse non sarei stato così sicuro di me stesso, ma questa, naturalmente, era la follia di un semplice mortale.

Le mie mani si protesero ancora una volta per sollevare il diario infernale di Jack lo Squartatore e, quando sentii ancora una volta lo strano e soprannaturale calore delle sue pagine, senza preavviso, ogni luce nella stanza si spense e fui immerso nell'estremo psicologico orrore dell'oscurità totale!

TRENTOTTO
UNA SOLA VOCE CHE PIANGE NELLA NOTTE

L'IMPROVVISA discesa nell'oscurità sconvolse il mio stato d'animo sempre più fragile. Sentii un'ondata di panico avvolgermi e mi girai sulla sedia, aspettandomi completamente di vedere una figura spettrale luminosa aleggiare sulla soglia, pronta a portarmi nel mondo degli spiriti, o peggio. Ero come un bambino che si sveglia di notte da un incubo, pieno di paura, immaginando mostri nascosti sotto il letto, o serpenti che strisciano fuori dai muri, ma ovviamente, il dottor Robert Cavendish non credeva ai mostri, vero?

Rimasi seduto fermo sul posto, incapace di alzarmi dalla sedia per almeno un minuto, finché il tremito nel mio corpo non cominciò a placarsi e la razionalità prese il sopravvento sulla mia mente. La logica imponeva che una delle due cose fosse accaduta. O si era verificata un'interruzione di corrente o si era bruciato un fusibile. Armeggiai nel buio finché non riuscii ad aprire l'ultimo cassetto della mia scrivania dove tenevo una piccola torcia a penna, poiché perdevo sempre cose dietro la scrivania e, soprattutto, davanti al disco rigido del computer. La piccola torcia aveva dimostrato il suo valore molte volte in passato e, alla fine, le mie dita a tentoni entrarono in contatto con la sua forma familiare, nel contenuto del cassetto.

Con un senso di sollievo, si accese quando pigiai l'interruttore 'on', così avrei avuto un frammento di luce, per illuminarmi la strada verso la scatola dei fusibili sotto le scale. Ero ancora un po' preoccupato mentre mi avviavo, quasi mi aspettavo di essere aggredito da quella figura spettrale che indugiava in fondo alla mia mente, ma arrivai sano e salvo alla porta del sottoscala e subito vidi la causa del problema. Qualcosa, forse un cortocircuito, aveva fatto saltare il fusibile principale e l'interruttore del circuito era scattato e mi aveva fatto precipitare in quell'oscurità sorprendentemente spaventosa. Quando spinsi l'interruttore nella posizione corretta, fui ricompensato con un flusso di luce dalla porta della cucina di fronte a me e il sollievo mi travolse come un'onda marina.

Sentendomi piuttosto sciocco per aver permesso a me stesso di spaventarmi per una cosa semplice come un fusibile bruciato, ritornai in cucina imbarazzato, bisognoso di caffè e delle sue proprietà stimolanti. Accesi la radio mentre il bollitore ribolliva e, mentre mi sedevo a tavola con la tazza fumante calda in mano, le notizie della tarda serata venivano riportate dalla stazione radio locale. Con voce cupa, il giornalista annunciava che il sospettato dei due omicidi locali, John Trevor Ross, era stato trovato impiccato nella sua cella quel pomeriggio. Era stato dichiarato morto all'arrivo in ospedale. Da un'ulteriore indagine era emerso che la famiglia di Ross era stata collegata, tramite matrimonio, alla famiglia di uno dei sospettati originali nel caso di Jack lo Squartatore di più di cento anni prima, anche se la polizia rifiutava di rilasciare il nome della famiglia collegato al caso.

Mi sembrava di essere stato colpito da un fulmine. Non sentii un'altra parola, mentre il giornalista continuava con il bollettino. Tutto quello cui riuscivo a pensare era il fatto che John Ross, come me, avesse qualche legame con lo Squartatore, anche se, ammettiamolo, il giornalista aveva solo detto che era lontanamente imparentato con uno dei sospettati e non era stato in grado di rivelare quale. Non avevo dubbi, tuttavia, che fosse vero. Da qualche parte, lungo il corso della storia, sia John Ross sia io eravamo stati toccati dalla maledizione dello Squartatore e forse aveva preso l'unica via d'uscita che conosceva per sfuggire a quella maledizione, per impedire a se stesso di scendere ulteriormente nella follia che lo aveva colpito all'improvviso e in modo schiacciante. La coincidenza di essere stato presentato a me come paziente era un'ulteriore prova, almeno per il mio modo di pensare, che lo Squartatore avesse allungato la mano, nel corso degli anni, per prendere possesso delle vite dei suoi discendenti lontani, anche se vagamente imparentati. Forse, come il mio bisnonno, avevo avuto la possibilità di aiutare John Ross, di salvarlo dalla terribile malattia che lo aveva preso e portato a commettere un omicidio così brutale. Se era così, allora, come il mio bisnonno, sembrava che avessi fallito. L'unico aiuto che gli avevo dato era stato prescrivere farmaci per controllare quella che pensavo fosse una lieve paranoia e alla fine consigliarlo di collaborare con la polizia, quando forse avrebbe potuto beneficiare di un approccio più comprensivo.

La realtà sembrava a un milione di miglia di distanza, mentre tornavo allo studio con i piedi di piombo fino alla sedia, rimproverandomi. Ero entrato in un mondo che era così lontano da quello sano e sicuro che abitualmente abitavo e mi chiesi se fossi caduto in un mio personale incubo, lasciandomi così influenzare dalle parole dello Squartatore, contenute nelle pagine gialle ammuffite che ancora una volta mi attiravano verso di loro come una calamita. Ma no, era qualcosa di più. Ero sicuro che stesse accadendo qualcosa di fuori dall'ordinario e, anche se non ero sicuro di cosa fosse o dove mi stesse conducendo, ora ero più determinato che mai a portare a termine l'intera faccenda. John Trevor Ross stesso poteva aver avuto qualche tenue relazione con me, o con lo Squartatore, o anche con il mio bisnonno, e tramite lui, con me. Semplicemente non lo sapevo, ma ero sicuro che non mi sarei arreso ora! Mi feci la promessa mentale di contattare sua madre nei successivi due giorni, assicurandomi che stesse bene, anche se ovviamente non poteva essere così. Aveva appena perso suo figlio; era già abbastanza grave che gli fosse stata diagnosticata una malattia mentale, ma aveva commesso due omicidi, aveva preso la vita di due donne innocenti e probabilmente aveva distrutto il futuro delle loro famiglie. Era come se, anche dopo tutto quel tempo, il male che era stato Jack lo Squartatore fosse ancora all'opera e, insieme alle due vittime più recenti, lo stesso John Trevor Ross fosse caduto vittima nelle mani dell'assassino e fosse diventato l'ennesima aggiunta alla lista raccapricciante di coloro le cui vite erano state lacerate dall'assassino di Whitechapel.

Con un sospiro stanco, accesi e riavviai il computer, nel caso avessi avuto bisogno di fare nuovamente riferimento al sito web di *Casebook* e mi sdraiai nella mia comoda poltrona. Avevo la sensazione che sarebbe stata una lunga notte e che ci sarebbe voluto del tempo prima che riuscissi ad adagiare la testa per dormire.

Mentre sollevavo il diario dalla scrivania, fui nuovamente sottoposto alla strana sensazione che mi arrivò, maneggiando le sue pagine molto calde e appiccicose. Non riuscivo ancora a sfuggire al pensiero che, in qualche modo, fosse infuso o impresso dell'essenza del male dello Squartatore e, che semplicemente toccarlo mi portasse direttamente all'anima dell'assassino. Nonostante, o forse a causa di quella sensazione, ero impaziente di leggere qualunque cosa fosse accaduta dopo, nel suo orrendo libro di memorie e vedere se il mio bisnonno avrebbe gettato altra luce su qualsiasi altro terribile segreto, cui sembrava aver accennato in precedenza.

14 Novembre 1888

Ho languito in questi ultimi giorni in uno stato terribile. Perché Cavendish non è venuto? Deve aver ricevuto la mia lettera, deve sapere ormai che gli ho detto la verità. La mia testa è in un tale fermento, un tale dolore. Ho fatto tutto quello che le voci mi hanno chiesto e ora mi hanno abbandonato, sono solo. Non mi hanno detto una parola da quando ho messo a dormire la puttana Kelly. Li ho scontentati? Non mi sussurrano più nemmeno in testa. Devo versare altro sangue, non è stato abbastanza aver affettato e sventrato la puttana, da riuscire a malapena a stare in piedi, per quel lavoro che mi ha stancato così tanto? Così in profondità scorse sul pavimento, il suo sangue biondo mi fece scivolare mentre cercavo di restare fermo per completare il compito. Due giorni dico, due giorni ci sono voluti per lavare finalmente il sangue della puttana da me stesso e, anche se ho rimosso i miei vestiti, c'era così tanta roba che il suo sangue aveva macchiato, anche la mia camicia e le mie calze, tant'è che li ho bruciati.

E' arrivata la notte, ma non vengono, le mie voci sono così silenziose. Dove sono loro? Perché mi hanno lasciato solo? Dov'è Cavendish? Deve venire, lui è l'unico che sa. Mi dirà cosa fare.

20 *Novembre* 1888

Sto perdendo la cognizione del tempo e dei giorni. Non posso più lavorare e sicuramente non mi lasceranno tornare adesso. Non ho sentito nulla da Cavendish, eppure l'intera Londra è in fiamme per le notizie dello Squartatore, di me, di quello che ho fatto per liberare la città dalle puttane. Ogni giornale, ad ogni angolo di strada, urla per la mia bravura e la polizia continua a correre in inutili ricerche di Jack ed io sono stato qui per tutto il tempo, ma dov'è Cavendish?

Trovai qualcosa di pietoso nelle ultime note del diario di Jack lo Squartatore. Era diventato quasi infantile nelle sue richieste di aiuto. Le sue voci erano scomparse, come se nel perpetrare l'ultimo e più orrendo assassinio della sua carriera fino ad oggi, la sua stessa mente, quella che in realtà aveva creato le sue voci, avesse spento quella parte di sé, forse in una sorta di meccanismo di autodifesa, come se nel profondo, nelle profondità più segrete e complesse della sua mente, persino Jack lo Squartatore era rimasto sconvolto e si era ribellato per la portata del suo crimine. Piangeva di notte, chiedeva aiuto che non sarebbe arrivato ed era certamente disperato che il mio bisnonno non si occupasse di lui. Dopotutto, era trascorsa più di una settimana dalla terribile notte della morte di Mary Kelly e, da quel momento, si sarebbe aspettato una risposta dal mio bisnonno, supponendo ovviamente che avesse ricevuto la lettera dello Squartatore.

Ero incuriosito dalla sua menzione di aver perso il lavoro. Questo almeno confermava che, almeno fino a un certo punto, era stato impegnato in un'attività lucrativa. Pensavo, avendo formato la mia opinione sulla sua identità, di sapere esattamente dove lavorava e in che veste, e in qualche modo quell'ammissione nel diario, confermava ulteriormente il mio pensiero sulla sua identità. Ciò corrispondeva bene ai fatti che avevo accertato dai miei appunti.

Ormai c'erano rimaste così poche pagine nel diario ed ero fiducioso che sarei stato in grado di completare la mia lettura entro la mia scadenza autoimposta. Desideravo solo, come lo Squartatore, di poter capire perché il mio bisnonno non avesse risposto alla lettera, al suo avvertimento anticipato dell'omicidio di Mary Kelly. La risposta a quella domanda stava per essermi rivelata e fu quasi intrigante quanto qualsiasi cosa avessi letto nei tre giorni precedenti!

TRENTANOVE
UNA QUESTIONE DI ETICA?

Mentre giravo l'ennesima pagina della cupa storia che si stava svolgendo davanti a me, le parole del mio bisnonno erano di nuovo in agguato per me, come prima, strettamente infilate tra le pagine del diario dello Squartatore. La spiegazione del perché non il nonno avesse risposto alla lettera di Squartatore mi stava fissando, mentre iniziavo a leggere incredula la sua ultima aggiunta al diario.

Figlio mio,

È proprio dopo il fatto che mi siedo e scrivo questa nota, che allego all'orribile storia che stai leggendo. Come sai, gli eventi a Londra ebbero una svolta terribile nelle settimane dell'autunno 1888 e, dopo aver parlato a lungo e in varie occasioni con il mio caro amico Sir William, fu ovviamente il mio turno. Come sai, la polizia mi ha intervistato, oltre a un numero svariato di persone influenti (e non così influenti) membri della mia professione, essendo stato ampiamente suggerito da molti cosiddetti esperti, che Jack lo Squartatore fosse stato un medico. Non riesco a pensare che qualcuno possa aver suggerito seriamente una cosa del genere, eppure le forze di polizia sembravano aver concesso alla teoria un certo grado di credibilità. L'ispettore, che si chiamava Abberline, fu abbastanza gentile, ma sembrò che svolgesse il colloquio senza grande convinzione, come se mi ritenesse irrilevante per il caso e mi stesse semplicemente interrogando, per ordine di un superiore.

Ti sono grato per avermi ricevuto così gentilmente, dopo il calvario per aver passato così tante ore in compagnia di quei degni ufficiali della legge, ai quali ho potuto dimostrare la mia innocenza personale. Non posso ringraziarti abbastanza per la tua calorosa ospitalità e per avermi permesso di trascorrere quei pochi giorni nel comfort e nel rifugio della tua casa.

Puoi immaginare la mia incredulità e il mio shock poi, quando, tornando a casa, ho trovato lì, ad aspettarmi, una lettera così atroce e del cui contenuto fui alquanto perplesso e allo stesso tempo dannato dalla mia incapacità di cogliere la verità e ad agire su di essa.

A questo punto inserisco questa nota nel diario poiché è a mio avviso la giusta collocazione. Perché non ho creduto ai suoi precedenti tentativi di confessarmi la sua colpa? Non posso rispondere a questo, anche se ora sarò sicuramente dannato per sempre. Mi ha scritto prima dell'uccisione della povera donna Mary Jane Kelly e mi ha spiegato in dettaglio le ferite e le mutilazioni che intendeva assolutamente fare a quella povera disgraziata. Se non fossi stato interrogato dai poliziotti di Scotland Yard e, poi essere stato ospite a casa tua, avrei trovato la lettera il giorno dopo il delitto. Così com'era, era toccato a me scoprire la terribile verità troppo tardi e il mio cuore e la mia mente erano impauriti e indecisi sulla corretta linea di condotta da seguire.

Se avessi divulgato le informazioni di cui sono ora a conoscenza, non solo avrebbe distrutto il buon nome della nostra famiglia, ma avrebbe indubbiamente portato all'arresto, al processo e alla probabile esecuzione dell'uomo che era dopo tutto, il tuo fratellastro, mio figlio. Nonostante il fatto che fosse gravemente malato con la più disgustosa malattia della mente, sapevo che le grida di punizione avrebbero fatto sì che gli venisse negata l'infermità mentale, il pubblico aveva bisogno di vendicarsi e sono sicuro che lo avrebbero fatto, velocemente e definitivamente. Volevo risparmiare a lui quella disgrazia, nel ricordo di sua madre. Anche se non mi aspetto che tu abbia alcun pensiero o sentimento per l'uomo, che non hai mai incontrato e mai incontrerai, ti prego di pensare al dilemma che ha così assillato la mia mente. Se mi fossi rivoltato contro di lui o fossi stato scoperto sulle mie mancanze, non solo la mia reputazione professionale sarebbe stata visibilmente e pubblicamente screditata, ma pensa anche all'effetto che una simile rivelazione avrebbe avuto sulla vostra povera madre. Ovviamente non sa nulla della sua esistenza e non lo saprà mai.

Dovevo decidere cosa fare, perché ovviamente non potevo permettergli di continuare a uccidere e mutilare i suoi simili; questo va da sé. Il suo datore di lavoro, un uomo di grande compassione e tolleranza aveva perso la pazienza con le sue continue assenze causate dalla sua 'malattia'. Il modo in cui aveva continuato a portare avanti la sua routine quotidiana è al di là della mia comprensione. Ha ingannato non solo me, ma tutto il mondo intorno a lui. Come avrebbe potuto perpetrare crimini così diabolici e continuare a vivere una vita normale di fronte ad atti così dannati? Il tempo stava scadendo, per me e per lui, dovevo agire, mettere fine agli omicidi e impedire uno scandalo che avrebbe distrutto tua madre, te e tutti coloro che erano legati alla famiglia.

Leggi la conclusione del diario, figlio mio, e poi lascia che le mie azioni siano giudicate solo da te, perché è pensando al tuo futuro che ho fatto le cose che ho fatto. Quando avrai letto ciò che deve ancora essere rivelato, ti prego di perdonarmi e, se possibile, da qualche parte nel tuo cuore, perdona l'uomo che era tuo fratello, perché non era in grado di impedire il destino che gli ha distrutto la vita.

Tuo padre, Burton Cleveland Cavendish

Un senso di paura e impotenza stava iniziando ad avvolgermi mentre posavo leggermente il diario sulla scrivania. Il mio bisnonno stesso era stato intervistato e interrogato dalla polizia e dallo stesso Frederick Abberline, famoso come uno dei principali investigatori della caccia a Jack lo Squartatore. Il mio bisnonno non aveva ricevuto la lettera dello Squartatore perché era andato a stare con mio nonno, Merlin Cavendish dopo il suo congedo dalla stazione di polizia. Aveva trascorso lì diversi giorni; questo era chiaro dalle sue parole e così facendo aveva forse reso la sua posizione più difficile da sostenere, quando alla fine aveva ricevuto la lettera. La polizia avrebbe voluto sapere perché aveva tardato a trasmettere le informazioni fornite dallo Squartatore e forse non avrebbero creduto immediatamente alla sua storia di essere rimasto con mio nonno, prima di tornare a casa sua.

Non solo, ma capii come doveva essersi sentito, realizzando finalmente che il suo figlio bastardo gli aveva sempre detto la verità. Era davvero Jack lo Squartatore e il mio bisnonno avrebbe potuto, come aveva detto nella sua lettera originale all'inizio del diario, fare qualcosa per fermarlo! Potevo solo iniziare a immaginare il tumulto che doveva aver provato. Come si fa ad ammettere e poi decidere cosa fare di fronte al fatto che il proprio figlio è l'assassino più odiato e malvagio a memoria d'uomo, mentre tutta Londra era con il fiato sospeso e seguiva le indagini della polizia, aspettando e sperando l'arresto del mostro per il quale vivevano nella paura?

Tuttavia, una paura più grande mi aveva preso, la paura che un segreto molto più grande fosse nascosto proprio dietro l'angolo, che il mio bisnonno stesse ancora trattenendo qualcosa. Ora che il suo legame con lo Squartatore era stato stabilito nella mia mente più saldamente, avevo bisogno di sapere cosa era successo a entrambi questi miei antenati dopo la conclusione degli omicidi. Sapevo ovviamente, più o meno, cosa era successo al mio bisnonno. Burton Cleveland Cavendish si era ritirato nel 1889 (credo), e aveva lasciato la città di Londra, stabilendosi con la mia bisnonna e suo figlio (mio nonno), non troppo lontano da dove vivo oggi. Ovviamente a quei tempi la zona era molto più 'campestre' e con ogni probabilità avevano vissuto una vita abbastanza comoda, quasi idilliaca. Era morto in casa pacificamente non molto tempo prima dello scoppio della Grande Guerra, subito dopo la mia bisnonna (mio padre disse che era morto di crepacuore, incapace di andare avanti senza l'amore della sua vita). Nessun evento importante della sua vita era stato registrato o tramandato nella storia familiare e, fino a quel momento non avevo mai avuto motivo di pensare che fosse diverso da qualsiasi altro rispettabile professionista medico vittoriano. Questo ovviamente mi lasciò con l'unica domanda scottante. Che cosa era successo allo Squartatore dopo l'omicidio di Mary Jane Kelly? All'improvviso mi colpì l'idea che il diario o gli appunti del mio bisnonno potessero non essere completamente esaurienti sull'argomento e quel pensiero mi terrorizzò più di quanto potessero farlo le parole.

Dovevo sapere cosa era successo a lui! Era diventato il requisito più importante della mia vita. Mentre ero seduto nel mio studio, con la casa avvolta nella nebbia, tagliato fuori dal mondo reale da pensieri reali e immaginari e ogni sorta di demoni che giocavano nella mia mente, sapevo che il mio futuro, come quello di mio nonno, era dipesa dalla scoperta della sorte dell'assassino di Mary Kelly e delle altre povere disgraziate che avevano sofferto per mano sua. Tale sarebbe stata l'agitazione mentale se fossi stato lasciato all'oscuro sulla conclusione del coinvolgimento del mio bisnonno con lo Squartatore e le successive azioni intraprese da entrambi, sapendo che la mia sanità mentale era ancora stabile. In meno di tre giorni, il mio mondo era stato capovolto, la mia mente aveva intrapreso un viaggio in un mondo strano e terrificante, dove le realtà del tempo e dello spazio sembravano essere sospese, almeno entro i confini del mio studio. Ero ormai sul punto di scoprire la conclusione di quello strano e avvincente soggiorno nel mondo del surreale e dovevo essere in grado di dissipare i pensieri irrazionali che minacciavano di impadronirsi della mia psiche. Dovevo essere in grado di allontanare lo Squartatore e la sua follia dal mio mondo e restituirlo alle pagine della storia cui apparteneva.

Le lancette dell'orologio sembravano aver fretta di raggiungere la mezzanotte, mentre mi preparavo per le pagine conclusive del diario. La pila di pagine adesso era sottile e non poteva esserci molto. Dovevo solo sperare che quello che avevo bisogno di sapere mi stesse aspettando, mentre giravo di nuovo una pagina e vedevo la calligrafia dello Squartatore allungarsi verso di me da un altro foglio giallo sbiadito, ma ancora caldo e appiccicoso, dell'incredibile diario di Jack lo Squartatore.

QUARANTA
IL MOMENTO DI DECIDERE

Data sconosciuta

I miei ultimi giorni sono passati nella nebbia e non ho osato avventurarmi. Sono così dolorante, tanta agitazione e so che sto peggiorando. Le mie voci mi hanno abbandonato, tacciono ed io sono solo, anche se forse non del tutto. Alla fine Cavendish è venuto a trovarmi. Era molto colpito dal mio aspetto e dal mio comportamento e credo sia stato molto comprensivo nei miei confronti, sebbene alla fine abbia mostrato un tale orrore a credere alla mia confessione. Ora conosce la verità e sono sicuro che non si volterà contro di me, il frutto del suo sangue. Ah! Mi ha consigliato di rimanere tra le mura di casa e ha promesso di visitarmi ogni giorno e di prendermi cura dei miei mali e disturbi. Mi ha avvisato che gli effetti del farmaco sono piuttosto debilitanti. Riesco a malapena a muovermi dalla sedia, ma di tanto in tanto devo mangiare e bere. Mi ha assicurato che andrà tutto bene e che si assicurerà che io mi rimetterò in forze. Non devo continuare nel mio lavoro, l'ha chiarito, anche se ammetto di non avere nessuna voglia di fare a pezzi un'altra puttana. L'odore del sangue dell'ultima puttana è ancora forte nelle mie narici e la vista della carne che ho tagliato dal suo corpo è impressa nei miei occhi. Non posso fare di più, almeno per ora. Ho mostrato a Cavendish questo diario, in modo che non abbia dubbi sulle mie affermazioni. Ne ha letta una parte, non di più e il suo shock è stato sorprendente. Che brav'uomo è!

QUESTA VOCE, non datata dallo scrittore, rivelava la sua rapida discesa in una sorta di fuga, si stava perdendo. Forse si stava distaccando sempre più dalla realtà, il mondo esterno aveva meno significato per lui col passare del tempo. Parlò del mio bisnonno che lo visitava e sembrava abbastanza contento che Burton Cavendish alla fine credesse che fosse Jack lo Squartatore. Non aveva mostrato alcun rimorso per i suoi crimini, semplicemente una mancanza di desiderio di commettere ulteriori atrocità, almeno per il momento. Dalle sue parole dedussi che il mio bisnonno gli avesse prescritto una qualche forma di sedazione; forse per impedirgli di arrabbiarsi tanto da avventurarsi ancora una volta per le strade nel suo desiderio di altri salassi. Se il mio bisnonno fosse stato veramente comprensivo nei suoi confronti, o se stesse solo cercando di placare l'uomo, mentre stava decidendo la sua prossima linea di condotta, dovevo ancora capirlo.

La risposta a quella domanda era proprio dietro l'angolo, o avrei dovuto dire dietro quella pagina, mentre giravo il foglio successivo del diario per trovare le parole del bisnonno che mi stavano aspettando ancora una volta.

30 *novembre* 1888

Il mio cuore è pesante, la mia anima turbata. Anche se non vorrei ammetterlo a una sola anima vivente, ora conosco la verità sul bambino che ho generato in circostanze così sfortunate. Per un qualche motivo, la follia ha pervaso la sua testa ed è il mostro ricercato dalla polizia e da tutta la rispettabile popolazione del paese. Come fai a dire a qualcuno che la tua stessa progenie non è altro che l'assassino noto a tutti come 'Jack lo Squartatore'? Sapendo cosa è successo alla sua povera cara madre, forse non dovrei essere così sorpreso del suo stato di salute, ma, anche così, mi rattrista che sia accaduto ciò. So che il mio dovere sta nel consegnarlo alla polizia, eppure non posso sfuggire al fatto che non è interamente responsabile dei suoi crimini, perché la sua malattia ha preso il sopravvento sulla sua mente. Sono sicuro che nessuno crederebbe che sia del tutto vero e che il mondo non sarebbe felice, se non finisse il suo tempo oscillando alla fine di una corda. Non posso augurargli quella fine raccapricciante, per quanto i suoi crimini possano richiedere una brutale punizione. Ma mi resta il dilemma su cosa dovrei fare dopo. Gli ho dato delle medicine e questo dovrebbe tenerlo legato a casa per un po' (purché le prenda ogni giorno). Se non le prende e continua a ripetere i suoi crimini, non avrei altra alternativa che consegnarlo alla legge.

Figlio mio, se stai leggendo questo, devo supplicarti di sforzarti di capire i dubbi della mia mente. Sarei stato poco comprensivo, figlio mio, se fossi stato tu in uno stato mentale così travagliato? Certo che no, e non ti aspetteresti di meno, no?

Tuttavia, devo prendere decisioni difficili. Non posso lasciarlo andare semplicemente in libertà ad uccidere di nuovo e, se dovessi ammetterlo in un ospedale, le sue invettive e deliri attirerebbero presto il tipo sbagliato di attenzione e la mia incapacità di agire in anticipo alle sue pretese di coinvolgimento negli omicidi avrebbe gravi ripercussioni sia per la mia carriera, sia, temo, per il buon nome della nostra famiglia, per non parlare di spezzare il cuore della tua povera madre.

Ho deciso per il momento di fargli visita ogni giorno, per cercare di tenerlo sufficientemente sedato con grandi dosi di oppiacei, finché non capirò con certezza le azioni che dovrò intraprendere per risolvere la questione. Penso di sapere nel mio cuore che può esserci un solo modo per porre fine a tutto questo, una volta per tutte e per garantire che il suo nome e quello della famiglia rimangano immacolati. Non deve essere portato in tribunale e solo io posso impedirgli di perpetrare altre atrocità. Devo riconciliare il mio cuore e la mia anima con Dio e fare ciò che deve essere fatto.

Burton Cleveland Cavendish M.D.

Le parole del mio bisnonno mi gelarono fino in fondo, perché non avevo dubbi sulle sue prossime azioni. Aveva provato, ne sono certo, a fare tutto il possibile per il suo figlio illegittimo, ma, riconoscendolo come l'assassino di quelle povere donne sfortunate, si era trovato in una situazione praticamente impossibile. Come avrebbe potuto rivelare la verità, senza svergognare ed esporre la propria famiglia agli insulti che sarebbero stati sicuramente diretti contro di loro? Certamente, la sua reputazione professionale sarebbe stata gravemente danneggiata dalle sue confessioni di omissione, dalla sua incapacità di agire, basata puramente (come si vedrebbe), sul suo legame paterno con l'assassino.

Il suono dell'orologio a muro s'intromise improvvisamente nei miei pensieri, il suo continuo ticchettio crebbe più forte di secondo in secondo. La mia testa era inondata da quel suono, anche se in realtà doveva essere silenzioso come sempre. Il tonfo della lancetta dei secondi, mentre continuava il suo viaggio nel quadrante dell'orologio, stava diventando una dissonanza incessante e clamorosa nel mio cervello e la mia testa sembrava stesse per esplodere. Fuori, la nebbia si stendeva in una fitta nuvola intorno alla casa e la notte buia senza stelle gettava la sua coltre sul mio mondo improvvisamente rimpicciolito. Ero preso da un attacco di panico, una paura che minacciava di inghiottirmi e trascinarmi in uno strano mondo d'immagini e reminiscenze mezzo ricordate, come se fossi pronto a perdermi nei pensieri e nelle azioni di coloro che erano vissuti e morti tanto tempo prima. Non per la prima volta, da quando avevo preso in mano il diario, correvo il pericolo di perdermi a causa del suo incredibile potere, della sua strana presa soffocante che diventava sempre più stretta ogni secondo, e poi, senza un pensiero cosciente, la mia mente si liberò e lanciai quell'infernale cosa tra le mie mani e, mentre si schiantava con un tonfo contro la parete opposta dello studio, fui riportato di scatto nel mondo reale, le mie mani tremanti tornarono lentamente alla normalità e il mio cervello, la mia mente, riguadagnarono la presa sulla realtà, abbastanza a lungo da permettermi di riprendere la calma e fare respiri lunghi e profondi, finché il battito nella mia testa non cessò e fui ancora una volta lasciato seduto in silenzio e da solo sulla sedia, con il diario e il suo orribile contenuto adagiato in un angolo della stanza, contro il muro dove era caduto.

Rimasi seduto per dieci minuti senza cercare di muovermi dalla sedia. Rimasi semplicemente seduto a fissare il diario, chiedendomi come aveva potuto esercitare una tale influenza su di me, come aveva potuto generare tanta paura, pensieri così terribili dentro di me e, soprattutto, come aveva potuto portarmi in così poco tempo sull'orlo del punto di rottura, sull'orlo della sanità mentale e della ragione.

C'era solo un modo per scoprirlo, un modo per rispondere finalmente a qualsiasi domanda sullo Squartatore mi rimanesse in mente. Infine, con un grande sforzo, sia mentale sia fisico, poiché le mie membra sembravano intorpidite, mi alzai dalla sedia e mi mossi per prendere il diario da dove si trovava. Mentre lo facevo, avrei giurato di aver sentito un sospiro, basso e stanco da qualche parte vicino alla mano, ma ovviamente non c'era nessuno. Poteva essere solo la mia immaginazione.

Con un profondo sospiro di rassegnazione mi sedetti ancora una volta e andai alla pagina successiva. Rimasi scioccato nel vedere che era vuoto, così come lo era quella successiva e la successiva ancora! Fui colpito da un crescente panico e una marea di terribili presagi. Essendo rimaste solo poche pagine nel diario, non era difficile vedere che lo Squartatore non aveva fatto altre annotazioni nel suo diario del terrore. Cos'era successo? Perché aveva improvvisamente smesso di scrivere? Sicuramente il suo ego, il suo senso di auto esaltazione e il suo bisogno di giustificarsi, anche nell'intimità del suo diario non gli avrebbero fatto rinunciare a fare le sue annotazioni. Con un crescente senso di panico, temendo che le risposte a tutte le domande che avevo ancora bisogno di risolvere mi venissero negate, sfogliai pagina dopo pagina e alla fine arrivai alle ultime due pagine del libro, e lì, tra di esse, com'era successo tante volte, c'era un altro biglietto del mio bisnonno.

QUARANTUNO
L'ULTIMA CONFESSIONE

Con mani tremanti e con un cupo senso d'inevitabilità per ciò che stava per accadere, mi sistemai il più comodamente possibile per quella che pensavo sarebbe stata la conclusione della tragedia che aveva colpito la mia famiglia tanti anni prima. Riuscendo a malapena a contenere i miei sentimenti d'impazienza e fascino, iniziai a leggere l'ultima annotazione del mio bisnonno nell'orrendo diario segreto di Jack lo Squartatore.

Gennaio 1889

Jack lo Squartatore è morto! Non ci saranno più uccisioni, né più massacri d'innocenti, anche se nel porre fine alla bestia che si aggirava per le strade della nostra città, mi sono macchiato per sempre e solo Dio in cielo potrà essere il mio giudice. Non potevo più sopportare il tormento di vederlo nello stato in cui si era ridotto, a causa della sua malattia, delle mie stesse cure di dosi crescenti di morfina, con le quali speravo di sedarlo e controllarlo in quegli ultimi giorni. Ad ogni visita successiva sembrava peggiorare, sebbene confessasse di aver saltato l'assunzione di varie dosi del farmaco a causa dell'effetto negativo che stava avendo su di lui. Si era persino spinto al punto di avventurarsi di nuovo nel mondo esterno e temevo non solo per lui, ma anche per gli altri se fosse ricaduto ancora una volta nel suo ruolo di assassino, soprattutto quando parlava ferocemente della continua esposizione mediatica della caccia allo Squartatore. Per me era chiaro che non sarebbe mai riuscito a liberarsi dei demoni che avevano invaso il suo cervello, della follia che aveva avvolto la sua natura, escludendo qualsiasi bene che potesse essere stato nella sua anima.

Non avevo scelta, mio caro figlio, devi credermi, perché ho lavorato a lungo e duramente e ho pensato a tutti i mezzi per aiutarlo, proteggendo allo stesso tempo lui e il mondo dalla sua terribile maledizione ma ahimè, non riuscivo a pensare ad altro modo. Ad ogni visita leggevo sempre più delle parole infernali e dannate contenute in queste pagine e gradualmente diventavo sempre di più responsabile nel porre fine al regno del terrore che aveva imposto alla bella città di Londra. Ho preso atto del fatto che nelle prime pagine si riferiva a un uomo che identificava esclusivamente come 'T' e lo convinsi a dirmi il vero nome dell'uomo. È emerso che era da tempo in visita da un medico per l'infezione sifilitica e decisi di far visita all'uomo nel suo studio. Senza rivelare il mio legame familiare con il suo paziente, fui in grado, grazie alla colleganza professionale, di convincerlo a divulgare alcuni dei suoi pensieri. Egli mi assicurò che, anche se lui aveva sempre fatto del suo meglio per il suo paziente, aveva seri dubbi circa la sanità mentale complessiva dell'uomo e aveva in realtà pensieri nascosti che egli potesse essere collegato al caso dello Squartatore, anche se non aveva mai avuto alcun prova su cui basare la sua ipotesi. Ovviamente non ho dato credito alle sue idee e l'ho lasciato dopo averlo semplicemente rassicurato che non ero altro che un amico preoccupato per quell'uomo. Ha accettato senza più fare domande e ci siamo lasciati amichevolmente.

Per quanto riguarda la fine dello Squartatore, ho gradualmente aumentato il dosaggio di morfina fino a quando non fu completamente assuefatto. Sarebbe stato impossibile realizzare ciò che intendevo fare. Così, nel cuore della notte, tornai alla sua dimora e lo convinsi a venire con me nella mia carrozza, che avevo guidato io stesso, adeguatamente vestito come un cocchiere anonimo, dopo averlo convinto a scrivere una nota alludendo al suo desiderio di porre fine alla sua vita, cosa facile nella sua condizione di drogato. Mi ha permesso di aiutarlo a salire sulla carrozza, dove è caduto presto in un sonno profondo. Credimi figlio mio, avevo poco stomaco per fare quel lavoro quella notte, ma sapevo che non avevo scelta se volevo proteggere la mia famiglia e la sua, dallo scandalo e dalla disapprovazione che sarebbero sicuramente giunti nella nostra vita, se fosse stata rivelata l'identità dello Squartatore. Sono andato in una zona tranquilla vicino al grande fiume Tamigi, dove l'ho aiutato a scendere dalla carrozza. Era totalmente ignaro di dove si trovava e tutto ciò che poteva fare, era camminare, anche aiutato dal mio braccio disponibile. Non era più la figura temuta e vile, ricercata da tutte le persone di buon animo, era solo un uomo patetico, triste e già morente. Sapere chi era in realtà mi diede la forza di fare quello che dovevo fare, e lì, sulle rive del fiume, gli ho somministrato la sua ultima dose di morfina per assicurarmi che non sentisse più dolore. Il suo crollo nell'incoscienza fu rapido e non appena si accasciò a terra, presi un certo numero di pietre dall'interno della carrozza, che avevo portato appositamente per lo scopo, e le misi nelle tasche del suo cappotto, insieme alla nota che aveva scritto. Fu un compito semplice poi spinsi il suo corpo inerte oltre il muretto, che, con uno schizzo soffocato, cadde nelle acque scure del Tamigi.

L'ho visto affondare sotto la superficie e ammetto che i miei occhi erano inondati di lacrime quando scomparve silenziosamente dalla mia vista per l'ultima volta. Dopotutto era carne della mia carne, il mio sangue scorreva nelle sue vene e, se non fosse stato per il lato contaminato della sua mente altrimenti brillante, avrebbe potuto essere un tipo nobile ed eccellente. Purtroppo, non fu così e la sua follia ora mi aveva portato a questo. Sebbene sapessi che non ero molto meglio, un assassino di un altro essere umano, sentii un grande peso sollevarsi da me mentre lui affondava nell'oscurità dell'acqua sporca. Mi consolai sapendo che Jack lo Squartatore non avrebbe mai più perseguitato le strade di Whitechapel e che la malattia che lo aveva afflitto non si sarebbe mai riprodotta nella sua prole.

Quella notte ero di umore cupo, quando tornai a casa mia e nei giorni seguenti i giornali continuarono a gridare alla polizia di intervenire per arrestare l'assassino. Mi venne in mente il pensiero che in un giorno futuro qualche povero innocente avrebbe potuto essere arrestato e accusato dei crimini dello Squartatore e promisi a me stesso che, se ciò fosse accaduto, un innocente non sarebbe stato ritenuto colpevole. Non avrei avuto altra scelta che rivelarne l'esistenza al giudice e rimettermi alla mercé della magistratura. È mia fervida speranza che una tale eventualità non accada mai, perché allora tutto quello che ho fatto per proteggere le persone coinvolte sarebbe stato vano.

Il suo corpo è stato scoperto alcuni giorni fa, fluttuante vicino alla Torpedo Works a Chiswick, anche se avevo sperato che sarebbe rimasto immerso e non scoperto. C'è da sperare che il biglietto sia rimasto intatto e che si creda sia stato un caso di suicidio. Ovviamente ci sarà un'inchiesta e dovrò fare uno sforzo per partecipare, per quanto sarà difficile per me. Dopotutto l'ho assistito in alcune occasioni in ospedale e non sembrerà sospetto che mi occupi di scoprire la causa della morte di qualcuno che conoscevo. Spero solo che non mi venga chiesto di testimoniare, perché sarebbe difficile per me dire falsità sotto giuramento.

Che prova dolorosa è stata; devi cercare di capire mio figlio. Se gli avessi permesso di restare tra noi il pericolo per tutti sarebbe stato immenso. Anche vederlo in un manicomio con la possibilità che qualcuno credesse alle sue invettive ci avrebbero messo tutti a rischio. Non ho avuto scelta. Devi capire. È meglio così, per lui, per tutti noi. Il suo nome, quello della sua famiglia e il nostro non saranno macchiati dalla consapevolezza di chi fosse il vile assassino a camminare per le strade di Londra e, dopotutto, non ci saranno più uccisioni. Il suo regno omicida è finito e la pace ricadrà ancora una volta sulle strade di Whitechapel. Con il tempo, sono sicuro che il nome di Jack lo Squartatore svanirà dalla memoria della gente e la serie di omicidi irrisolti rientrerà nella categoria 'evento storico'. Dopotutto, per quanto i crimini fossero stati terribili, le vittime non appartenevano a una classe sociale tale da attirare l'attenzione per un certo periodo di tempo e, se non fosse stato per le orrende mutilazioni compiute su di loro, gli omicidi non avrebbero attirato tanta attenzione com'è successo.

Sta a me vivere con le mie azioni, e un giorno, quando mi troverò faccia a faccia con Colui che è il mio Creatore, solo allora dovrò affrontare la vera punizione per quello che ho fatto, anche se figlio mio, tu saprai che non l'ho fatto alla leggera o senza un senso di coscienza. Sarò per sempre ossessionato, non solo dalle mie stesse azioni nel liberare il mondo da colui che era lo Squartatore, ma anche dalla vista del suo viso, fidandosi di me fino all'ultimo, mentre gli somministravo l'ultima dose fatale del farmaco e del suono del suo corpo mentre affondava nelle acque del Tamigi e la completa mancanza di riconoscimento da parte sua, di ciò che alla fine stava accadendo mentre affondava.

Queste cose vivranno con me fino alla mia

inevitabile scomparsa e devo nascondere a tutti, anche a te figlio mio, tutto ciò che so dei fatti del mio coinvolgimento nel caso. Solo dopo la mia morte queste pagine e i miei appunti saranno passati nelle tue mani e conoscerai tutta la triste verità.

Non farò ulteriori riferimenti su questo argomento; la mia confessione è nota a Dio, e ora, mentre leggi questo, anche a te. Giudicami non troppo duramente, ti prego, e il mio unico desiderio è che tu mantenga questo segreto nel tuo cuore finché vivrai, e, se sarai benedetto da un figlio, lascia che lo trovi nel modo in cui l'hai avuto tu, in modo che possa sapere ed essere avvertito, che il sangue di Jack lo Squartatore è mio e tuo e vivrà per sempre nelle vene di coloro che verranno dopo di noi, perché non posso biasimare completamente sua madre, era tanto mio quanto suo e devo assumermi una certa responsabilità.

Spero e prego che tu non sia mai messo in una posizione scomoda come lo sono stato io, che non dovrai mai combattere con la tua coscienza, non dovrai mai compiere le azioni orribili che hanno rovinato gli anni che mi sono rimasti, ma, se tu troverai questa verità così terribile, saprai solo tu cosa fare.

Le lacrime mi scorsero sul viso mentre leggevo quell'ultima e più terrificante nota rivelatrice del diario. Quelle non erano le parole di Jack lo Squartatore; quella era l'ultima e più tremendamente commovente confessione del mio bisnonno, che, spinto alla disperazione dalla sua coscienza e dal suo desiderio di 'fare la cosa giusta', per impedire che ulteriori atrocità fossero commesse, aveva preso la decisione più terribile e difficile: porre fine alla vita del proprio figlio illegittimo, per far cadere finalmente il sipario sulla vita torturata di Jack lo Squartatore. C'era qualcosa di così tragico nelle sue parole e così sbagliato nella rivelazione.

Potevo quasi vederlo, far visita allo Squartatore in quegli ultimi giorni, tenerlo drogato e obbediente mentre decideva la linea di condotta che avrebbe dovuto intraprendere. Deve aver mostrato grande simpatia, guadagnato la totale fiducia del suo paziente - suo figlio - l'uomo che avrebbe potuto essere un vanto per la sua famiglia ma che gli fu impedito da una paurosa malattia della mente e del corpo. Deve avergli causato tanta agonia mentale decidere finalmente di porre fine alla vita dell'uomo che aveva fatto nascere. Potevo persino capirlo credendo che fosse sua responsabilità e di nessun altro portare lo Squartatore alla sua punizione finale su questa Terra. Eppure, in mezzo a tanta angoscia, il mio bisnonno aveva sbagliato qualcosa. Pensava che lo Squartatore sarebbe stato dimenticato, nient'altro che una nota a piè di pagina nella storia. Come avrebbe potuto essersi sbagliato? Poi ci fu il riferimento alla mancata importanza delle vittime. Burton Cleveland Cavendish era, dopotutto, un prodotto della società e dei tempi in cui era nato. Per lui, la morte di poche prostitute sarebbe stata spaventosa, ma non in modo da causare significative increspature nell'ordine sociale di quei tempi, quindi era forse naturale per lui supporre così. Se solo avesse saputo quanto si sbagliava!

Poi di nuovo, pensai che, anche se fosse stato in grado di prevedere il futuro, avrebbe agito esattamente così, perché nella sua mente stava proteggendo il nome di famiglia e, per un uomo della sua posizione, questo ovviamente sarebbe stato fondamentale. Potevo capirlo? Ovviamente. Ero d'accordo con le sue azioni? Allora non ne fui sicuro e non lo sono tuttora. Avrei potuto o forse avrei fatto il terribile passo di uccidere la mia stessa prole per impedire che uccidesse di nuovo e mantenere il segreto di quella vergogna all'interno della famiglia? Mi sono posto questa domanda così tante volte da quei pochi giorni orribili e ancora non riesco a rispondere onestamente, nemmeno a me stesso.

Mentre ero seduto nel mio studio, con le paure e le tribolazioni degli ultimi tre giorni, sempre in prima linea nella mia mente, dovetti affrontare l'ultimo punto nell'ultima nota del mio bisnonno: era possibile che qualcosa nei suoi geni fosse stato impresso sui membri maschili della nostra famiglia? Avrei potuto portare lo stesso difetto genetico della mente nella mia struttura psicologica? Ero un altro Jack lo

Squartatore? Pensai a John Ross. Non era il seme del mio bisnonno, eppure aveva mostrato quelle stesse predisposizioni dello Squartatore, l'uomo che aveva scritto il terribile diario che avevo appena letto. Per me, era ovvio che il gene difettoso (se ne esisteva uno) dovesse provenire dalla madre dello Squartatore, o almeno essere stato trasmesso da lei. Il mio bisnonno non era al corrente del tipo d'informazioni genetiche che abbiamo a disposizione oggi, quindi sarebbe stato naturale per lui ritenersi responsabile per aver piantato il 'seme del demonio' nella sua prole.

Dovevo pensare che la 'colpa genetica' fosse da parte della madre della famiglia dello Squartatore ed era stata in qualche modo passata allo sfortunato Ross. Mio nonno e mio padre non avevano mai mostrato tendenze del genere ed io neanche, quindi ero certo di essere al sicuro da un simile destino.

Si stava facendo tardi, la nebbia sembrava ancora un sudario e Sarah sarebbe tornata a casa il giorno dopo. Ero rimasto sveglio fino alle prime ore del mattino e avevo completato il mio viaggio nel diario di Jack lo Squartatore, prima della scadenza che mi ero prefissato in precedenza. Anche se tremavo ancora per il tumulto emotivo creato dalle parole che sembravano quasi respirare, quando incontravano i miei occhi dalla superficie di ogni pagina, mi sentivo come se il peggio fosse passato. Il sentiero aveva portato a una conclusione quasi inevitabile e avevo poco o nulla da temere. Il mio grandissimo nonno aveva confessato l'omicidio di Jack lo Squartatore, eppure non potevo convincermi a condannarlo, perché così facendo aveva forse salvato la vita di molte altre donne. Che lo Squartatore fosse un mio parente, anche se lontano, sarebbe vissuto con me per sempre, come avevano fatto le parole del mio bisnonno, ma, nonostante tutti gli episodi inquietanti e sconvolgenti degli ultimi tre giorni e notti, ora mi sentivo al sicuro, come se nel diario non fosse rimasto niente che potesse nuocere a me o a Sarah, o causare ulteriori disturbi alla mia vita.

Chiusi il diario - il fruscio dell'ultima pagina che si chiudeva sulle pagine precedenti - e sembrò sospirare di rassegnazione come se il suo lavoro fosse finito. Mentre mi alzavo dalla sedia e mi avvicinavo stancamente al letto per prendere alcune preziose ore di sonno, con l'intenzione di essere il più fresco possibile per il ritorno di Sarah la sera successiva, avrei potuto giurare, solo per un momento, che una seconda debole ombra teneva compagnia alla mia, mentre camminavo per le scale per andare a letto. Ma poi, non poteva essere, no? Ero al sicuro, il diario era finito, lo Squartatore morto e sepolto e la verità sul coinvolgimento del mio bisnonno spiegata per intero.

Le calde sensazioni di sicurezza e di equilibrio mentale mi avvolgevano mentre mi arrampicavo sotto il piumone e cadevo in un sonno profondo. Presto sarebbe stato mattina e sapevo in cuor mio che l'incubo era finito e, naturalmente, *era* finito, no?

QUARANTADUE

NIENTE È MAI COME SEMBRA

Il doppio colpo della lama nel petto mi tolse letteralmente il fiato, poiché entrambi i polmoni furono perforati in rapida successione. Sentii il sangue iniziare a salire in gola e cercai di urlare, ma l'urlo fu soffocato all'origine, quando la lama scintillante mi tagliò ferocemente la gola, recidendo la carotide e il mio prezioso sangue vitale sgorgò come una doccia lungo quello squarcio. I miei occhi si annebbiarono e alzai lo sguardo e vidi l'orribile figura ghignante dello Squartatore che mi fissava con un'espressione d'intensa soddisfazione e un cupo fascino sul suo volto, come se stesse assaporando ogni secondo del mio dolore e della mia confusione.

Mentre sentivo gli ultimi residui di vita prosciugarsi dal mio corpo quasi senza vita, cercai di formare l'unica parola: "Perché?" ma ovviamente non sarebbe arrivata. La mia voce non era altro che un gorgoglio sibilante, mentre sentivo la mia vita svanire, diventare nulla, fluttuare, unirsi alle figure che si contorcevano che sembravano materializzarsi dall'aria intorno a me, avvolgersi intorno a me, raccogliermi e sollevarmi sopra di me fino a quando non guardai e vidi sotto di me il cadavere senza vita di quello che ero stato una volta, con la figura inquietante e orribile dello Squartatore ancora curva sul corpo. L'assassino alzò lo sguardo come se vedesse il quadro che veniva esposto sopra di lui e le sue labbra si aprirono in un cupo ghigno e rise, una risata cacofonica raccapricciante e orribile che sembrava che racchiudesse tutto il male del mondo, portandolo fino a quel punto nel tempo e nello spazio; le pareti intorno alla stanza tremavano mentre la risata svaniva nel nulla e lui alzò di nuovo lo sguardo e si dissolse nel nulla.

Le cose, che erano gli spiriti delle vittime dello Squartatore, mi accolsero con un'esplosione di urla e lamenti, la loro agonia le tormentava ancora dopo oltre un secolo di morte, perché non erano morte in pace. Mi tirarono, attirandomi sempre più vicino al soffitto e vidi un vasto portale che cominciava ad aprirsi dove avrebbe dovuto essere il soffitto. Una volta attraversata quella porta, sapevo che non ci sarebbe stato modo di tornare indietro e sarei rimasto intrappolato per sempre nel mondo inferiore delle anime dannate e inquiete, condannato a vagare per sempre nell'etere che circonda il mondo vivente, essendomi proibito il diritto di godere dell'eterno riposo.

Mentre le forme informi tiravano sempre più forte i resti della mia anima, combattei con tutto ciò che avevo, rifiutando risolutamente di arrendermi a condividere il loro destino. Una delle cose mi venne vicino e riuscii a sentire il suo alito fetido mentre apriva la bocca davanti a me e la bocca diventava un'enorme fauce che minacciava di coinvolgermi e portarmi via nel vuoto. Lottai contro la cosa che mi stava trascinando dentro di sé e, all'improvviso, come se fossi rinato nel mondo, un forte urlo uscì dalle mie labbra, le cose che mi circondavano erano scomparse velocemente com'erano apparse e fui avvolto ancora una volta dalla silenziosa oscurità della notte.

Ero sveglio, anche se non completamente, una sensazione che avevo provato negli ultimi giorni, niente sembrava reale, non sapevo cosa fosse reale o cosa non lo fosse più, e poi, attraverso l'oscurità sentii una voce familiare che mi chiamava, prima dolcemente, poi sempre più forte, l'intensità della voce che m'implorava di tornare alla realtà, di vivere di nuovo, di essere integro.

"Robert, Robert mio caro, mi senti? Dottore, le sue palpebre si muovono, credo che possa sentirmi!"

Era Sarah, era la sua voce, ma non poteva essere, non sarebbe dovuta tornare a casa fino alla sera successiva, e cosa voleva dire 'Dottore?' Quale dottore? Non aveva senso.

Mi sentivo come se qualcuno stesse cercando di sbucciarmi le palpebre e poi una luce penetrante balenò sul mio campo visivo.

"Ha ragione, signora Cavendish", disse una voce in quella che sembrava essere la distanza. "Credo che stia tornando".

"Oh, Robert, per favore, apri gli occhi, amore mio, fammi solo sapere che puoi sentirmi, qualsiasi cosa, per favore, dammi solo un segno".

Sentii Sarah prendere la mia mano nella sua e, senza rendermene conto, le strinsi delicatamente la mano.

"Oh, grazie a Dio", la sentii dire e, con uno sforzo sovrumano, mi sforzai lentamente di aprire gli occhi. Sarah era seduta accanto al letto, ma non era il nostro letto. Era uno dei letti fin troppo familiari, puramente funzionali, amati dal Servizio Sanitario Nazionale. Ero in ospedale! Ma come? Perché? Ero confuso e ci volle più di un piccolo sforzo per porre la semplice domanda.

"Che cosa sto facendo qui?"

"Oh, mio povero Robert", rispose Sarah, "sei qui da due settimane, hai avuto un incidente automobilistico con il tuo povero padre. Sei stato in coma ed io sono stata qui con te tutto il tempo, amore mio".

A quel punto ero più che confuso e devo averlo dato a vedere, mentre Sarah continuava.

"Devi aver fatto dei sogni terribili, Robert, hai urlato e gridato ogni sorta di cose strane e hai persino pensato che Jack lo Squartatore fosse nella stanza con noi".

Stavo per dire "Ma lo era", quando improvvisamente mi resi conto che dovevo essere stato gravemente ferito nell'incidente e, in qualche modo nel mio delirio, dopo qualunque cosa avessero fatto per rimettermi insieme, avevo immaginato l'intera cosa. Non c'era stato nessun diario, nessun prozio Jack lo Squartatore e nessuna maledizione sulla famiglia. Il mio bisnonno non aveva nulla a che fare con il caso e avevo sognato tutto nel mio stato indotto dalla droga.

Con il passare dei giorni le forze mi tornarono e Sarah, che mi ama più di quanto abbia il diritto di aspettarmi da qualsiasi persona, è stata una forza costante per me, non mi ha mai lasciato, è sempre lì a tenermi per mano, a parlarmi, pur essendo stata l'unica a darmi la notizia che, sebbene fossi sopravvissuto all'incidente, mio padre non era stato così fortunato. Era morto, come avevo sempre saputo dal mio sogno. Il funerale si era tenuto mentre languivo in ospedale; mio fratello aveva deciso che fosse la migliore linea d'azione, poiché nessuno sapeva se o quando sarei tornato.

Due settimane dopo essermi svegliato in ospedale e, con la maggior parte delle mie ferite ragionevolmente guarite, fui ritenuto abbastanza in forza da lasciare l'ospedale. I medici mi fecero promettere di trascorrere almeno un mese a riposo a casa prima ancora di pensare di tornare al lavoro ed ero ancora abbastanza debole da accettare prontamente la loro richiesta. Sarah ci portò a casa in macchina ed io ero euforico all'idea di dormire ancora una volta nel nostro letto, di poterla tenere tra le mie braccia in modo appropriato e di potermi rilassare e ricominciare a godermi la vita. Era strano ma tutto il mio lutto per la perdita di mio padre sembrava essere stato avvolto nello stato di sogno che avevo vissuto in ospedale. Pensai che, in un momento semi-cosciente, poco dopo la mia ammissione in ospedale, probabilmente avevo sentito qualcuno dire che mio padre non ce l'aveva fatta e che, forse, quello era stato il fattore scatenante per la strana serie di circostanze, che avevano preso il sopravvento sul mio cervello, mentre languivo in quel letto.

Mentre tornavamo a casa, Sarah mi disse che sua sorella Jennifer aveva dato alla luce un bellissimo bambino, che lei e suo marito l'avevano chiamato Jack e ancora una volta presumo di aver sentito quell'informazione, mentre Sarah la menzionava a qualcuno in ospedale, forse anche a me, visto che aveva detto di aver passato molte ore al mio capezzale semplicemente tenendomi la mano e parlando con me mentre dormivo in stato comatoso.

Quella prima notte a casa fu pura felicità: Sarah mi tenne vicino a lei nel letto e con le sue braccia intorno a me mi addormentai in un attimo e questa volta non ci furono sogni, incubi, visioni o spiriti a disturbare il mio sonno. La mattina dopo mi svegliai fresco e riposato e mangiai la migliore colazione che ricordassi di aver mangiato da anni. Sarah insistette perché poi mi sedessi e mi rilassassi. Non aveva niente da fare quel giorno e sarebbe stata felice di sedersi e tenermi compagnia.

Andò alla libreria e scelse un romanzo per me, un Clive Cussler, sapeva che era uno dei miei preferiti e che avevo comprato quel libro in particolare poco prima dell'incidente e quindi non l'avevo ancora letto. Si assicurò che io fossi a mio agio con i piedi alzati e una tazza di caffè e si sedette sulla sedia di fronte con un libro tutto suo e la mattinata iniziò a trascorrere in idilliaca tranquillità.

Verso le undici e mezzo squillò il telefono e Sarah mi alzò rapidamente la mano per segnalare che l'avrebbe presa lei. Si alzò e attraversò la sala per andare a rispondere al telefono. Prestai poca attenzione; probabilmente era sua sorella con la notizia del piccolo Jack. Un minuto dopo, Sarah mi chiamò dall'altra parte della stanza.

"Robert, mio caro, è David, l'avvocato di tuo padre. A quanto pare tuo padre ti ha lasciato uno strano pacco di carte incredibilmente vecchie da passare a te dopo il suo funerale. Vuole sapere quando starai abbastanza bene per andare a prenderlo".

EPILOGUE

Robert Cavendish è morto nel 1998, a soli quarantadue anni, appena due anni dopo l'incidente automobilistico che aveva causato la morte di suo padre. Anche se sua moglie Sarah si era dedicata alle sue cure dopo l'incidente, non era mai stato abbastanza bene per tornare al lavoro e la sua salute, sia fisica sia mentale, era lentamente peggiorata col passare del tempo. Aveva detto a sua sorella Jennifer che Robert non era mai più stato lo stesso, dopo aver ricevuto un pacchetto di carte di suo padre dal suo avvocato, ma non ne avrebbe mai parlato. Tuttavia, fu una sorpresa per sua moglie quando gli fu diagnosticato un tumore al cervello, solo sei mesi prima della sua morte. Era inoperabile e si diffuse rapidamente e alla fine Robert morì pacificamente con Sarah al suo fianco. Mentre giaceva a letto e la sua vita lentamente declinava,

Sarah giurò di aver visto Robert spalancare gli occhi all'improvviso, guardare in alto verso il soffitto e uno strano sguardo gli apparve sul viso, seguito dalle sue ultime parole: "Sono qui".

Avevano discusso in dettaglio le conseguenze della sua morte al momento della diagnosi della sua malattia terminale. Sarah eseguì alla lettera gli ultimi desideri di Robert e fu sepolto vicino a suo padre, con solo la famiglia presente. Seguendo le sue precise istruzioni, Sarah svuotò la cassaforte nel suo studio e depositò un pacco sigillato che trovò presso gli avvocati di Robert, con l'ordine di passarlo a suo nipote Jack non appena avesse compiuto ventuno anni. Non aveva idea di cosa ci fosse nel pacchetto e Robert aveva espressamente dichiarato che non doveva mai aprirlo. Lei continua a vivere nella casa che condivideva con Robert, anche se ha spesso fatto notare alla sua vicina, la signora Armitage, che sente una presenza in casa, come se Robert la stesse guardando.

Il nipote di Robert, Jack Thomas Reid, ha dieci anni ed è il pupillo dei suoi genitori. È un bel ragazzo e per molti versi ha una sorprendente somiglianza con suo zio Robert. Negli ultimi dodici mesi, però, il ragazzo ha iniziato a soffrire di alcuni strani problemi comportamentali ed è fissato con la vista e l'odore del sangue. I suoi genitori sperano che riesca a superare quella strana problematica e Jack è attualmente in terapia con uno psichiatra infantile specializzato.

NOTA DELL'AUTORE

Gli studenti del fenomeno 'Jack lo Squartatore' trarranno senza dubbio le proprie conclusioni sull'identità dello Squartatore, come rappresentato in questa storia, sulla base degli indizi forniti in questo libro. Chiederei a coloro che hanno studiato il caso per molti anni e che potrebbero avere in mente la propria soluzione di ricordare che questo racconto non è altro che una finzione, piuttosto che un tentativo di gettare nuova luce su un vecchio argomento. Il sospettato che ho usato come modello per lo Squartatore potrebbe o non potrebbe essere stato il famigerato assassino di Whitechapel e il racconto di queste pagine è semplicemente il prodotto dell'immaginazione dell'autore. O .... no?

Caro lettore,

Ci auguriamo che ti sia piaciuto leggere *Il diario segreto di Jack lo Squartatore*. Per favore, dedica un momento a lasciare una recensione, anche se breve. La tua opinione è importante per noi.

I migliori saluti,

Brian L. Porter e il team di Next Chapter

Il Diario Segreto Di Jack Lo Squartatore
ISBN: 978-4-86747-617-8
Edizione Rilegata A Caratteri Grandi

Pubblicato da
Next Chapter
1-60-20 Minami-Otsuka
170-0005 Toshima-Ku, Tokyo
+818035793528

22 Maggio 2021

CPSIA information can be obtained
at www.ICGtesting.com
Printed in the USA
BVHW070333150621
609529BV00001B/217

9 784867 476178